MARIE STUART
LA REINE CAPTIVE

Catalogage avant publication de Bibliothèque et Archives nationales du Québec et Bibliothèque et Archives Canada

Saunders, Danny, 1980-
Les reines tragiques
Sommaire: t. 1. Marie Stuart, la reine captive.
ISBN 978-2-89585-074-8 (v. 1)
1. Marie, reine d'Écosse, 1542-1587 – Romans, nouvelles, etc.
I. Titre. II. Titre: Marie Stuart, la reine captive.
PS8637.A797R44 2010 C843'.6 C2010-940412-2
PS9637.A797R44 2010

Les Éditeurs réunis bénéficient du soutien financier de la SODEC
et du Programme de crédits d'impôt du gouvernement du Québec.

Nous remercions le Conseil des Arts du Canada
de l'aide accordée à notre programme de publication.

Nous reconnaissons l'aide financière du gouvernement du Canada
par l'entremise du Fonds du livre du Canada pour nos activités d'édition.

Édition :
LES ÉDITEURS RÉUNIS
www.lesediteursreunis.com

Distribution au Canada :
PROLOGUE
www.prologue.ca

Distribution en Europe :
DNM
www.librairieduquebec.fr

Imprimé au Canada

Dépôt légal : 2010
Bibliothèque et Archives nationales du Québec
Bibliothèque nationale du Canada
Bibliothèque nationale de France

DANNY SAUNDERS

LES REINES TRAGIQUES

Volume 1.

MARIE STUART
LA REINE CAPTIVE

En hommage à mes ancêtres écossais.

Que suis-je hélas ? Et de quoi sert ma vie ?
Je ne suis plus qu'un corps privé de cœur,
Une ombre vaine, un objet de malheur
Qui n'a plus rien que de mourir en vie.
Plus ne me portez, Ô ennemis, d'envie
À qui n'a plus l'esprit à la grandeur.
J'ai consommé d'excessives douleurs
Votre ire en bref de voir assouvie.
Et vous, amis, qui m'avez tenue chère,
Souvenez-vous que sans cœur et sans santé
Je ne saurais aucune bonne œuvre faire,
Souhaitez donc fin de calamité
Et que, ici-bas étant assez punie,
J'aie ma part en la joie infinie.

Marie Stuart
(durant sa captivité au château de Fotheringhay)

AVANT-PROPOS

Pendant mon enfance, ma grand-mère maternelle m'a souvent parlé de la place prépondérante que mes ancêtres avaient occupée dans l'histoire de l'Écosse et, par la suite, dans celle de la Grande-Bretagne. Devenu adulte, j'ai voulu rendre hommage à ces hommes et à ces femmes qui, depuis, ont comblé mon imagination.

La vie tragique de Marie Stuart, reine d'Écosse, fut l'une des plus importantes périodes de l'histoire du peuple écossais. Depuis, aucune autre femme n'a laissé une marque aussi considérable dans le passé de ce pays.

Six jours après sa naissance, Marie perd son père et devient reine. Elle gouvernera l'Écosse de 1542 à 1567. Son règne sera très tôt bouleversé par ses relations tumultueuses avec les hommes de son entourage ainsi que par les conspirations répétées des protestants de John Knox. Tenue captive en Angleterre par sa cousine la reine Élisabeth Ire durant dix-neuf ans, elle sera décapitée au château de Fotheringhay le 8 février 1587.

Marie Stuart, la reine captive est un roman historique avec une touche romanesque. Bien que relatant des faits réels, ce livre ne se veut en aucun cas biographique. L'un des personnages principaux, l'attachante Charlotte Gray, est un produit de mon imagination, et toute ressemblance avec la réalité n'est que pure coïncidence.

Au fil des pages de ce récit captivant, vous vivrez les intrigues qui se tramaient à la Cour royale écossaise, les querelles religieuses avec l'Église presbytérienne ainsi que l'emprisonnement et la décapitation de Marie Stuart. Après avoir vécu un passé mouvementé et une série de mésaventures, Charlotte Gray tentera par tous les moyens de prendre le contrôle de son existence.

Mais l'amitié et l'amour finiront-ils par régner dans cet univers de traîtrise et de chaos ? C'est ce que vous découvrirez en lisant les pages qui suivent…

D.S.

Welcome to the
Edmonton Public Library

Date due: 2/25/2019,23:59
Item ID: 31221096991000
Title: Les reines tragiques. Volume 1, Marie Stuart la r

Date due: 2/25/2019,23:59
Item ID: 31221109949128
Title: La belle et l'orphelin : roman

Date due: 2/25/2019,23:59
Item ID: 31221104722603
Title: Les domestiques de Berthier

Thank you!
www.epl.ca

PREMIÈRE PARTIE

Les premiers conflits

CHAPITRE I
La reine catholique

Palais de Holyroodhouse, Édimbourg, 1561

LA REINE d'Écosse pénétra en toute hâte dans ses appartements privés, somptueusement décorés de tapisseries italiennes et de toiles françaises. Elle ordonna aussitôt à la servante qui se tenait près de l'imposante armoire en chêne massif, située dans le fond de la pièce, de réclamer sur-le-champ la présence de sa dame de compagnie principale.

Marie Stuart affectionnait particulièrement ce meuble antique ayant appartenu trois siècles plus tôt à la reine Margaret, la première femme à monter sur le trône d'Écosse. Pour la souveraine, ce mobilier incarnait l'héritage royal qu'elle se devait de préserver avec dignité et discernement, comme l'avait fait son prédécesseur.

Alors, sans perdre un instant, la jeune rouquine empoigna le bas de ses jupons jaunâtres entre ses mains blanches et sortit de l'antichambre par la porte dissimulée dans l'immense fresque florale peinte sur le mur qui donnait sur un passage secret. Elle s'élança nerveusement dans les nombreux couloirs sombres et exigus du palais de Holyrood-house à la recherche de la demoiselle manquante.

Elizabeth McLeod était au service de la souveraine depuis le retour de cette dernière en terre écossaise, en 1561.

Sa mère avait travaillé dans les cuisines jusqu'à son dernier souffle, vouant sa vie à satisfaire chaque petit caprice du duc et de la duchesse d'Argyll, l'une des familles les plus fortunées du royaume. Son père, un marin alcoolique, était rarement à la maison et avait la fâcheuse habitude de battre sa femme pour des riens lorsqu'il était au foyer familial. Elizabeth avait donc pris très tôt sur ses petites épaules la lourde responsabilité de s'occuper, telle une mère, de ses quatre sœurs et de ses deux frères.

À peine âgée de vingt ans, la jeune femme avait reçu l'offre de travailler au palais de Holyroodhouse à la suite de la mort atroce de son mari, survenue il y a deux ans lors d'un soulèvement religieux à Glasgow. Cette proposition fut pour elle une délivrance, car le décès de l'homme qu'elle chérissait plus que tout lui fut insupportable et la laissa acerbe pendant longtemps. Après plusieurs mois de négociations avec le duc d'Argyll, la mère d'Elizabeth obtint la promesse de l'homme d'aller parler à certains membres de la Maison royale. Et c'est ainsi qu'il put lui offrir, sans trop de difficultés, un poste convenable au palais.

Après avoir parcouru presque chaque recoin de l'immense pavillon principal, Elizabeth songea à poursuivre sa recherche à l'extérieur de la résidence. *Mademoiselle est sûrement en promenade dans les jardins par une si belle journée*, pensa la servante, convaincue d'y trouver la dame de compagnie de la souveraine.

Elle se dirigea donc vers les grandes cuisines du rez-de-chaussée, franchit les lieux en toute hâte et quitta la dernière pièce, qui était ensoleillée, par la porte de service. Une fois à l'extérieur, elle distingua l'arôme exquis du pain qu'on faisait cuire dans le grand four en pierre. À pas précipités, Elizabeth se rendit aux splendides jardins royaux qui entouraient le bâtiment et desquels se dégageait une douce fragrance parfumée de fleurs estivales.

Faisant le tour des nombreux bosquets luxuriants, elle aperçut enfin Charlotte, assise sur le gazon fraîchement coupé, près des superbes roses rouges qui lui rappelaient sa tendre enfance en Angleterre, auprès des siens.

La dame de compagnie était si resplendissante dans sa robe rouge écarlate à larges manches bouffantes, avec une chemise en taffetas blanche boutonnée avec finesse autour de son cou frêle. Ses cheveux bruns étaient tressés vers l'arrière comme lui avait enseigné sa tante préférée, la cadette des sœurs de sa mère. Elle portait ce jour-là une modeste mais élégante chaîne en or et une bague assortie. On aurait pu facilement la confondre avec une princesse.

Charlotte savait fort bien que la tenue vestimentaire était un symbole significatif qui servait à indiquer le rang que l'on occupait dans la société ; c'est pourquoi elle s'habillait toujours en conséquence. Il en serait ainsi tant et aussi longtemps que la reine restera en toute circonstance la plus majestueuse. Personne ne pouvait rivaliser avec elle. D'ailleurs, une dame de compagnie était immédiatement réprimandée pour avoir porté une robe trop somptueuse.

La favorite de la reine aimait se retrouver parmi les milliers de pétales rouges, bleus et roses. Les jardins du palais royal représentaient les seuls endroits où la quiétude était de mise. Lorsque sa charge à titre de demoiselle de compagnie rendait les moments insupportables, la jeune Anglaise s'y réfugiait pour retrouver une certaine sérénité.

« Mademoiselle Charlotte ! Madame vous cherche ! » s'écria la servante d'une voix tremblante en se dirigeant vers elle.

Charlotte Gray était une jolie jeune femme aux immenses yeux verts tirant sur l'émeraude et aux longs cheveux bouclés brun sable. Sa peau était douce comme de la soie et presque aussi blanche que du lait, et sa taille délicate avait toujours fait l'envie de ses sœurs. Aucun homme ne restait insensible à la beauté et au raffinement qui se dégageaient de ce corps parfait.

Élevée en tant que catholique par sa bienveillante mère sur la ferme paternelle en Angleterre, elle s'installa dans le royaume ennemi, l'Écosse, à la suite d'un premier mariage qui s'est terminé abruptement.

Ses parents étaient de bons chrétiens et avaient appris tôt à leurs filles que l'accomplissement de soi passait par les épreuves quotidiennes que Dieu mettait sur leur chemin et le travail acharné. Ils leur rappelèrent souvent qu'elles ne devaient jamais être avides de pouvoir ni être jalouses de la situation des autres, deux péchés capitaux impardonnables pour des enfants de Dieu.

Malgré son esprit parfois un peu trop songeur, Charlotte avait sa personnalité bien à elle et ne se laissait pas marcher sur les pieds. Elle pouvait être un moment la plus docile et sombrer l'instant d'après dans une rage furieuse. Ses sœurs apprirent vite qu'il ne fallait pas la contrarier inutilement. Par contre, elle savait jouer le jeu devant ses parents qui ne comprirent jamais l'ampleur de l'exaspération de leurs autres enfants.

La dame de compagnie se leva d'un trait à l'appel de son nom. Elle déposa doucement sur le sol verdoyant le petit bouquet de roses parfumées qu'elle tenait dans ses mains et elle s'en alla en direction du château, suivie d'Elizabeth. Charlotte savait très bien que la nervosité de la servante signifiait que la reine était d'une humeur massacrante. Les deux jeunes femmes accélérèrent le pas.

Elles pénétrèrent à l'intérieur de l'imposante demeure par le même accès qu'avait emprunté la servante quelques minutes auparavant. Elles traversèrent les cuisines en un coup de vent et se séparèrent au pied de l'escalier étroit qui menait droit aux vastes appartements de la reine, au deuxième étage. La jeune rouquine rebroussa chemin pour aider la vieille Jane, cuisinière en titre de la Maison royale depuis la fin du règne du défunt roi Jacques V ; celle-ci était occupée à préparer le premier repas de cette longue journée qui s'annonçait ardue. Charlotte, quant à elle, monta avec angoisse rejoindre la souveraine, qui l'attendait avec impatience depuis un long moment déjà.

« Vous voilà enfin, ma chère ! » soupira-t-elle, exaspérée.

« Que Madame pardonne ma négligence », marmonna nerveusement la dame de compagnie en regardant le plancher.

Ne souhaitant pas attiser davantage la colère de la reine, Charlotte s'approcha d'un pas incertain et se hasarda à demander la raison de sa présence. Marie Stuart, en regardant ses bijoux préférés dans un écrin richement décoré, se leva avec grâce et pria la jeune fille de bien vouloir l'accompagner au grand salon. Un émissaire du chef de l'Église presbytérienne attendait dans cette pièce depuis plusieurs longues minutes déjà.

La reine s'était fait vêtir de noir de la tête aux pieds pour démontrer sa totale désapprobation et sa plus profonde indignation à s'entretenir avec cet ambassadeur protestant. Et, dans un accès de rage inouï, elle avait décidé à la dernière minute de se couvrir d'autant de croix et de chapelets que le tissu de sa robe pouvait en contenir ; c'était sa façon de déclarer, à tous ceux qui étaient sur son passage, sa dévotion à l'Église de Rome, et ce, de la manière la plus excentrique qui soit.

D'un geste gracieux, la souveraine ferma le coffre à bijoux qu'elle tenait dans ses mains et le déposa sur la table de marbre blanc à côté de laquelle elle se tenait. Elle s'empara de sa petite pomme d'ambre argent contenant une huile musquée, l'approcha de ses narines et entreprit de descendre au rez-de-chaussée afin de donner audience à cet adversaire.

La reine d'Écosse détestait John Knox. Fondateur de la Réforme en 1545 et puritain, il était sans contredit son plus grand ennemi, car il avait une très mauvaise influence sur son peuple. Servante fidèle du Vatican et tenant à ses croyances catholiques, elle se devait de contrôler les agitations de ce prédicateur extrémiste. *Je défendrai l'Église de Rome aussi longtemps qu'il restera un souffle de vie en moi, car je crois que cela est la véritable Église de Dieu*, aimait se répéter la fervente souveraine.

Et si côtoyer l'ennemi était une clé pour garder l'unité du royaume, alors elle jouerait le jeu pour le bien de ses sujets et de la Couronne écossaise léguée par son père.

ꕤ

Convaincue qu'elle réussirait un jour à mettre le chef religieux sous sa main, la souveraine souriait à la pensée de parlementer avec le représentant qu'on lui envoyait. *Moi, la reine d'Écosse, m'asseoir avec un ennemi ! Jamais mon père n'aurait toléré une telle humiliation*, pensa-t-elle en grinçant des dents.

Charlotte suivit sa maîtresse à deux pas de distance, comme l'obligeait le protocole de la Cour royale. Un escalier abrupt en pierres élimées et un long couloir mal éclairé devaient être franchis avant d'arriver dans la pièce où on avait demandé à l'homme d'attendre. La jeune Anglaise contempla pendant un instant la beauté de cette femme si gracieuse.

Elle remarqua que Marie portait dans ses cheveux châtains la petite épingle dorée que lui avait offerte son défunt époux français. Elle avait vu la souveraine porter ce précieux bijou uniquement lors d'événements troublants, et comprit l'ampleur de la préoccupation de la reine au sujet de cette rencontre impromptue. *Je dois tenter de rassurer Madame de mon mieux*, se dit-elle avec la conviction de remplir une tâche quasi divine.

Lorsque la maîtresse des lieux arriva enfin devant le grand salon suivie de sa favorite, deux valets soigneusement habillés ouvrirent les immenses portes en bronze pour les laisser entrer. Ces hommes étaient presque aussi imposants que les grandes statues de pierre qui entouraient si solennellement le château. Un illuminé un peu trop fouineur aurait vite compris qu'il n'y avait pas à discuter avec eux s'il s'était trouvé sur leur chemin.

La reine avança donc avec élégance et majesté jusqu'au milieu de la pièce pour accueillir le vieil homme. Ce dernier s'appuya lourdement sur sa canne et se leva avec peine. Son corps fatigué prit quelque temps avant de trouver l'équilibre. Il était petit de taille et une malformation de la colonne vertébrale lui maintenait le dos courbé. Marie tendit sa main droite et attendit qu'il vienne embrasser sa bague en signe de respect et de soumission à l'autorité royale.

L'homme, sobrement vêtu d'une soutane couleur bourgogne, fit tant bien que mal la révérence et vint porter timidement ses lèvres au bijou incrusté de rubis qu'arborait avec fierté la puissante femme. Cette peur que la souveraine ressentait chez l'émissaire protestant lui procura une grande jouissance. *On se prosterne devant la catholique*, se dit-elle avec le sourire aux lèvres.

Ébloui par la délicatesse de la peau blanche et par les fins cheveux bouclés de la reine, le vieil homme essaya de ne pas la dévisager trop longuement de peur de la contrarier. On lui avait juré que la reine d'Écosse était une femme laide, rondelette et dépourvue de charme féminin. Pourtant, une dame élégante et sûre d'elle se tenait devant lui. Dès qu'il eut jeté un regard sur les yeux de son interlocutrice, le protestant remarqua le noir pétrifiant des pupilles de la souveraine qui le fixait avec dédain.

Cette créature a sûrement été mise sur ma route pour tester mon engagement envers mes convictions. Le Diable lui-même l'a probablement envoyée pour me charmer… mais rien ne pourra me faire déroger du droit chemin. Je suis un fervent croyant de la foi protestante… la seule et unique qui nous mènera directement à Dieu !

Et, embarrassé par ce sursaut de sentiments qu'il avait refoulés depuis tant d'années, il baissa la tête à nouveau.

« Mon brave, avez-vous perdu l'habileté à parler ? » lui lança-t-elle sèchement.

« Je suis le plus humble sujet de Votre Majesté. Et l'honneur que vous faites à un pauvre vieillard comme moi à le recevoir ainsi restera ancré au plus profond de moi pour le restant de ma misérable existence. »

« Suffit ! Allons droit au but, si vous le voulez bien », coupa la reine en serrant le rosaire de perles qui pendait à sa taille.

« Très bien, Madame. Mon maître, John Knox, m'envoie vous informer qu'il sollicite une audience à Votre Majesté. Il souhaite vous convaincre de renoncer à votre foi catholique... pour le bien de votre peuple », balbutia-t-il.

« Mais est-il complètement fou ? cria la souveraine hystérique en levant les bras. Il me demande à *moi*, la fille du roi Jacques V, de renier mon allégeance au Saint-Père et à la sainte Bible ? Jamais ! » fulmina-t-elle en dressant le poing droit en direction du vieillard.

Bouleversée par les paroles de l'émissaire, la reine entra dans une rage incontrôlable. Tournoyant sur elle-même, Marie Stuart profana des injures sur le compte du prédicateur presbytérien. Constatant la mauvaise humeur de sa maîtresse, Charlotte avança d'un pas vif vers l'homme déconcerté et l'invita à prendre aussitôt congé.

Elle le saisit par le bras et l'amena hors de la pièce avant même qu'il n'ait eu le temps de protester. Refermant les lourdes portes derrière elle, elle rejoignit aussitôt sa maîtresse pour tenter de la calmer.

« Madame, vous devriez vous allonger un moment. Vous me semblez bien pâle », insista la favorite.

Cédant au bon conseil de sa confidente, la reine s'allongea sur un canapé capitonné pour s'y reposer. Secouée par ses émotions, elle resta immobile au milieu des toiles de ses ancêtres, fixant une série de tapisseries généreusement décorées suspendues de part et d'autre de l'immense âtre sculpté. Tant d'événements historiques avaient pris place dans cette pièce, sous le regard sévère des têtes couronnées.

Charlotte comprit à cet instant que le royaume d'Écosse entrait irrémédiablement dans une période critique qui changerait le cours de l'Histoire. Mais elle était convaincue que la souveraine n'allait pas reculer devant les menaces de ce groupe de protestants. Forte du soutien du Vatican, mais aussi – et surtout – de la puissante Couronne française, loyale au Saint-Père, la reine pouvait se permettre son entêtement.

La dame de compagnie, regardant Marie Stuart sommeiller, ne put retenir ses larmes en songeant à l'extraordinaire détermination, à toute la force et au courage que cette femme devait constamment faire preuve dans ce monde d'hommes. Elle trouva bien insignifiantes ses propres inquiétudes en comparaison des lourdes charges imposées à la reine en raison de son titre et de son sang royal.

Afin de s'assurer que sa maîtresse ne serait pas dérangée par quelques distractions extérieures, Charlotte ferma tous les épais rideaux du grand salon et ordonna aux deux valets de ne laisser entrer personne sous aucun prétexte. Satisfaite de la quiétude de la pièce, elle s'assit dans un fauteuil assorti à celui dans lequel la souveraine se reposait non loin d'elle.

Et elle attendit patiemment le réveil de la reine en s'adonnant au crochet – une activité qu'elle aimait bien pratiquer pour se détendre et qui lui avait été enseignée par sa tendre mère lors de sa jeunesse en Angleterre.

ঌ

Enfant, Charlotte aimait regarder sa mère s'exercer au crochet pendant les douces journées d'été ensoleillées. Les mains agiles et la beauté unique de cette dernière – qu'aucune femme de la région n'égalait d'ailleurs – donnaient l'illusion à la petite fille que sa mère ne pouvait qu'être un ange descendu du ciel pour semer amour et grâce sur sa route.

Chaque fois que sa mère prenait la petite tige de métal pointue, Charlotte voyait le tendre visage de celle-ci s'illuminer devant elle. Cette femme tant chérie que Dieu avait rappelée trop tôt auprès de lui.

Depuis le décès de sa mère, la jeune Anglaise était restée froide face à cet être divin et n'avait cure de toutes ces querelles de religions qui déchiraient les peuples. Mais craignant pour sa propre vie, elle avait toujours gardé secrète cette haine qui la rongeait à l'intérieur.

ঌ

Une heure plus tard, la reine finit par ouvrir les yeux. Pendant ce temps, Charlotte s'en était allée vaquer à ses propres tâches que lui imposait son rang à la Cour royale. Malgré son horaire chargé, elle revint à plusieurs reprises vérifier que sa maîtresse n'avait pas besoin d'aide.

« Pardon, Madame, mais votre repas est prêt, dit poliment la dame de compagnie. Dois-je le faire apporter tout de suite au salon ? »

« Charlotte, ma chère, je crois que je vais plutôt le prendre dans les jardins », déclara la reine en souriant comme si rien ne s'était passé auparavant.

La jeune femme fit la révérence en signe d'acquiescement et retourna à la cuisine pour donner ses instructions aux servantes.

« Jane ! dit l'Anglaise, Sa Majesté prendra son repas à l'extérieur… »

« Très bien, Mademoiselle Charlotte », répondit la cuisinière bien en chair, en faisant virevolter sa cuillère de bois.

« Elizabeth nous suivra dans les jardins royaux avec le plateau de nourriture », conclut la favorite.

La reine était toujours étendue sur le canapé lorsque Charlotte revint dans le grand salon. Elle aida donc sa maîtresse à se lever. La souveraine se redressa bien reposée et replaça avec soin son imposante robe ornée de perles et de pierres précieuses – qui lui donnait une prestance qu'aucune femme d'Écosse ne pouvait égaler.

Satisfaite de son image, Marie Stuart, qui était suivie de sa dame de compagnie, traversa une série de longs corridors voûtés qui les mena aux portes donnant sur les jardins privés du palais de Holyroodhouse.

ꝭ

La légende raconte que le roi David Ier d'Écosse était à la chasse dans les boisés qui couvraient jadis tout le domaine lorsqu'il fut attaqué par un cerf. Un nuage argenté serait apparu dans le ciel, d'où serait descendue une sainte croix. À la vue de celle-ci, l'animal se serait enfui. Le souverain aurait fondé, en 1128, l'abbaye de Holyrood à cet endroit pour montrer sa reconnaissance envers Dieu. Au fil des siècles, le bâtiment fut agrandi et devint la résidence traditionnelle des rois écossais.

ꝭ

De gros nuages blancs avaient couvert le ciel un peu plus tôt, mais, maintenant, un soleil radieux brillait au-dessus des montagnes, à l'horizon. Et Marie et ses suivantes saisirent cet instant pour admirer le spectacle qui se présentait à elles.

Prenant une dernière grande respiration d'air frais, la souveraine quitta le seuil de la porte et se précipita vers le petit chemin en terre battue sans dire un mot. Surprise, Charlotte dut courir pour rattraper sa maîtresse qui l'avait devancée.

La dame de compagnie s'immobilisa finalement au bout du sentier étroit et pénétra dans les jardins privés, qui étaient entourés d'une haute haie de cèdres bien taillés. Une bonne vingtaine de pas derrière, Elizabeth les suivait du mieux qu'elle pouvait avec le plateau de nourriture en argent qui lui brûlait les avant-bras.

La reine avait déjà pris place sur une chaise en bois, près d'un petit monument de granite, et attendait impatiemment qu'on lui serve son goûter. À la vue de l'irritation de sa maîtresse, Charlotte, de la tête, fit signe à la rouquine d'accélérer le pas. La servante hâta alors ses petites jambes au point de donner l'illusion qu'elle courait.

L'instant d'après, Elizabeth déposa le plateau devant Marie Stuart et retira le couvercle de l'assiette en argent. Les effluves d'un succulent repas montèrent aux narines des trois femmes.

La souveraine savoura une première bouchée de pigeon rôti, puis reposa sa fourchette dans son assiette et se retourna vers sa favorite.

« Dites-moi, ma chère… commença la puissante femme. Vous êtes à mon service depuis un bon moment déjà et je ne connais toujours que très peu de choses sur vous ! »

« Madame, je peux vous assurer qu'il n'y a pas grand détail à raconter que vous ne sachiez déjà », s'excusa faussement la jeune femme.

« N'y a-t-il donc jamais eu de passion dévorante dans votre vie ? Un gentilhomme ne s'est jamais épris de vous ? » demanda la souveraine en savourant de nouveau une délicieuse bouchée du volatile.

« Je peux dire en toute franchise à Madame que les hommes n'ont jamais occupé un telle place dans mon cœur jusqu'à présent. »

« Mais je suis certaine qu'un si joli visage ne peut qu'avoir brisé le cœur de plus d'un homme. »

« Votre Majesté est trop aimable. »

Toujours à l'affût des derniers potins qui circulaient au château – et bien déterminée à avoir une réponse plus précise –, Marie Stuart pensa à une réplique qui obligerait sa protégée à expliciter la perception qu'elle avait du sexe opposé.

« Le fils du cocher… testa la reine. Comment s'appelle-t-il déjà ? Ah oui ! Peter O'Callaghan… il semble bien que notre Seigneur l'ait choyé, ne trouvez-vous pas ? Il serait parfait pour vous ! »

« Madame, je crains que le cœur de Monsieur Peter ne soit déjà pris », répondit Charlotte tout en regardant discrètement en direction d'Elizabeth, qui devint aussi rouge que ses cheveux.

« En êtes-vous bien certaine, ma chère ? » questionna la souveraine, profondément irritée.

« Oui, Madame ! » confia l'Anglaise, non sans inconfort.

À la grande surprise – et au soulagement – des deux jeunes femmes, la reine changea de sujet. Elle détestait par-dessus tout ne pas être la première informée des rumeurs sur son entourage. Elle se leva, poussa la chaise loin derrière elle, puis ordonna à Elizabeth de débarrasser la petite table de fortune.

Contrariée, Marie entreprit de marcher seule dans les jardins, refusant même la compagnie de sa favorite.

Reprenant le plateau laqué, la rouquine regarda Charlotte droit dans les yeux et sourit timidement en signe de gratitude pour sa discrétion au sujet de sa liaison secrète avec le fils du cocher. Pour toute réponse, Charlotte hocha légèrement la tête.

Depuis quelque temps déjà, Elizabeth rencontrait en secret Peter O'Callaghan dans les recoins sombres du domaine aussi souvent qu'il le pouvait. Leur relation était davantage charnelle qu'amoureuse, et cela semblait convenir aux deux parties.

La jeune femme n'entra au service de la reine d'Écosse que quelques mois après l'arrivée du cocher et de sa petite famille. Peter était très séduisant avec ses lèvres sensuelles et sa mâchoire carrée, et il était un incorrigible charmeur. Leur attirance physique fut immédiate.

Il était un amant irréprochable et savait comment faire oublier la tristesse d'Elizabeth : en se montrant avide à la satisfaire sexuellement. Leurs étreintes étaient toujours explosives et ne manquaient jamais à se conclure par un orgasme bouillonnant.

Convaincue qu'aucun membre à la Cour royale n'était informé de cette liaison ardente, la rouquine fut soulagée du geste de compassion de sa supérieure à son égard. Malheureusement pour Elizabeth, cette relation amicale était bien illusoire et n'allait pas être de longue durée.

CHAPITRE II
La naissance d'une reine

Palais de Linlithgow, West Lothian, 1542

MARIE STUART est née lors d'une sombre journée automnale enneigée. Le royaume d'Écosse avait perdu ses couleurs, la terre était gelée, les arbres étaient nus et la chaleur s'était inclinée devant un vent glacial poussé par la mer du Nord. Les premières neiges blanches firent leur apparition quelques jours avant ce 8 décembre 1542. En cette période où le temps semblait s'être arrêté, un événement grandiose se tramait au sud du territoire. Une naissance attendue par le peuple changera radicalement le visage de l'Écosse et marquera à jamais le pays. L'arrivée de cet enfant faisait trembler le trône d'Angleterre et était la source de l'espoir du Vatican ainsi que de ses fidèles dans les îles, au nord de la France.

« Le roi est-il informé des derniers dénouements sur l'accouchement de la reine ? » demanda impatiemment Archibald Campbell en fronçant les sourcils.

« Absolument, Votre Grâce ! » répondit l'un des messagers assignés à cette tâche.

Pour calmer les inquiétudes du souverain, il avait été décidé qu'un homme du palais lui rapporterait le plus souvent possible les informations sur la condition de sa femme.

Pour assister leur reine dans cette épreuve, une poignée de domestiques se trouvaient au palais de Linlithgow, dans la région du West Lothian. Période de guerre oblige, la plupart des serviteurs de sexe masculin furent repêchés pour se rendre sur les champs de bataille contre l'ennemi du sud. Alors que le roi d'Angleterre essayait de s'emparer du trône écossais, Marie de Guise était en plein travail et voulait accoucher au plus tôt afin de retrouver son mari agonisant. Allongée sur son lit inconfortable, la souveraine gémissait de douleur cet enfant si espéré par tous. Les domestiques et les nobles de la cour tournoyaient dans les couloirs de la résidence royale ; en cette journée historique s'entremêlaient l'incertitude face à l'invasion possible des Anglais et la venue au monde d'un prince héritier. Entourée d'un médecin, de ses dames de compagnie et de servantes accomplissant leur devoir, Marie de Guise s'efforçait de donner naissance à un mâle. Elle était craintive car, par deux fois, Dieu lui avait enlevé trop rapidement un fils, et elle voulait offrir à son puissant époux ce bébé si important pour lui. Certes, elle avait déjà un garçon d'une première union conjugale, mais un bâtard ne pouvait espérer accéder à la plus haute fonction du royaume. La future mère était confuse entre la souffrance de l'accouchement et le bonheur de constituer une famille. Le moment si désiré se présenta enfin aux premières lueurs de l'aube. Le visage en sueur, la reine d'Écosse poussa de toutes ses forces et expulsa cet être vivant. Les cris du bambin se firent entendre aux quatre coins du bâtiment. Les yeux submergés de larmes et le cœur battant à tout rompre, la mère venait d'accomplir ce qu'on attendait d'elle, ce pourquoi le roi l'avait mariée et la raison qui justifiait son statut de première femme du royaume.

« Comment est-il ? » demanda la reine, d'une voix fatiguée.

« Elle se porte bien », répondit spontanément le médecin en examinant la fillette.

« Que me dites-vous là ? »

Aussitôt, Marie de Guise sursauta sur son lit et réclama le bébé qu'elle venait d'offrir à la Couronne écossaise. D'une humeur massacrante, elle tendit les bras sèchement. Une servante se hâta de lui remettre ce qu'elle réclamait avec impatience. La reine détailla l'enfant avec un œil suspicieux et la redonna à la domestique.

« Non ! s'écria-t-elle en se frappant le ventre. L'Écosse a besoin d'un mâle, pas d'une femelle ! »

Ses larmes du devoir accompli se changèrent en un ruisseau de déception amer. Elle se cacha dans les couvertures épaisses du lit et essaya de camoufler sa colère. Ne sachant trop comment réagir, ses dames de compagnie firent sortir de la chambre les servantes et le médecin, désemparé par la réaction de la mère. L'une des favorites de la souveraine prit le bébé dans ses bras. La petite fille versait des pleurs comme si elle voulait amoindrir le cœur de celle qui l'avait portée en son sein pendant neuf mois. Après un bref moment, Marie de Guise sortit la tête des draps et regarda en direction de l'enfant. Alors que ses larmes s'asséchèrent, la reine fit un sourire du coin de la bouche. Comment pouvait-elle ne pas aimer ce bout d'elle-même ? Marie de Guise sentit une joie l'envahir. Elle réclama à nouveau son enfant. Elle l'examina scrupuleusement. Les yeux, les bras, les jambes semblaient en santé, se convainquit la souveraine. Son cœur maternel prit le dessus sur son devoir de reine et aima aussitôt ce cadeau du ciel. Par contre, son jugement d'épouse royale comprit que cet enfant ne serait pas le vœu si attendu du roi. Jacques V espérait plus que tout sur terre avoir un fils, un héritier, celui qui ferait vivre la lignée des Stuart. Et la fille de la Maison de Lorraine avait souhaité que se réalise le rêve de son époux. Dieu en avait décidé autrement et elle devait se soumettre aux caprices du Tout-Puissant.

« Faites venir le conseiller royal », ordonna-t-elle à sa dame de compagnie principale.

D'un pas rapide, la favorite s'empressa d'informer le comte d'Argyll qu'on exigeait sans tarder sa présence dans la chambre de la reine. Archibald Campbell avait comme première mission, en cette journée historique, de faire connaître la bonne nouvelle à Jacques V. Dès qu'il fut informé qu'on le réclamait auprès de la souveraine, il se dépêcha de la rejoindre.

« Vous voilà, Archibald Campbell ! » s'exclama la reine d'un ton fatigué lorsqu'il pénétra dans la pièce.

En fixant ses yeux sur la nouvelle mère, le comte comprit que la déception s'était emparée d'elle. Son visage dégageait l'amertume d'une épouse défaite par l'échec de ce qu'on attendait d'elle. Le conseiller royal savait que le souverain espérait un héritier mâle afin de poursuivre sa lignée.

« Approchez, comte d'Argyll », enjoignit Marie de Guise.

L'homme obéit aux paroles de sa reine. Il fit quelques pas vers elle et s'agenouilla maladroitement au pied du lit en reconnaissance envers la personne qui se tenait allongée devant lui. Ce n'était pas à lui de juger le résultat final de cet accouchement royal, mais à son roi.

La souveraine tendit le bras droit en direction du comte afin qu'il lui baise la main. Archibald Campbell s'exécuta par habitude et, en relevant la tête, il fixa son regard sur le bébé qui dormait paisiblement aux côtés de sa mère. Le noble sut dès lors que ce petit bout de vie changerait l'histoire dynastique de la Cour royale. *Le destin du royaume d'Écosse reposera sur les épaules de cette femelle,* pensa-t-il.

« Mon ami, allez annoncer à Sa Majesté, mon mari, la naissance d'une fille. Le bébé se porte bien et elle se prénommera Marie », annonça la souveraine d'une voix incertaine.

Le comte d'Argyll se releva, fit la révérence à Marie de Guise et sortit de la chambre royale. L'homme ressentit de la compassion profonde pour sa souveraine et présageait surtout la réaction violente que le roi manifesterait à l'annonce de cette nouvelle. Déchiré entre ses sentiments envers la mère de l'enfant et son devoir de loyauté envers son roi, Archibald Campbell monta à cheval et se dirigea vers le palais de Falkland, entouré d'une escorte de cavaliers.

Couchée dans son lit, la reine se morfondait à l'intérieur d'elle-même. *Que va-t-il m'arriver ? Serais-je répudiée comme Catherine d'Aragon ? Pire ! Serais-je décapitée comme cette putain d'Anne Boleyn ?* se questionna l'épouse de Jacques V, ébranlée. Pour expier son péché de ne pas avoir donné naissance à un fils, Marie de Guise ordonna de préparer tout de suite le baptême de sa fille selon les rites de l'Église de Rome. Les dames de compagnie se dépêchèrent de mener à bien cette demande capitale. Les domestiques se hâtèrent à décorer la chapelle Saint-Michel, en annexe de la résidence royale. Tous se réunirent sous le toit de ce bâtiment religieux. Les favorites de la souveraine, les nobles affectés à la chambre de la reine, quelques membres du clergé et Marie de Guise entourèrent la jeune princesse Marie Stuart. Les larmes aux yeux et un chapelet à la main, l'épouse royale espérait une bénédiction de Dieu pour avoir failli à sa charge matrimoniale. Alors que le prêtre versait quelques jets d'eau sur le front de l'enfant, un rayon de soleil traversa un vitrail coloré et se jeta sur le visage du bébé. À la vue de cette scène, Marie de Guise remercia le ciel d'avoir répondu à sa prière. La reine louangea le Tout-Puissant de protéger sa fille et de l'accueillir au creux de ses bras. Ce premier sacrement au sein de l'Église catholique servirait de port d'ancrage à la foi chrétienne de cette Marie Stuart. Une vie en communion envers sa foi au Vatican.

Atteint du choléra, Jacques V était demeuré sous surveillance médicale dans une autre résidence royale pendant l'accouchement de sa femme. Les médecins craignaient pour sa vie. On lui fit quelques saignées, mais sans grand résultat sur sa santé plus qu'inquiétante. La maladie avait atteint son apogée trop vite et les médecins ne pouvaient plus la combattre d'égal à égal. Seul Dieu pouvait décider du sort du roi d'Écosse.

La nouvelle de la naissance de son enfant lui parvint plusieurs heures plus tard. Alors que Jacques V espérait une rédemption grâce à l'arrivée d'un fils, il fut anéanti lorsqu'il apprit de la bouche d'Archibald Campbell la venue au monde de la jeune Marie. *Une fille !* se désola-t-il. Le roi répondit tristement au comte d'Argyll que la Couronne d'Écosse était venue par une fille et qu'elle s'en irait par une fille. Le souverain faisait référence à Marjorie Bruce, la fille du roi Robert Bruce, qui avait transmis le trône à la lignée des Stuart. Jacques V se mit en colère contre Dieu pour cette punition divine. Pourquoi le Seigneur ne lui avait-il pas donné un fils ? Pourquoi le sort s'acharnait-il autant sur les Stuart ? D'un côté, la guerre avec les Anglais n'était pas en faveur des Écossais et, de l'autre, la naissance d'une femelle pour hériter du trône. Sans parler de la maladie qui rongeait rapidement le chef royal.

Le 14 décembre, le destin eut raison de la santé chancelante du monarque. Après une défaite écrasante lors de la bataille de Solway Moss contre l'armée d'Henri VIII d'Angleterre, le royaume d'Écosse perdit son souverain bien-aimé. Jacques V décéda au palais de Falkland en présence de certains membres du Parlement écossais, loin de sa femme et de sa fille, Marie Stuart. En guerre constante contre les Anglais, l'Écosse était affaiblie sur les plans monétaire et politique. Les conflits faisaient rage depuis des siècles et la mort du souverain, loin de calmer le jeu, relança les désirs d'expansion du roi d'Angleterre. Fort de sa victoire, le monarque Tudor profita de la disparition de son rival du nord pour songer à envahir une fois pour toutes le territoire ennemi. Aucune règle n'existait dans la tête d'Henri VIII afin d'arriver à ses fins. Parmi les plans royaux, les Anglais envisagèrent d'enlever la princesse héritière d'Écosse afin de la marier au prince Édouard, fils unique d'Henri VIII. Pour mener à bien ses objectifs, le souverain protestant pouvait compter sur l'appui forcé de plusieurs nobles écossais qu'il tenait captifs dans l'une de ses nombreuses forteresses. Plusieurs complots furent soigneusement préparés, mais aucun ne vit le jour.

Dieu semblait protéger la jeune princesse Marie Stuart des intrigues de la Cour royale anglaise.

Dès l'annonce du décès de Jacques V proclamé officiellement par les autorités, les plus folles rumeurs envahirent le royaume d'Écosse. Les mauvaises langues de la Cour royale firent circuler des doutes sur la légitimité de la fille du dernier Stuart. Les ennemis de Marie de Guise ne se cachèrent pas pour crier haut et fort que Jacques V n'était pas le véritable père de l'héritière. On souhaitait éloigner de la couronne cette femelle qui mènerait le pays vers sa perte. Une poignée de nobles – certains très puissants – se rallièrent aux protestants dans le but de contrer l'accessibilité de la jeune princesse au trône. Les jours qui suivirent la disparition du roi furent menaçants pour Marie Stuart. La fille de la Maison de Lorraine combattit de toutes ses forces pour protéger son enfant et pour s'assurer de l'installer sur le trône qui lui revenait de droit. Certes, Jacques V n'avait pas de fils, mais son sang coulait dans les veines de sa fille. La détermination de la veuve du souverain eut le dessus sur ses opposants, car, malgré cette crise de légitimité, la majorité des membres du conseil suprême du royaume décidèrent de respecter la succession des Stuart. La jeune princesse hériterait de la couronne de son père. Restait à combler l'imposant siège de régent d'Écosse. Étant encore une enfant, Marie Stuart n'était pas en mesure de diriger les affaires du pays. Pour assurer la continuité décisionnelle, un proche parent devait gouverner le territoire en attendant que la nouvelle reine ait atteint l'âge adulte. Un autre jeu de coulisse infernal se déroula pendant de nombreux jours aux quatre coins de l'Écosse. Même l'Angleterre et la France tentaient vainement de s'introduire dans le choix final de celui qui occuperait cette fonction prestigieuse.

Selon les dernières volontés du roi Jacques V, le comte d'Arran, James Hamilton, devait assurer la régence du royaume d'Écosse jusqu'à la majorité de l'héritier ou, dans le cas présent, de l'héritière. Ce dernier était le plus proche successeur de la Couronne écossaise, juste après Marie Stuart, il était donc en droit de remplir cette tâche essentielle pour le bien de la dynastie. De son côté, Marie de Guise, en sa qualité de reine douairière et mère de la souveraine, détenait la garde légale de Marie Stuart. Assez tôt, la relation entre le régent « potentiel » et la fille de la Maison de Lorraine devint conflictuelle. Même du vivant de son époux, Madame de Guise n'était pas en mesure de faire confiance à cet individu avide de pouvoir. Trop souvent, il était mêlé de près ou de loin à des intrigues dynastiques qui menaçaient la position de l'enfant qu'elle portait en son sein. Heureusement pour la veuve de Jacques V, elle put compter sur l'aide inestimable de l'Église catholique romaine et de sa puissante famille pour préserver sa situation de reine douairière.

À la fin de décembre 1542, lors d'un entretien avec le cardinal David Beaton, chef du parti catholique écossais, Marie de Guise lui dira en privé : « Arran n'a pas les talents qu'exige une aussi haute charge. Il est paresseux, indécis, et se laisse gouverner par ceux qui l'approchent. »

Opinion tranchée que partagera le représentant du Vatican. Sachant l'existence d'un ennemi commun, la reine douairière et le cardinal uniront leurs efforts pour éloigner ce prétendant gênant. Dès lors, Beaton luttera férocement contre la nomination du comte d'Arran comme régent. Avec certains partisans du catholicisme, il exhibera un testament que le roi d'Écosse aurait signé sur son lit de mort. En fait, il ne s'agissait que d'un faux papier rédigé par un religieux anonyme qui stipulait le partage de la régence entre David Beaton, le comte de Moray, le comte de Huntly et le comte d'Argyll. Manigance bien orchestrée mais qui n'aura pas l'effet souhaité par les opposants de James Hamilton.

Lorsque le comte d'Arran prit connaissance du document en question, il le rejeta du revers de la main. Le noble était convaincu que ce papier était falsifié par ses ennemis catholiques. L'homme s'était assuré personnellement de surveiller le souverain jusqu'à son dernier souffle. Jamais un tel testament ne lui aurait passé sous le nez sans qu'il en fût informé. James Hamilton avait préparé son salut avec minutie et il n'allait pas s'effacer en cette période houleuse. L'occasion pour lui d'acquérir du pouvoir en Écosse était maintenant à sa portée. Il se battrait corps et âme pour s'imposer comme le régent légitime. Une lutte acharnée portera sur la nature contestée du testament. Les opposants à sa nomination seront nombreux et bien organisés. Le roi d'Angleterre, protecteur du comte d'Arran, fera savoir à ce dernier, par l'entremise de son secrétaire d'État, qu'il craint de perdre du terrain en Écosse. Effrayé de se voir privé du précieux appui d'Henri VIII, il redoublera d'effort pour devancer les catholiques. Le seigneur écossais passa des jours et des nuits à tisser une toile pour y piéger le cardinal Beaton. Après une multitude de complots, il réussira à se faire nommer régent du royaume d'Écosse grâce à des stratégies peu loyales.

Le 28 janvier 1543, sur ordre du nouvel homme fort du pays, David Beaton sera arrêté officiellement par les soldats de la garde de James Hamilton. L'événement se déroula au moment où le cardinal siégeait au conseil suprême du royaume. L'homme d'Église, après une tentative de négociations infructueuses avec l'armée ennemie, sera conduit de force au palais de Dalkeith. Par la suite, il sera transféré au château de Blackness, sur la rive sud du Firth of Forth. Cette arrestation mettra en colère l'Église catholique romaine qui refusera d'administrer les sacrements, d'enterrer les morts ; elle fermera même ses lieux de prière partout sur le territoire écossais. L'affrontement entre les partisans de Beaton et d'Hamilton s'accentuera cruellement. Des enlèvements, des pillages et également des meurtres secoueront le fragile royaume.

Apeuré par la violence qui régnait dans les villes et les villages, le nouveau régent craignait pour l'équilibre de son siège. À la fin du printemps 1543, l'influence du cardinal David Beaton s'accentuait de plus en plus sur l'Écosse. Même en captivité, il entretenait une véritable emprise sur ses fidèles. Transféré à son domaine, le château de Saint Andrews, le prélat décida de renforcer ses liens avec la Couronne française. Sa principale alliée n'était-elle pas la reine douairière, fille de la puissante Maison de Lorraine ? Grâce à des stratégies pernicieuses, il permit le retour du comte de Lennox en sol écossais et le présenta comme l'un des parents de Marie Stuart. Matthew Stewart, après un exil en France, souhaitait faire valoir ses droits légitimes sur la régence. Son épouse, Margaret Douglas, était la nièce du roi Henri VIII, ce qui pesait en sa faveur. Cet affront direct à James Hamilton n'arrangea en rien la discorde plus qu'évidente. Malgré tout son acharnement, le comte d'Arran dut abdiquer face à l'impasse dans laquelle il allait se trouver. Le parti catholique du cardinal, Marie de Guise et maintenant le comte de Lennox devinrent trop puissants. Fidèle aux opinions politiques du roi d'Angleterre, il devenait un traître aux yeux des nobles écossais. Ces derniers s'allièrent aux opposants du régent d'Écosse. Henri VIII ne cachait plus son désir de s'emparer de Marie Stuart et d'envahir le royaume du nord. Ne pouvant pas compter sur l'aide des Français, loyaux à la reine douairière, pour renverser la vapeur, James Hamilton était pris au piège. Il avait perdu la bataille mais pas la guerre. L'homme défait n'avait nullement l'intention de se retirer sans prendre part au pouvoir.

Le véritable maître était désormais David Beaton. En parfaite harmonie avec Marie de Guise et fort de ses nombreux partisans, il dirigea les affaires du pays avec une main de fer. Pour assurer tout d'abord une paix en Écosse, le cardinal accepta de négocier avec les émissaires du souverain anglais à propos de l'union possible entre la jeune Marie Stuart et l'héritier Édouard Tudor. Après quelques jours et de longs pourparlers, ils aboutirent finalement à un accord. Satisfait de cette entente, le roi Henri VIII se rendit à Greenwich pour signer le traité qui garantissait que la fille de Jacques V demeurerait en Écosse jusqu'à l'âge de dix ans et que le royaume conserverait ses lois et ses coutumes nationales. En contrepartie, elle épouserait son fils unique et lui transférerait les règnes du pouvoir en Écosse. Aux yeux du monarque, les Anglais étaient les grands vainqueurs de cette entente. Malgré cette signature historique, les deux clans ne se faisaient pas confiance. D'autant plus qu'Henri Tudor n'entendait pas respecter ce traité. *Pourquoi s'arrêter là alors qu'on peut écraser l'ennemi pendant qu'il est faible ?* se disait-il par vanité.

ꝺ

La veille du couronnement royal, une foule de sujets loyaux à la Couronne écossaise longea les routes qui menèrent le cortège de la jeune Marie au lieu du sacre. Des centaines de femmes, d'enfants et d'hommes exprimèrent leur joie à l'accession au trône de la fille de leur défunt souverain bien-aimé. Les gens criaient, dansaient et déclaraient haut et fort leur soutien indéfectible à leur nouvelle reine. Assise dans un carrosse noir orné de dorure tiré par cinq chevaux blancs, Marie de Guise versait des larmes de fierté tout le long du trajet en direction du château de Stirling. Voir sa progéniture se diriger vers son destin était pour elle l'ultime but de son combat depuis la mort de son époux. La reine douairière savait que les jours à venir seraient difficiles pour sa fille et, par le fait même, pour elle. Tant de complots se tramaient contre Marie Stuart et surtout pour occuper le poste très convoité de régent du royaume d'Écosse. Certes, le cardinal avait obtenu à l'arraché la haute fonction, mais rien ne demeurait stable dans ce royaume ébranlé par des révoltes. Marie de Guise baignait dans cette incertitude depuis sa jeunesse, passée tant en France qu'en Écosse. Trop souvent, elle avait entendu ses parents craindre un soulèvement des nobles ennemis. La Maison de Lorraine, très proche collaborateur à la Cour royale française, avait réussi à s'attirer les bonnes grâces du trône en raison de ses exploits militaires à de nombreuses occasions. Mais le statut d'une famille peut être éphémère, et les prétendants jalousent cette position enviable. Comment pourrait-elle surmonter seule cette interminable tempête ? Nul doute que les années à venir prendraient toute son énergie. La reine douairière le savait que trop bien, mais Dieu l'avait mariée à un roi et elle devait suivre les plans du Tout-Puissant. Pour se redonner du courage, elle porta son attention sur l'enfant qu'une de ses dames de compagnie tenait dans ses bras. Le visage de la mère s'attendrit lorsqu'elle contempla le poupon endormi dans ses linges royaux. C'était pour cette enfant que Marie de Guise serait forte et intransigeante concernant l'avenir de l'Écosse.

Pour s'assurer de la sécurité de l'héritière des Stuart et de Marie de Guise, le cardinal Beaton rassembla une escorte de 2 500 cavaliers et d'autant de soldats. La petite reine et sa mère étaient très précieuses pour l'homme, car sans elles il ne pouvait maintenir longtemps son influence religieuse et politique. L'imposant cortège arpentait les multiples chemins incertains qui reliaient le château de Linlithgow à celui de Stirling. Compte tenu du climat de chaos qui régnait partout sur le territoire, il valait mieux augmenter les effectifs auprès de la souveraine. Pour rendre difficile l'accès à Marie Stuart à quiconque aurait de mauvaises idées, le mandat de la garde rapprochée fut assigné aux seigneurs Erskine, Graham, Lindsay et Livingstone, tous partisans de David Beaton. L'homme d'Église souhaitait installer le plus rapidement et le plus discrètement possible la fillette sur le trône afin de restaurer la paix dans le pays. Avec un ennemi aussi puissant que l'Angleterre, le cardinal devait consolider toutes les régions du royaume pour tenir tête à ce pays. Il n'envisageait aucunement de renverser James Hamilton – régent très affaibli – ni de s'opposer à la ratification du traité signé avec le roi anglais. Rusé, Beaton essaya de se montrer conciliant envers les protestants et leurs alliés. Alors que le cortège de la nouvelle reine d'Écosse approcha du château de

Stirling, le comte d'Arran assis sur son cheval se présenta au cardinal.

« Votre Éminence, nous sommes rivaux depuis trop longtemps. Je crois que nous devrions laisser de côté nos divergences et nous unir pour notre reine », déclara le régent en fixant son vis-à-vis dans les yeux.

« Avez-vous retrouvé la raison ou serait-ce encore l'une de vos manigances, mon seigneur ? » répondit du tac au tac le religieux.

« Je comprends votre sarcasme et je le mérite bien, mais soyez assuré que le moment n'est plus à la rigolade. Nous devons protéger notre peuple et les enseignements des Saintes Écritures de notre royaume. »

Constatant que son appui aux initiatives d'Henri VIII le mènerait à sa perte, pire, à la décapitation, il se réconcilia avec le chef des catholiques écossais. Les deux anciens rivaux n'avaient pas d'autre choix que de faire front commun ensemble pour garder la tête sur leurs épaules. Les deux hommes, plus forts que jamais, franchirent les portes du domaine royal avec fierté. L'enfant et sa mère se portaient bien et la cérémonie du couronnement se déroula comme prévu. Quant à Marie de Guise, avait-elle le choix d'accepter James Hamilton ? Certes, elle le détestait depuis leur première rencontre, mais la reine douairière savait pertinemment qu'il était plus sage d'avoir ce traître à la portée de la main. De plus, peut-être pourrait-il servir d'espion au milieu des protestants anglais ?

L'avènement du sacre de Marie Stuart arriva le 9 septembre 1543, le lendemain du retour officiel de James Hamilton au sein de l'Église de Rome. Après avoir reçu l'absolution de son ancien rival, le cardinal David Beaton, James Hamilton avait préféré joindre les rangs des partisans catholiques. *Restons tranquille, quasi invisible, et attendons le bon moment pour revenir en force,* songea-t-il. Le comte d'Arran n'était pas de ceux en qui l'être humain pouvait faire entièrement confiance. Cette journée était des plus importantes aux yeux de plusieurs. Pour les Écossais, elle signifiait leur indépendance face à l'Angleterre. Pour Henri VIII et ses disciples, elle représentait un échec aux plans d'expansion de la couronne des Tudor. Quant aux fidèles catholiques, ce qui comprenait également le pape, il n'y avait pas de symbole plus manifeste pour proclamer leur victoire.

À l'intérieur de la majestueuse chapelle du château de Stirling, des dizaines d'hommes et de femmes remplissaient les lieux. Une grande majorité des chefs de clans écossais, plusieurs nobles indispensables à la cause et de nombreux dignitaires catholiques étrangers s'entassèrent dans le temple pour assister au couronnement de leur jeune souveraine. Les domestiques avaient reçu l'ordre de décorer l'endroit avec soin afin de rendre justice à cette cérémonie royale. Des gerbes de fleurs multicolores furent installées sur l'autel et dans le chœur. Des centaines de bougies blanches éclairaient les convives. Des tissus étincelants – cadeaux de la Maison de Lorraine – embellissaient les murs gris de la chapelle. Des cordons floraux furent suspendus au-dessus des bancs des invités. Des musiciens se tenaient debout au pied de la balustrade afin de mieux marquer l'événement. Devant l'autel se trouvait le trône royal ainsi qu'un meuble en bois brun, incrusté de pierres précieuses, qui servait aux grandes occasions depuis des générations de monarques. Dehors, un froid glacial s'était abattu sur le domaine royal. Le tout était auréolé par une journée sombre et pluvieuse.

La cérémonie solennelle débuta tôt en matinée. Les gens étaient assis et attendaient patiemment leur souveraine à l'intérieur. Soudain, deux gardes colossaux ouvrirent les portes métalliques de la salle, les trompettes sonnèrent en canon et l'enfant – dans les bras de sa mère – fit son entrée. Un calme envahit la pièce. Tous regardèrent le bébé qui leur souriait au passage. Marie de Guise, reine douairière d'Écosse, avançait d'un pas ferme mais lent en direction de l'autel où se tenait, debout, David Beaton. La cérémonie serait présidée par le cardinal, sous la surveillance des puissants hommes du royaume. Un chœur d'enfants chantait des hymnes angéliques en langue latine. La mère déposa avec moult délicatesse la fillette sur l'immense trône, trop imposant pour le corps frêle du bébé. La scène surréaliste semblait prédire la lourde tâche qui attendait Marie Stuart. Assise, elle fixait un lampion scintillant qui se tenait incliné sur un chandelier en cuivre. La cire coulait le long de l'objet blanc et terminait sa trajectoire sur le métal froid. L'homme d'Église s'avança à petits pas et s'adressa aux gens de l'assistance d'une voix forte et continue.

« Votre Majesté, mes seigneurs, mesdames, nous sommes réunis ici aujourd'hui pour le couronnement de notre bien-aimée souveraine. En cette journée que Dieu nous a donnée, la fille héritière de notre défunt roi Jacques V accédera au trône des Stuart. Puisse-t-elle régner en toute bienveillance pour le salut de son peuple et de son âme. »

Vêtu d'une longue soutane rouge écarlate et d'une mitre blanche ornée de motifs chrétiens en or, le prélat fit face à la jeune Marie et, d'un geste de la main, la bénit au nom du Père et du Fils. De ce geste catholique, il permettait à la souveraine d'entrer dans le royaume de Dieu et au sein de l'Église de Rome. Il fit un signe de la tête aux trois seigneurs qui le secondaient dans le but de commencer le rituel du sacre royal. Pendant que le religieux prononçait les paroles de la sainte Bible, le comte d'Arran transportait fièrement entre ses mains la couronne vers la tête de la petite Marie. Ne pouvant déposer ce lourd objet sur la tête de cette dernière, James Hamilton tenait le diadème à quelques centimètres au-dessus de la souveraine. Le comte de Lennox, un fidèle partisan catholique, se plaça à la droite de Marie Stuart en tenant dans ses mains le sceptre royal. Enfin, le comte d'Argyll prit place à la gauche de la nouvelle reine et empoigna de main ferme l'épée de l'État. Ces trois joyaux symbolisaient la suprématie et l'autorité du monarque au sein du royaume d'Écosse. Admirée par les hommes et les femmes dressés devant elle, la jeune souveraine ne se doutait pas du lourd destin qui l'attendait. Sa mère, Marie de Guise, assise quelques mètres derrière elle, scrutait chaque détail de la cérémonie. Ce jour était la raison ultime de son combat quotidien pour sa fille. Non, ce n'était pas terminé, elle devrait rester vigilante pour le bien de son enfant. La reine douairière savait les années troubles que devrait braver sa descendante lors de son règne.

« Marie Stuart, fille de Jacques V, par la grâce de Dieu, reine d'Écosse et de ses îles, reine d'Angleterre et d'Irlande, défenseure de la foi », s'écria le cardinal devant la foule en admiration.

Au même moment, un vent fort souffla sur la chapelle royale et fit éclater un vitrail en mille morceaux. La jeune souveraine, effrayée par le bruit, poussa un cri qui fut suivi par des larmes. Marie de Guise, témoin de cette scène bouleversante, fit un signe de la croix en priant Dieu de protéger son enfant de ce mauvais présage. Un second coup de vent entra par le carreau fracassé et éteignit le lampion que fixait Marie Stuart. Était-ce un signe d'un destin mouvementé ou tout simplement le début d'une nouvelle ère ?

CHAPITRE III
Le départ pour la France

Royaume de France, 1548-1561

QUELQUES JOURS plus tard, le roi d'Angleterre fut informé de la nouvelle réconciliation entre le cardinal Beaton et le comte d'Arran. Furieux, Henri VIII mit sur pied une série d'initiatives politiques heurtant d'aplomb le traité signé entre les deux royaumes. Les Anglais bloquèrent les voies navigables vers l'Écosse, routes maritimes essentielles sur le plan économique, et envisagèrent de nombreux combats – souvent meurtriers – contre les Écossais. Plusieurs nobles furent arrêtés et même assassinés par les troupes du souverain Tudor. Pour contrer l'ennemi et augmenter leurs forces, les dirigeants d'Édimbourg décidèrent donc de renouveler leur alliance avec le puissant royaume de France. D'autant plus que leur reine, Marie Stuart, était française de par sa mère. Le Parlement écossais solidifia l'autorité de David Beaton en le nommant haut chancelier, un titre des plus importants au sein de la Cour royale. Dès lors, l'avenir de la jeune souveraine fut lié conjointement au pays de la fleur de lys. Elle demeurerait toute sa vie sous l'influence de la Couronne française et des catholiques du

Saint-Siège. Marie de Guise, pour sa part, s'assura une position névralgique dans la hiérarchie de l'Écosse. Fille d'une noble famille militaire, la reine douairière avait plusieurs atouts dans sa manche pour faire face aux multiples épreuves. Comble du bonheur, l'armée française vint prêter main-forte à l'Écosse, à la demande express de cette dernière.

Mais tout ne fut pas rose dans ce monde instable où régnaient les intrigues sournoises. L'instigateur du rapprochement entre les deux pays, David Beaton, fut assassiné froidement le 29 mai 1546 par les opposants à son allégeance politico-religieuse. Sa disparition fut considérée comme l'une des plus grandes pertes pour les membres du parti pro-français, en particulier pour Marie de Guise. Il est vrai qu'elle s'était détachée quelque peu de lui, mais elle le comptait sans contredit parmi ses meilleurs alliés. Avec le départ de cet infatigable collaborateur, la reine douairière craignait davantage pour l'avenir de sa fille. Cette peur se dissipa l'année suivante avec l'accession au trône du fils du défunt roi, François Ier de France. Pour prouver sa loyauté, le nouveau souverain, Henri II, envoya un émissaire en Écosse afin de capturer et juger les meurtriers de l'homme d'Église. Lors de la prise du château de Saint Andrews, cachette des recherchés, on découvrit un registre contenant les noms des supporters écossais du roi d'Angleterre. Ce registre permit d'écarter du conseil suprême les seigneurs qui avaient trahi leur monarque. Entre-temps, l'ennemi numéro un du royaume d'Écosse, Henri VIII, mourut en laissant sa couronne à son jeune fils,

Édouard VI. Loin de s'affaiblir, la présence armée des Anglais s'intensifia sur le territoire du nord. Devenu trop incertain, ce pays était maintenant un immense piège pour la sécurité de Marie Stuart. Plusieurs régions écossaises près de la frontière devinrent sous le contrôle de Londres. Les dirigeants devaient donc mettre en lieu sûr la jeune reine, loin du danger. Sans plus tarder, Marie de Guise, le régent et les membres du conseil suprême décidèrent d'un commun accord d'envoyer la souveraine en France. Le 7 juillet 1548, les Français et les Écossais signèrent un document qui unissait Marie Stuart au dauphin français, plaçant ainsi le royaume sous la protection de Paris. Pour représenter les intérêts légitimes de sa fille, Marie de Guise devait demeurer en Écosse. Elle et James Hamilton administrèrent ensemble les affaires de l'État. Avait-elle le choix de laisser son enfant partir au loin ? Pouvait-elle avoir confiance en ce traître qu'était le comte d'Arran ? Non, la reine douairière devait à tout prix garder l'œil sur son pays.

Le départ de l'enfant, alors âgée de 5 ans, pour le royaume de France eut lieu à l'été 1548. Sous un soleil radieux, tous se bousculèrent au port de Dumbarton pour assister à l'embarquement de la jeune reine vers le continent européen. Pour le long voyage, Henri II de France mit à la disposition de Marie Stuart une flotte – dont son navire royal – et plusieurs centaines d'hommes pour escorter sa protégée jusqu'à sa destination. L'objectif ultime était d'empêcher l'Angleterre de l'enlever lors de son voyage en mer. Sur le quai, des seigneurs de tout le pays, des évêques catholiques et des intellectuels universitaires furent témoins de la scène d'adieu entre Marie Stuart et la reine douairière. Déchirée par le départ de sa fille, Marie de Guise ne pouvait retenir ses larmes. Elle se pencha à la hauteur de l'enfant et lui prit ses petites mains froides. Elle fixa son regard dans les yeux noirs de la fillette, qui ne comprenait pas ce qui lui arrivait.

« Marie, mon enfant, tu devras être forte, ma chérie. Tes grands-parents veilleront sur toi.

« Tu es ma fille bien-aimée et Dieu a décidé que ton destin se jouerait en France, lui expliquait-elle calmement.

« Tu devras écouter ton cœur lorsque se présenteront les moments de conseiller ton futur époux. N'oublie jamais que tu es la descendante d'une longue lignée de rois. Tu es la fille de ton père et personne ne pourra jamais te l'enlever. Jamais !

« Promets-moi de toujours être fidèle à la Sainte Mère et à l'Église de Rome », murmura Marie de Guise en serrant doucement les mains de la jeune souveraine.

« Oui, mère, je vous le jure ! » répondit sans réfléchir Marie Stuart.

Les yeux inondés de larmes, Marie de Guise embrassa de tout son cœur ce bout d'elle-même qu'on lui arrachait. Rien ne fut plus insupportable pour elle que d'avoir à se séparer de son enfant. Elle sécha son visage et fit un sourire à sa fille. *Je dois demeurer forte pour réconforter Marie,* se dit-elle. Elle se releva et déposa sa main sur la tête de sa fille. Elle fit un signe de la tête, lady Jane Fleming s'approcha, fit la révérence à la reine douairière et amena Marie Stuart avec elle. Les deux montèrent à bord du bateau français. L'enfant fit des signes de la main en direction de sa mère, qui lui rendit le geste. La reine d'Écosse regarda les rives de son pays s'éloigner petit à petit. La mer était calme en cette journée de navigation en direction du continent.

Quelques Écossais accompagnèrent la fillette en France. Ses dames de compagnie – toutes prénommées Mary – étaient elles aussi des enfants. Mary Fleming, cousine illégitime de la reine d'Écosse ; Mary Beaton, nièce du défunt cardinal ; Mary Livingstone, fille d'un des gardiens de Marie Stuart ; et Mary Seton, fille d'un seigneur écossais. Robert et John Stuart, demi-frères par leur père de la souveraine, étaient respectivement âgés de 15 et de 17 ans. Deux adultes se trouvaient également parmi eux : Jean Sinclair et Lady Fleming, nurse et gouvernante de l'enfant royal. Seules ces deux dernières resteront au service de Marie Stuart, alors que les autres seront relevés de leur fonction, sur les ordres de Catherine de Médicis. En effet, la reine de France affirmera à la sortie d'une de ses rencontres avec l'ambassadeur d'Écosse que « les compatriotes de Marie Stuart étaient plutôt laids, frustres et mal lavés et qu'ils étaient des compagnons inadaptés pour la future femme du dauphin ».

Selon l'itinéraire du voyage, le bateau longerait les côtes irlandaises afin de déjouer les embuscades anglaises. Informé du trajet qu'emprunterait la reine d'Écosse, le parlement de Londres avait autorisé le duc de Somerset, régent d'Angleterre, à pourchasser la jeune Stuart sur les eaux. Heureusement pour elle, sa flotte accosta sans problème plusieurs jours plus tard à Roscoff et, par la suite, à Morlaix, en Bretagne. Il n'existait aucune ressemblance entre les royaumes d'Écosse et de France. Le premier endroit était sombre, montagneux et austère, alors que le second resplendissait de couleurs et de beautés architecturales. Non, Marie Stuart ne reconnaissait nullement son pays natal dans les paysages qui se présentaient sous ses yeux. Elle aima d'emblée cette terre d'accueil. Ses compagnons de route furent du même avis qu'elle. La France regorgeait de merveilles à découvrir pour une enfant de son âge. Même les gens semblaient plus sympathiques. Les villes et les villages comptaient tous un clocher plus imposant les uns que les autres.

Aussitôt qu'elle toucha le sol du continent, la jeune reine alla à la rencontre de sa grand-mère maternelle, Antoinette de Bourbon-Vendôme. Le premier contact entre la femme et la petite-fille se déroula très bien. Marie Stuart fut présentée à la duchesse de Guise lors d'un court séjour de quelques semaines. L'escale se fit au château du chef de la Maison de Lorraine, sur ses terres de Joinville.

Au premier regard, la jeune souveraine reconnut dans les traits du visage de son aïeule ceux de sa tendre mère. À la vue de cette ressemblance, ses craintes s'estompèrent rapidement et une confiance inébranlable s'établit entre elles. Assise sur un fauteuil bleu orné de bois sculpté, Antoinette de Bourbon-Vendôme ouvrit ses bras pour serrer contre elle cette enfant chérie.

« Approche, ma petite. Tu n'as rien à craindre », dit-elle d'une voix remplie de compassion. N'était-elle pas la fille unique de sa Marie ?

Sans se faire prier, la jeune Stuart avança vers elle et se cala dans les bras réconfortants. Elle retrouva un peu de sa mère dans cette femme. La gentillesse de sa grand-mère se manifesta par ses caresses et ses bons mots.

Pendant son arrêt dans le duché de Joinville, la fillette pensa souvent à Marie de Guise. Elle se demanda chaque jour si le destin lui permettrait de revoir sa mère. Par chance, la jeune reine n'était pas seule et son entourage essayait le plus souvent possible de lui changer les idées. Antoinette lui parlait couramment de sa famille, de leurs exploits et du rôle qu'elle jouait à la cour des Valois. Très tôt, Marie Stuart comprit toute l'importance d'être la fille d'un roi écossais et celle d'une mère affiliée à une illustre famille française. Certes, elle n'avait pas encore six ans, mais la souveraine saisissait déjà le devoir que ses frêles épaules devaient assumer. Elle savait également que les autres – et ils étaient nombreux – attendaient beaucoup de sa petite personne.

Le temps passé auprès d'Antoinette de Bourbon-Vendôme s'écoula trop vite pour Marie Stuart. Elle venait à peine de s'attacher à cette femme et voilà qu'on la lui arrachait. Non, décidément, elle ne pouvait s'appuyer sur quiconque dans ce monde d'adultes. Après avoir parcouru les rivières et les fleuves français, l'embarcation de Marie Stuart arriva près de Paris. Le 16 octobre, la promise du dauphin des Valois mit pied à terre dans la capitale du royaume de France. Pour l'occasion, la famille royale attendait la jeune Écossaise sur le quai. Vêtue d'une magnifique robe bleu poudre et d'une coiffe en tissu blanc, Marie Stuart se présenta à ses futurs beaux-parents. Le roi Henri II et la reine Catherine de Médicis l'examinèrent de la tête aux pieds. *Elle semble parfaite,* conclurent-ils, satisfaits.

« Bienvenue au royaume de France, Votre Majesté », déclara le souverain en tendant la main à sa future belle-fille.

La jeune souveraine fit la révérence en soulevant légèrement le bas de sa robe. Elle répéta l'exercice devant la reine de France. Henri II lui présenta son fils, le prince héritier François. Elle déposa un baiser timide sur la joue droite du garçon. Les adultes qui entourèrent les deux enfants éclatèrent de rire. On ordonna de transporter les bagages de la fillette vers la résidence des Valois. La famille royale et leur nouveau membre – Marie Stuart –

furent amenés au palais du Louvre. Le long du parcours, la jeune souveraine contempla tout ce que ses petits yeux foncés pouvaient capter au passage. Les bâtiments, la toilette des dames, les fleurs, tout semblait si resplendissant. L'immense bâtiment, près de la Seine – cours d'eau qui traverse le cœur de Paris –, servait de demeure à la Cour royale lorsqu'elle séjournait dans la capitale française. Les lieux étaient pompeux et regorgeaient d'œuvres d'art locales et étrangères. Toute la gloire du pays se manifestait dans cette richesse artistique. Mais ce n'était nullement un endroit approprié pour éduquer des enfants royaux, surtout pas les héritiers des Valois. La résidence principale du roi et de la reine se situait plutôt le long de la Loire, un fleuve surplombé de gigantesques châteaux, plus au sud-ouest de Paris.

Le château de Blois, niché dans une forêt non loin du village, était la résidence favorite des Valois et permettait à la famille royale de pratiquer son passe-temps de prédilection, l'équitation. Cet endroit était parfait pour la sécurité du monarque, car il était difficile d'y accéder pour quiconque souhaitait s'attaquer au roi de France. Marie Stuart fut installée dans la chambre de la princesse Élisabeth, avec qui elle partagea les lieux pendant quelques années. Cette dernière était la fille aînée du souverain français. Les deux fillettes devinrent assez vite d'excellentes amies. Elles furent des confidentes l'une pour l'autre, même une fois devenues adultes et séparées par la distance. La jeune Écossaise retrouvait en Élisabeth une « sœur », rôle important pour celle qui venait de perdre sa mère et son pays natal. N'allaient-elles pas devenir des belles-sœurs lorsque Marie épouserait le frère de la princesse ?

La première année ne fut pas de tout repos pour la reine d'Écosse. Elle devait se plier au rigide protocole de la Cour française et subir les nombreuses décisions du couple royal. La jeune souveraine ressentit une grande déception lorsque Catherine de Médicis renvoya la délégation écossaise qui l'avait suivie sur le continent. Non seulement devait-elle s'adapter à sa nouvelle vie, mais elle se retrouva isolée des siens et obligée de vivre auprès d'inconnus. Heureusement, sa nurse et sa gouvernante ne furent pas écartées d'elle. Les deux demi-frères Stuart, eux, retournèrent en Écosse et les quatre jeunes dames de compagnie furent envoyées dans un couvent catholique de la congrégation des Dominicains. Chaque soir, Marie Stuart déversait son lot de larmes. Faisant face à l'évidence, elle se résigna à changer son attitude devant le bouleversement qui secouait sa vie.

Dès le début de l'année 1549, la fiancée de François de Valois s'adapta plutôt bien aux journées de la Cour royale française. Chacune d'elles permettait à la jeune Stuart de s'émanciper sur le plan personnel. Certes, la souveraine n'avait pas l'âge de saisir la complexité de la vie, mais elle comprenait assez bien le rôle d'épouse qu'on attendait d'elle. Rien n'était ennuyeux au château de Blois. La reine de France avait pris l'initiative de s'occuper personnellement de l'éducation de sa future belle-fille. Catherine de Médicis voulait offrir à son fils la meilleure épouse possible. Rien ne fut laissé au hasard. Des divertissements royaux à la formation catholique, en passant par les arts et les sciences humaines ; tout ce qu'une future reine de France se devait de bien maîtriser. Chaque jour de la semaine était réservé à l'enseignement d'une matière ou à un loisir éducatif. Sauf le dimanche, jour du Seigneur, où les membres de la famille royale assistaient à la messe et passaient l'après-midi ensemble.

Le lundi, Marie Stuart avait à l'horaire de la littérature française, domaine qu'elle semblait assez bien parfaire. Parmi ses maîtres, elle appréciait particulièrement le célèbre Pierre de Ronsard. Ce dernier était un illustre poète et avait déjà offert ses services au père de la souveraine, le roi Jacques V. On disait qu'il était « le prince des poètes et le poète des princes », titre qui rendait jaloux ses adversaires. La rhétorique et la poésie furent également à l'ordre du jour. Rêveuse, Marie aimait s'enfermer pour lire des textes de Joachim du Bellay, d'Étienne de Maisonfleur et, bien sûr, ceux de son tuteur. Au début des années 1550, elle convaincra de Ronsard de publier gratuitement un collectif de ses œuvres. En après-midi, toujours le lundi, Marie Stuart parcourait des extraits d'auteurs grecs tels Cicéron ou Platon.

Le jour suivant, on lui enseignait des cours de géographie européenne et d'histoire. Elle s'intéressait vivement aux relations diplomatiques entre les royaumes de France et d'Angleterre, connaissances qui lui profiteraient dans les années à venir. En général, la journée se terminait par l'apprentissage de plusieurs langues : l'espagnol, l'anglais, l'italien, le français et sa langue maternelle, le scots.

Au milieu de la semaine, lorsque la température le lui permettait, Marie Stuart recevait ses enseignements à l'extérieur. Elle apprenait l'équitation à la manière française – une jambe de chaque côté – et la fauconnerie. La jeune fille adorait se retrouver en pleine nature, elle se sentait libre lorsqu'elle gambadait entre les arbres feuillus et dans la tranquillité des bois.

Le jeudi, les dames et les demoiselles de la cour se retrouvaient pour passer la journée à broder sous le soleil. Elles discutaient entre elles sur les potins de la région. Catherine de Médicis n'assistait que rarement à ce petit rassemblement de femmes. La reine de France détestait perdre son temps à de telles inepties.

Le vendredi était la journée préférée de la jeune Écossaise. Elle pouvait laisser libre cours à ses pulsions intérieures. Les précepteurs lui transmettaient la passion de la musique, du chant et de la danse. Elle était parfaitement douée dans ces arts, diront ses tuteurs. Marie Stuart aimait s'accompagner de la harpe ou du luth lorsqu'elle chantait. Elle avait les pieds légers et bougeait merveilleusement bien. Le roi Henri II – pour contrarier l'ambassadeur d'Angleterre – fera danser la reine d'Écosse lors du mariage de François de Guise et d'Anne d'Este, duc et duchesse de Guise.

Enfin, deux samedis par mois, la jeune Stuart retrouvait sa grand-mère maternelle à Joinville pour recevoir une bonne éducation dans la foi de l'Église de Rome. Antoinette de Bourbon-Vendôme considérait comme primordial que sa petite-fille grandisse en conformité avec les Saintes Écritures. Rien n'échappait à Marie Stuart et tout semblait lui réussir. Lady Fleming dira même de sa protégée « qu'elle est plus dégourdie que son jeune fiancé ».

Sur le plan des relations interpersonnelles, les rapports entre la reine de France et sa future belle-fille se détériorèrent assez vite. À l'arrivée de la jeune Écossaise, l'une et l'autre s'estimaient profondément, mais les années passèrent et leur opinion à l'égard de l'autre changea radicalement. Catherine de Médicis considérait Marie Stuart comme un pion politique et, malgré son âge, la fillette avait un caractère imperturbable qui déplut à l'épouse du roi. Un premier face à face eut lieu en 1551, alors que la promise du dauphin n'avait pas encore neuf ans. Lady Fleming, maîtresse du souverain français, tomba enceinte. Informée de la naissance de ce bâtard, la reine de France et Diane de Poitiers – alors maîtresse en titre du roi – s'associèrent afin de faire renvoyer la gouvernante de la jeune Écossaise dans son pays. En désaccord avec ce renvoi, Marie Stuart explosa de colère. Elle se présenta à Catherine de

Médicis ainsi qu'à ses oncles maternels le lendemain de cette décevante nouvelle.

« Madame, messieurs mes oncles, je suis triste de voir partir ma bien-aimée gouvernante.

« Vous avez éloigné de moi tout ce que j'avais de présence qui me rappelait mon royaume. Je vous demande de revenir sur votre décision », plaida-t-elle d'une voix certaine.

« Je regrette, ma chère enfant, mais ceci ne vous regarde en rien », répondit sèchement la reine de France.

Hors d'elle, la jeune Écossaise éclata en sanglots et serra fortement les poings. Elle sortit de la pièce sans se retourner pour faire la révérence à sa future belle-mère. En riposte, la jeune Stuart refusa de se soumettre à sa nouvelle gouvernante, Françoise d'Estamville. Cette femme demeurera quelque six ans au service de la souveraine écossaise. Plutôt docile en temps ordinaire, Marie Stuart ne supportait pas la présence de la reine de France. Dans ses nombreuses correspondances avec sa mère, elle écrira à Marie de Guise la haine qu'elle ressent envers cette femme et le contrôle sévère qu'exerce Catherine de Médicis sur elle.

*

À l'automne 1550, la veuve du roi Jacques V d'Écosse se rendit au royaume de France pour revoir sa fille chérie ainsi que sa famille. Après deux ans de séparation, elle souffrait cruellement de ne pas serrer son enfant contre elle. Certes, la reine douairière recevait couramment des nouvelles par correspondance et par la bouche de l'ambassadeur français, mais regarder de ses yeux sa progéniture était encore mieux. Pour le voyage officiel, Marie de Guise décida de se faire accompagner par une délégation pompeuse. Elle voulait épater les puissants du royaume d'Écosse en amenant son ambassade sur le continent européen. Pour des hommes qui n'avaient jamais quitté les terres arides du nord, la France représentait le jardin d'Éden – ce que savait la femme de la Maison de Lorraine. Pour réaffirmer son statut, Marie de Guise devait prouver aux membres du conseil suprême le prestige de la famille de laquelle elle était issue. Ce séjour à la Cour royale des Valois cimenta la fidélité des partisans catholiques écossais et ébranlera les adversaires protestants anglais. Parmi ceux qui s'embarquèrent sur le bateau, on comptait des partisans catholiques, des opposants protestants et des artistes. Pour la gloire de l'Écosse, Marie de Guise désirait entendre des textes de poètes qui louangeraient sa personne. Rien n'était plus important aux yeux de la mère de Marie Stuart que de protéger les biens de son enfant, y compris le royaume d'Écosse.

Au cours du voyage vers son pays natal, la reine douairière sentit de vives émotions remonter en elle. Ses plus beaux souvenirs, ne les avait-elle pas vécus ici, au royaume de France ? Son mariage avec Jacques V l'avait éloignée de son pays, mais, depuis la mort du roi, elle était seule dans ce bout du monde. À ses yeux, l'Écosse était un territoire sans vie et loin de la Renaissance qui débutait sur le continent. Décidément, Marie de Guise n'était pas à son aise parmi ces hommes sans culture et sans raffinement. Mais son devoir l'obligeait à demeurer dans la capitale écossaise pour veiller sur l'héritage royal légué à sa fille. *Marie, cesse de te morfondre, tu es la reine douairière et Dieu l'a décidé ainsi*, se répétait-elle sans cesse pour se convaincre. Elle ferma les paupières et versa une larme sur sa joue gauche. L'idée de ce royaume aride ne l'enchantait guère, mais, en bonne chrétienne, elle devait suivre son destin.

« Terre ! » s'écria un matelot juché sur le haut d'un mât.

Dès qu'elle entendit ce mot, elle leva la tête et fixa le bout de terre brunâtre qui se dressait au loin. C'était la France, le sol qui l'avait vue grandir. Il y avait tellement longtemps que Marie de Guise n'avait pas foulé le continent qu'elle en fut tout ébranlée. Elle avait traversé tant d'épreuves depuis la mort de son mari.

« Madame, nous accosterons bientôt », l'informa le vieux capitaine.

Le navire jeta l'ancre au port du Havre, village situé au nord-ouest de Paris. Accompagnée de ses hôtes, la reine douairière d'Écosse descendit du bateau. Elle fit entrer dans ses poumons l'air frais de la France, se signa, et ordonna de préparer les bagages et les carrosses.

« Votre Majesté, il se fait tard. Ne devrions-nous pas attendre l'aube pour rouler sur Paris ? » suggéra la dame de compagnie principale.

« Absolument pas ! Je veux revoir ma fille le plus tôt possible », répondit d'un ton austère Marie de Guise.

Dès que l'ordre fut donné, le cortège prit place à bord des carrosses et ceux-ci partirent vers la capitale française. La mère était impatiente de serrer son enfant contre son cœur. C'était pour sa progéniture qu'elle se battait quotidiennement.

Les retrouvailles se déroulèrent au palais du Louvres tôt le 25 septembre 1550. Marie de Guise s'était présentée à Catherine de Médicis pour la remercier de son accueil et s'informa de l'état de sa fille. La reine de France la rassura sur l'éducation et les divertissements que Marie Stuart recevait à la Cour royale. Assise sur un fauteuil, la mère tendit l'oreille lorsqu'une des portes du petit salon s'ouvrit.

« Mère ! » cria de joie la jeune Écossaise.

La reine douairière se redressa le corps et sursauta de son siège. Elle se leva et tendit les bras.

« Mon enfant, ma chère Marie », murmura-t-elle en pleurant.

La fillette courut vers celle qui l'a enfantée huit ans auparavant. Elle s'accrocha à la robe de sa mère et reconnut l'odeur parfumée que dégageaient ses vêtements. Elles se serrèrent l'une contre l'autre un long moment, sans prononcer un mot. La scène était miraculeuse dans ce monde de complots et de trahisons. Même la rigide Catherine de Médicis ne pouvait s'empêcher de qualifier ces retrouvailles d'exceptionnelles.

« Mère, vous m'avez tellement manquée. J'ai supplié le ciel de vous revoir un jour, ne serait-ce qu'un bref instant. »

« Ma fille, j'ai pensé à vous à de nombreuses occasions. Jamais je n'ai cessé de croire en nos retrouvailles. Jamais ! »

La mère et la fille jubilaient de joie en s'examinant de la tête aux pieds. Marie de Guise remarqua que Marie Stuart s'était embellie avec le temps. Elle était fière de son enfant, son souffle de vie.

Durant une semaine entière, la reine douairière resta auprès de son unique fille. Elle se consacra exclusivement à son enfant, délaissant les rencontres politiques et familiales. Elle l'accompagna lors de ses promenades à cheval ou encore jouait en duo de la cithare – son instrument préféré – lors de répétitions musicales. Elle profita pleinement de chaque instant en présence de la jeune souveraine d'Écosse. Elle savait que la séparation arriverait à nouveau tôt ou tard. Au nom de Marie Stuart, elle devait retourner à Édimbourg pour gérer les tumultueuses affaires du royaume. Durant la deuxième semaine du séjour de Marie de Guise, les membres de la Maison de Lorraine – sa famille – vinrent lui rendre fréquemment visite. Davantage intéressés par la reine douairière que par leur sang familial, les seigneurs de Lorraine essayèrent de consolider plus fort que jamais leur influence sur l'Écosse. Avait-elle le choix ? La veuve de Jacques V ne pouvait se dresser contre ses frères puissants. Les nombreuses relations politiques qu'ils avaient nouées et leur fortune colossale étaient des outils essentiels dont la mère de Marie Stuart ne pouvait se passer pour mener à bien la gouverne du pays.

Au début du mois d'octobre, pour épater les plus importants seigneurs écossais, le roi de France fit une entrée remarquée, et surtout remarquable, dans les eaux de Rouen. Non loin de Paris, Henri II arriva à la tête d'un cortège naval afin d'illustrer toute la gloire des Valois. Une mise en scène bien orchestrée qui sera qualifiée, selon les dires des adversaires politiques du monarque, de journée la plus coûteuse de l'année. De gigantesques drapeaux et des bannières multicolores affichèrent les régions écossaises où la Couronne d'Henri II avait sauvé le pays de Marie Stuart contre les Anglais. Des spectacles et des musiciens divertissaient le public venu assister à cette scène. Pour démontrer sa richesse, le souverain distribua des terres et des titres aux nobles du conseil suprême de la fille des Stuart. Ne contestant pas l'aide française, bien au contraire, Marie de Guise ne pouvait que constater la réussite de l'opération de séduction sur son entourage. *Les lords et les comtes de mon royaume – ébahis par la force des Valois – n'oseront nullement se mettre à dos le roi de France,* pensa-t-elle. Tel était le but ultime de ce voyage, se félicita la reine douairière.

Les Écossais qui s'étaient embarqués sur le navire de Marie de Guise reprirent la mer en direction du nord à la fin de novembre. Devenant impraticable lors des froids d'hiver, les eaux glacées qui séparaient la France et l'Écosse devenaient périlleuses pour les voyageurs. Pour la sécurité des membres du conseil suprême, il était préférable de retourner au pays sans plus tarder. Avant leur départ, Marie de Guise insista pour rencontrer en privé chacun des seigneurs. Elle devait définir les responsabilités des membres de son gouvernement en son absence. En effet, la reine douairière resta sur le continent jusqu'au début de l'automne 1551. Pendant son séjour prolongé, ses partisans administrèrent le territoire selon les directives strictes qu'elle leur avait dictées avec précision. La raison de la présence de Marie de Guise en sol français était de régler personnellement des ententes et des traités entre les deux alliés. Pour sa part, Marie Stuart fut ravie, car elle pouvait enfin apprendre à connaître celle qui l'avait portée en son sein. L'année qu'elles passèrent ensemble les rapprocha plus que jamais. La mère et la fille voyagèrent en France, assistèrent à des événements artistiques, rencontrèrent des hommes d'Église ainsi que des membres de la noblesse continentale et tissèrent des liens étroits entre les couronnes écossaise et française. Des mois de bonheur que la jeune souveraine savoura jalousement.

Mais comme toute bonne chose à une fin, le retour de la femme de la Maison de Lorraine fut prévu pour le mois de septembre. Quelques semaines avant de retourner en Écosse, la reine douairière apprit le décès de son unique fils. L'annonce de la mort du duc de Longueville fut douloureuse pour elle. Âgé seulement de seize ans, François d'Orléans n'avait jamais été très en harmonie avec sa mère. Il lui reprochait sans cesse de l'avoir négligé au profit de sa demi-sœur. Malgré cette mésentente, Marie de Guise aimait profondément son enfant. Mais Dieu en décida autrement pour la suite des choses. *Je n'étais pas due pour enfanter d'une progéniture masculine,* se convainquit-elle. Cette peine lui déchira le cœur et la hanta jusqu'à son propre décès.

Le jour de la seconde séparation, le ciel était gris et le vent soufflait sur les murs extérieurs du château de Blois. Marie Stuart accompagna sa mère jusqu'à son carrosse. Avant de prendre place à l'intérieur, elle serra très fort sa fille contre elle. La jeune Stuart sentit le cœur de sa mère battre rapidement contre son visage.

« Ma chère fille, soyez forte, glissa doucement Marie de Guise dans le creux de l'oreille de sa fille.

« Le royaume de France sera vôtre un jour et vous devrez le servir avec dignité et discernement pour le bien de la Couronne et de vos sujets.

« Apprenez à déjouer les pièges de vos ennemis. »

La jeune souveraine leva la tête et regarda tendrement sa mère, versa une larme timide et lui déposa un baiser sur la main.

« Mère, je suivrai vos précieux conseils. Je gagnerai votre respect, je le promets », déclara Marie Stuart d'un ton solennel.

« Je ne crains point, mon enfant. Je suis déjà heureuse de vos belles actions. Un grand destin vous attend ici. »

Marie de Guise s'installa sur un siège en cuir et un domestique ferma la portière. Le cocher ordonna à ses braves bêtes d'avancer au pas de galop. Un nuage de poussière suivit le carrosse qui s'effaçait au loin. Les yeux de la jeune fille ne cessèrent de fixer le véhicule qui se dissipait à l'horizon.

Les années qui suivirent furent cruciales pour la reine d'Écosse. Elle entra dans l'âge de la puberté, ce qui représentait une période importante pour une femme. Le caractère de Marie Stuart ainsi que son jugement évoluèrent à pas de géant. La fillette d'hier se dirigeait vers le statut d'adulte de demain. Certes, la souveraine aimait ricaner avec les enfants du couple royal français, mais elle comprenait très bien la tâche qui l'attendait. Elle s'attarda souvent à comprendre les affaires du royaume et à interroger les conseillers du roi Henri II. La promise du dauphin souhaitait maîtriser la politique intérieure et la diplomatie extérieure. N'était-ce pas le rôle d'une épouse royale que de conseiller son mari ? Comment pourrait-elle accomplir ce privilège si elle était ignorante dans ce domaine ? La jeune femme consacrait des demi-journées entières à lire des ouvrages philosophiques, à discuter avec les plus sages de la Cour royale et à écrire à sa mère, la bombardant de questions politiques. Cette discipline accrue amusa Catherine de Médicis, qui commençait à voir d'un mauvais œil l'attention trop exclusive que lui accordait son fils François. Plus le temps avançait, plus la relation entre la reine de France et sa future belle-fille s'envenimait. À un point tel qu'elles ne s'adressèrent plus que très rarement la parole. Tous aimaient Marie Stuart. Le roi la considérait comme l'une de ses propres filles, les princes l'estimaient au plus haut point, les princesses l'admiraient – en particulier Élisabeth – et son fiancé, le dauphin de France, n'avait d'yeux que pour sa douce. Tout cet amour rendait jalouse Catherine de Médicis. Même Diane de Poitiers, la maîtresse en titre du monarque, n'avait que de bons mots pour Marie Stuart. La fille de Jacques V était heureuse de vivre en France et de recevoir autant d'affection. Elle ne se souciait guère de ce qui se passait au royaume d'Écosse. De toute manière, rien ne présageait qu'elle y retournerait un jour.

À la fin de l'année 1557, le roi de France décida que le temps était venu pour son fils et sa future belle-fille de s'unir par les liens du mariage. François était à l'aube de ses quatorze ans et Marie était âgée de quinze ans. Henri II et Marie de Guise ordonnèrent à leurs parlements respectifs de discuter des termes du mariage royal. Il ne s'agissait pas uniquement d'unir un homme et une femme, mais également les Stuart et les Valois. Les royaumes d'Écosse et de France devraient travailler en étroite collaboration. Même si les Écossais exigèrent de ne pas perdre leur indépendance nationale, il fut décidé par les deux pays de naturaliser leurs sujets tant écossais que français. Évidemment, le roi de France exigea une part plus importante des négociations entre les deux royaumes. Marie Stuart lui accorda les droits sur le trône d'Angleterre – droits qu'elle prétendait détenir de par son sang – à sa mort. En conclusion du contrat de mariage proposé, le royaume d'Écosse devenait ni plus ni moins qu'un territoire sous le contrôle de la Maison des Valois. L'expansion royale française s'était déjà fait sentir lorsque, le 12 avril 1554, Marie de Guise était devenue officiellement régente d'Écosse. L'instabilité du comte d'Arran avait joué contre lui, et la Couronne française, tutrice dans les faits des affaires du royaume du nord, avait exigé son retrait. Parfaite bras droit d'Henri II, la reine douairière avait hérité de la charge politique qu'elle espérait depuis la mort de son époux.

Le mariage entre François de France et Marie d'Écosse se déroula le 24 avril 1558. La cérémonie religieuse eut lieu à la cathédrale Notre-Dame de Paris. Par l'événement royal, le roi et la reine voulaient démontrer non seulement à la France et à l'Écosse, mais également à toutes les têtes couronnées d'Europe, leur puissance. Henri II et Catherine souhaitaient ardemment isoler l'Angleterre et affaiblir les Tudor à la face du monde. Les Valois régnaient sur le royaume de France, dirigeaient par l'entremise de Marie de Guise le royaume d'Écosse, jouissaient de la fortune des

Médicis et entretenaient des relations privilégiées avec le Vatican. Marie Stuart, future épouse du dauphin de France, devenait par cette union l'héritière de toute cette grandeur. *Le ciel m'a choyée,* se répétait couramment la jeune femme.

« François, croyez-vous que je serai une bonne épouse ? » demanda la fiancée lors du trajet qui les amenait vers le lieu de la cérémonie du mariage.

« Absolument ! » répondit avec douceur le jeune dauphin.

« Vous n'en doutez point, mon ami ? »

« Pourquoi en douterais-je ? Vous êtes l'épouse idéale pour moi. Vous êtes gentille, intelligente et jolie. Tout homme serait heureux d'être à ma place », précisa le prince en regardant sa bien-aimée dans les yeux.

Ces deux jeunes personnes n'étaient sans doute pas âgées, mais elles connaissaient un véritable amour. Un sentiment que de nombreux adultes espéraient vivre une fois dans leur vie. La lourdeur de la tâche qui les attendait pesait sur leurs frêles épaules. Ils savaient que tous attendaient de les voir trébucher dans leur fonction royale pour les sermonner. François et Marie ne pouvaient compter uniquement que l'un sur l'autre.

« Mon futur mari, je serai votre moitié toute votre vie », enchaîna la reine d'Écosse en déposant un baiser sur la joue de son promis.

Le carrosse royal se présenta devant le parvis de la cathédrale alors que le soleil était à son zénith. Une chaleur accablante suffoquait Paris en ce début de printemps. Une foule de sujets s'étaient entassés devant la façade en pierres taillées. En deux cents ans d'histoire, c'était la première fois que le fils héritier d'un monarque se mariait dans la capitale. Le cortège composé d'une dizaine de chevaux montés par des soldats en uniforme s'arrêta à quelques pas de la porte ouest de l'imposant bâtiment religieux. Deux hommes à la barbe blanche attendaient patiemment les fiancés. L'un des deux vieillards s'appuyait sur une canne en bois ornée de pierres précieuses. Un garde ouvrit la portière du carrosse. Le dauphin de France sortit le premier et vint ensuite la souveraine écossaise. Richement vêtus, les deux futurs mariés resplendissaient sous les rayons lumineux de l'astre solaire. Le cardinal de Bourbon s'avança jusqu'à eux. Il tendit la main et les deux jeunes adultes baisèrent délicatement la bague de l'homme d'Église. Le deuxième prélat, l'évêque de Paris, leur souhaita la bienvenue dans la maison de Dieu.

L'intérieur de la cathédrale était bondé de toutes parts. Une panoplie d'ambassadeurs, de seigneurs étrangers, de nobles français, de princes de l'Église de Rome et de riches commerçants bougeaient sur leur banc en bois. Protocole oblige, les premières rangées furent réservées pour le roi et la reine, les membres de la famille royale, les représentants de la Maison de Lorraine, l'ambassadeur d'Écosse et quelques seigneurs du conseil suprême envoyés par

Marie de Guise, ainsi que les hauts dignitaires de la Cour royale de France. Un vacarme résonnait entre les murs de pierre du temple chrétien. Des ricanements et des discussions enflammées se firent entendre dans tout le bâtiment.

Des trompettes sonnèrent du haut de la mezzanine et enterrèrent le bruit des lieux. Le cardinal de Bourbon, l'évêque de Paris et quatre prêtres firent leur entrée par la nef de gauche. Ils avancèrent lentement en récitant des prières en latin. Deux religieux parmi eux transportèrent des encensoirs qui dégageaient une fumée grisâtre. Les hommes d'Église se prosternèrent devant l'autel sur lequel étaient installés des bougies beiges et des chandeliers en or ainsi que des gerbes de fleurs blanches. Les lys, emblèmes floraux royalistes, recouvraient la nappe de soie. Les prêtres prirent place sur les bancs du fond du chœur, alors que les deux prélats se tinrent devant deux fauteuils de bois sculpté rembourrés de tissus rouges. Au pied de l'escalier menant à l'autel trônaient deux chaises de bois. Le son des trompettes retentit à nouveau. Cette fois-ci, deux jeunes adultes marchèrent timidement en se serrant la main. Le dauphin de France tremblait de partout et sentait son cœur battre à tout rompre. Marie Stuart, qui ressentait l'inquiétude de son futur époux, lui murmura une phrase à l'oreille.

« François, n'ayez crainte... Imaginez-vous seul avec moi devant Dieu. Oubliez les autres et tout ira pour le mieux. »

Le prince ferma les yeux, prit une bouffée d'air et poursuivit la procession. La mariée portait une robe blanche sur laquelle étaient brodées des dizaines de perles. Une longue traîne de velours la secondait dans ses déplacements. Les deux promis portaient une couronne en or ornée de diamants. À la vue du couple, l'assistance ne pouvait que comparer le corps fatigué de François à la fermeté physique de Marie. Les fiancés se placèrent devant l'autel et s'agenouillèrent. Le cardinal s'approcha, leva les mains en l'air et prit la parole.

« Bien chers frères et bien chères sœurs, nous sommes réunis ici aujourd'hui pour unir le dauphin de France à sa fiancée bien-aimée. »

La cérémonie s'enchaîna par le rituel de l'Église catholique. On rompit le pain et bénit le vin afin de sceller le mariage de François de Valois et de Marie Stuart. Pour conclure l'union des deux êtres, le représentant du Saint-Siège présenta le nouveau couple.

« Par les liens sacrés du mariage, j'ai l'honneur de vous présenter Leurs Altesses Royales le dauphin de France et son épouse. »

L'assistance applaudit chaudement le prince français et la reine écossaise. Le roi Henri II et sa femme souriaient devant cette union plus que profitable à la France. Les seigneurs de la Maison de Lorraine jubilaient de satisfaction de voir leur influence se solidifier par ce mariage de convenance.

Tous y trouvèrent un avantage plus qu'intéressant pour leurs intérêts respectifs.

Alors que la nouvelle dauphine s'installait dans ses fonctions de future reine de France, sa mère, Marie de Guise, affrontait chaque jour les menaces anglo-protestantes qui pesaient lourdement sur la Couronne écossaise. L'Église presbytérienne – financée généreusement par les Anglais – avait une très grande influence sur le royaume de Marie Stuart. Le trône des Stuart était plus que jamais en péril. Bien que le royaume de France fût un allié de l'Écosse, l'hémorragie provenait de l'intérieur même des frontières. La reine douairière écrivit régulièrement à sa fille pour l'informer de l'état de la situation. Mais la jeune souveraine ne s'attardait guère à ces problèmes. Elle vivait à proximité de Paris avec son époux et rêvassait à la position royale qui l'attendait sur le continent européen. À ses yeux de jeune mariée, le royaume du nord était loin, tant sur le plan géographique que sentimental.

Le 10 juillet 1559, lors d'un tournoi à cheval, le roi Henri II perdit brusquement la vie. Grièvement blessé par la lance d'un participant, le souverain mourut au bout de son sang. Héritier du trône des Valois, le jeune dauphin François succéda à son père. Les jours qui suivirent se bousculèrent à un rythme effarant pour les deux nouveaux monarques. En plus de vivre leur le deuil, ils devaient asseoir leur autorité royale et gérer le royaume avec une main de fer. Deux mois plus tard, François II et Marie se firent couronnés officiellement roi et reine de France. Véritables maîtres du royaume, les membres de la Maison de Lorraine gouvernèrent par l'intermédiaire du jeune souverain naïf. Quant à la fille des Stuart, elle devint indispensable dans les plans de ses oncles. *Rien ne peut me nuire maintenant,* aimait se convaincre l'Écossaise. Âgée de seize ans, elle détenait le double titre de reine d'Écosse et de France. Le sang royal des valeureux Stuart coulait en elle et l'union conjugale avec son mari l'affiliait à la dynastie des Valois. Le couple, fortement encouragé par les frères de Marie de Guise, envisagea la naissance d'un enfant. Malheureusement, l'infertilité probable du roi de France ne donna pas le cadeau escompté. Rongée par l'incertitude d'enfanter de son époux, Marie Stuart vit sa propre santé se fragiliser. Une ombre planait désormais sur le bonheur du jeune couple royal.

L'année 1560 ne sera pas de bon augure pour François II et Marie. La guerre religieuse entre les protestants et les catholiques monopolisait la politique royale sur le sol français. Les rues de la capitale devinrent dangereuses et la sécurité de la famille des Valois était constamment menacée. La relation entre Catherine de Médicis, reine douairière de France, et sa belle-fille était exécrable. Elles se détestaient mutuellement : la veuve jalousait en son for intérieur l'épouse de son fils et l'Écossaise craignait les manigances de sa belle-mère. La famille royale était divisée en deux clans : celui de Catherine et celui de Marie. Comme un malheur n'arrive jamais seul, la jeune souveraine apprit au début de l'été 1560 le décès de sa mère. Fatiguée par les conflits internes et détruite par ses ennemis, Marie de Guise rendit l'âme le 11 juin. Le royaume d'Écosse était laissé à son sort et la reine ne connaissait que très peu son pays. La jeune femme fut totalement démolie par la perte de sa mère. Sans elle, son avenir était incertain et son influence risquait de diminuer.

Pour vivre son deuil en toute quiétude, la souveraine se rendit à la résidence familiale de la Maison de Lorraine. Pendant un mois, elle se retira sur la terre de Joinville. Des messagers du château de Blois lui amenèrent régulièrement des nouvelles de la cour. Durant l'absence de sa bru, Catherine de Médicis se rapprocha de son fils. Elle essaya de le convaincre d'éloigner les oncles de son épouse. Ce dernier refusa du revers de la main la requête de sa mère. Tenace, la reine douairière revint à la charge et, cette fois-ci, exigea la diminution de l'influence politique de Marie Stuart. Éperdument amoureux de sa femme, François II n'en fit rien. Afin de plaire à sa mère, le roi l'invita à siéger aux réunions du conseil royal. Humiliée dans son âme, Catherine de Médicis accepta l'offre avec amertume. Avait-elle le choix pour l'instant ?

Au début d'août, la reine de France revint auprès de son mari. Heureux du retour de son épouse, le jeune monarque organisa un banquet en l'honneur de la souveraine. Pour l'occasion, il invita des seigneurs du conseil suprême d'Écosse. Seulement trois nobles accepteront l'invitation, les autres la déclineront sous prétexte de veiller à la sécurité du fragile royaume. La raison réelle en est tout autre. En effet, l'hégémonie de John Knox – prédicateur protestant fanatique – s'est emparée des plus hautes instances décisionnelles du pays. Aux yeux de l'homme, la France était gouvernée par un roi catholique, donc par un ennemi de l'Écosse presbytérienne. Rien n'allait plus pour Marie Stuart. Qu'avait-elle fait à Dieu pour mériter un tel sort ? Sa chute aux enfers fut à son apogée le 16 novembre. Lors d'une chasse habituelle, aux abords d'Orléans, le roi François II prit froid. Le soir même, il sentit une vilaine douleur à la tête. Son oreille gauche lui fit mal et cette douleur s'aggrava en peu de temps. Deux semaines passèrent et la mort du roi de France fut annoncée publiquement. Le jeune souverain avait perdu la bataille contre une maladie dégénérative. Accablée par la disparition de son époux, Marie Stuart se retira dans une chambre noire pendant quarante jours et quarante nuits. Recluse à l'abbaye Saint-Pierre-les-Dames, en Champagne-Ardenne, elle trouva du réconfort auprès de l'une de ses tantes. En guise de compensation pour son veuvage, la reine reçut en cadeau la seigneurie d'Épernay et des revenus annuels d'environ 60 000 livres de ses propriétés.

Totalement mise à l'écart par son ancienne belle-mère, Marie Stuart se retrouvait du jour au lendemain en terre étrangère. Au début d'août 1561, plus d'un an après le décès de sa mère, le corps de Marie de Guise fut transporté de l'Écosse vers la

France. Âgée de près de dix-neuf ans, la fille des Stuart était devenue orpheline et veuve. *Quel chemin suivre maintenant que je suis seule à prendre mes décisions* ? s'interrogea-t-elle, agenouillée sur le dernier lieu de repos de sa mère bien-aimée. Marie Stuart frappa le sol de toutes ses forces et fit sortir un douloureux cri de ses entrailles. L'Écossaise avait mal à l'intérieur mais ne pouvait le confier à quiconque, au risque de paraître faible. Devant l'évidence, elle décida à contrecœur de s'embarquer sur un navire en direction de son royaume natal. Elle fit ses adieux à la France, ce pays qui l'avait accueillie une dizaine d'années auparavant. Elle avait vécu des jours merveilleux sur le continent européen. Maintenant veuve de François II et en totale désharmonie avec Catherine de Médicis, elle fut ni plus ni moins chassée par les Valois. La reine d'Écosse retourna dans son pays qui lui était aujourd'hui étranger et qui avait fait descendre sa mère dans la tombe. Quel destin l'attendait dans ce territoire sombre du nord ?

CHAPITRE IV
Devenir dame de compagnie

Palais de Holyroodhouse, Édimbourg, 1561

TÔT LE lendemain matin, Marie Stuart présida son Conseil royal qui avait été convoqué comme à l'habitude dans la salle du Trône, située au cœur du palais de Holyroodhouse. La reine d'Écosse aimait particulièrement ces assemblées où étaient réunis tous ses conseillers. C'était le meilleur moyen pour elle – une *simple* femme – d'affirmer son autorité sur ces hommes machistes.

Composé des plus puissants nobles du royaume, le Conseil royal – anciennement le conseil suprême – servait d'appareil décisionnel qui administrait les affaires politiques et religieuses de l'Écosse.

Ignorés sous la régence de Marie de Guise, les chefs de clans des diverses familles ancestrales dans tout le territoire avaient clairement manifesté à la jeune reine leur attachement à cette tradition plus d'une fois centenaire. Ils insistèrent donc sur l'importance de rétablir cette institution si la Couronne royale voulait compter sur leur appui – ce qui était non négligeable vu la fragilité de l'unité du pays malmené par des guerres intestines entre les clans.

En dépit de son jeune âge, Marie était bien informée de la situation difficile qu'avait dû vivre sa mère lorsque cette dernière s'occupait des affaires du royaume. Le pays était fractionné en parcelles de terre contrôlées par de petits groupes d'hommes qui gouvernaient leur territoire comme le ferait un monarque divin.

S'aliéner les plus puissants seigneurs écossais signifiait sans contredit la chute de la monarchie des Stuart. Il n'était pas question pour la digne fille de Jacques V de voir sa famille quitter le trône écossais. Parmi les membres du Conseil royal, les plus influents provenaient du sud – en particulier des Lowlands et d'Argyll. Deux de ces nobles – Lord Henri Darnley et Lord James Bothwell – auront chacun un rôle primordial à jouer auprès de la Cour royale dans les années subséquentes, sans compter l'influence qu'ils auront sur les fragiles sentiments de la souveraine.

*

En raison de la durée interminable de la séance du Conseil royal, Charlotte avait reçu la permission de sa maîtresse de prendre congé pour la journée. Rares étaient les occasions pour la dame de compagnie de se retrouver seule avec elle-même et sans obligations officielles au palais royal.

Dès l'aube, Charlotte avait quitté la résidence royale pour se diriger vers la cité. Mais, avant de partir, elle s'était bien assurée de donner ses plus strictes instructions à sa remplaçante, Mary Seton, une autre dame de compagnie, de ses responsabilités pour la journée. Et Charlotte fut très rassurante en lui répétant exactement chaque détail comme si sa vie en dépendait.

Pour elle, Édimbourg, la capitale du royaume d'Écosse, symbolisait avant tout le lieu de sa *renaissance* qui avait débuté quelques mois plus tôt.

Lorsqu'elle mit les pieds pour la première fois dans la capitale écossaise, elle ne portait qu'une vieille robe tachée et une paire de souliers éculés. Elle ne possédait pas de belles toilettes ni de splendides bijoux comme aujourd'hui.

Elle avait terriblement froid et était désespérée de se retrouver seule dans un pays étranger.

Errant dans les rues de la ville avec uniquement quelques shillings en poche, cette fille indigente s'était trouvé un petit boulot de couturière chez les O'Connor – qui tenaient un petit commerce de vêtements au cœur de la capitale. Le vieux couple, marié depuis une vingtaine d'années, s'était installé à Édimbourg afin de faire des affaires. Tous les deux étaient originaires d'Inverness et n'avaient pas eu d'enfants. Punis selon eux par le Tout-Puissant, ils devinrent des êtres mesquins. L'honnêteté ne fut pas l'une de leurs qualités. Lui, un homme maigrelet, et elle, une femme assez rondelette, n'avaient pas l'âme charitable. Chaque occasion d'escroquer un client naïf fut pour eux un moyen de s'enrichir davantage sur le dos de leur prochain.

Les journées étaient longues et peu lucratives pour Charlotte. Obligée de se nourrir et de se loger, elle n'avait pas eu d'autre choix que d'endurer son misérable sort pour survivre, du moins jusqu'à ce qu'elle coule des jours meilleurs, croyait-elle. En effet, non seulement les revenus n'étaient pas suffisants, mais l'autorité de ses maîtres était sans pareille. Abusant de la situation pitoyable de la jeune Anglaise, ils n'hésitaient pas à l'humilier à chaque occasion, en particulier l'épouse du couturier lorsqu'elle se retrouvait seule avec son employée. Heureusement pour Charlotte, son destin basculera bientôt en sa faveur.

Quelques mois après la mort de Marie de Guise en 1560, Charlotte entendit madame O'Connor parler du retour de Marie Stuart en terre écossaise. Espérant que ce serait l'occasion pour elle de quitter cette situation insupportable, elle décida d'offrir ses services au palais royal. *Le pire serait de revenir bredouille*, se rassura-t-elle.

Déterminée à travailler à la Cour royale, Charlotte s'était bien préparée et avait répété un petit discours afin de convaincre ceux qui la recevraient en audience qu'elle était la candidate parfaite. Le seul vrai problème qui lui restait à régler était de trouver une toilette appropriée pour l'occasion. Elle ne pouvait pas se rendre à la résidence royale vêtue de ses vieux haillons. On refuserait même de la laisser franchir le portail du palais de Holyroodhouse.

Une idée risquée lui était passée par la tête, sa seule porte de sortie. Elle emprunterait une des élégantes robes de la collection que les O'Connor lui avaient confiée depuis qu'elle travaillait à leur boutique de couture. Cette entreprise était périlleuse, car le vieil homme et sa méprisante femme – qui n'avait jamais traité Charlotte avec une once de bonté – n'allaient pas lui prêter cette robe. Encore moins pour la voir partir au profit d'une meilleure situation.

Alors Charlotte décida d'emprunter temporairement une robe de satin couleur bourgogne avec bustier noir assorti d'un motif floral.

La jeune Anglaise attendit donc jusqu'à la dernière journée précédant les auditions d'embauche pour mettre son plan à exécution. Madame O'Connor faisait régulièrement le tour des marchés l'après-midi, pendant que son mari s'enfonçait dans une longue sieste dans son bureau.

Arrivée au moment propice, Charlotte sentit son cœur battre à tout rompre. Elle éprouvait même de la difficulté à respirer. Ses mains étaient froides et semblaient ne pas vouloir cesser de trembler. C'est en frémissant qu'elle empoigna le vêtement comme une voleuse. Elle sortit de la boutique, la robe délicatement pliée sous le bras, et se rendit à son petit studio sans traîner dans les rues.

Ce n'était pas la première fois que Charlotte volait quelque chose. Durant ses derniers jours à Londres, elle prit du pain au marché sans payer pour ne pas mourir de faim. Par ailleurs, ce vol pouvait avoir des conséquences beaucoup plus dramatiques si elle venait à se faire prendre par ses supérieurs.

Le lendemain matin, Charlotte revêtit la jolie robe et se rendit à la résidence royale dans l'espoir de convaincre le chambellan Sir Isaac MacDonald – l'homme chargé des affaires domestiques du palais – qu'elle était LA servante dont la Cour royale avait besoin.

Mais comme elle ne voulait pas être vue avec une robe qui ne lui appartenait pas, elle emprunta les petites allées et les ruelles. Elle ne s'aventura dans les artères principales que lorsqu'elle n'en avait pas le choix.

Bien que Marie Stuart fût revenue au palais de Holyroodhouse avec plusieurs des membres de son entourage quand elle était en France, il y avait encore certains emplois subalternes à combler. Charlotte était désespérée au point d'accepter tout ce qu'on allait lui proposer, même s'il s'agissait d'un simple poste de femme de chambre. Elle était persuadée que la plus simpliste des tâches qu'on lui assignerait ne pouvait être aussi terrible que ce qu'elle devait endurer chez les O'Connor.

Après un trajet non sans risque, la jeune Anglaise parvint saine et sauve aux grilles du château. Deux imposantes sentinelles se tenaient droites devant leur guérite et l'accueillirent froidement, ce qui lui glaça le sang. Le plus grand des deux hommes l'amena jusqu'à un large vestibule, pièce attenante aux bureaux du chambellan, sans jamais prononcer un mot, ce qui n'aida guère la postulante à se détendre. Lorsqu'elle franchit le portail des lieux, une douzaine de jeunes femmes attendaient sagement en ligne. Plus d'une heure passa avant que l'on ne crie son nom.

Ébloui par la beauté presque angélique de Charlotte – mise en valeur par la jolie robe de satin qu'elle portait fièrement –, Sir Isaac MacDonald accepta aussitôt de lui donner une chance en tant que responsable de la garde-robe de Sa Majesté. La nouvelle employée du palais royal savait pertinemment que le chambellan ne l'avait pas choisie pour ses qualités professionnelles, mais davantage pour ses qualités *personnelles.* Peu importe les sensations que le vieil homme éprouvait à son égard, la jeune Anglaise était parvenue à ses fins. Très tôt, la nouvelle servante userait de son *charisme* pour surmonter les obstacles à son ascension au sein du personnel de la résidence royale.

Charlotte ne pouvait croire à l'extraordinaire chance qui s'offrait à elle, car elle n'avait jamais envisagé d'obtenir une charge aussi importante. L'idée de servir aux cuisines ou à l'entretien lui était plus souvent venue à l'esprit. Heureuse – et quelque peu soulagée –, elle accepta sans hésiter cette proposition inespérée. On l'informa qu'elle travaillerait de pair avec une autre couturière – davantage expérimentée et infiniment plus laide – à raccommoder les nombreuses tenues somptueuses de la reine et de ses demoiselles de compagnie. Enfin, le soleil luisait au bout de ce long parcours qui l'avait amenée de Londres à Édimbourg, puis de la boutique de couture au palais royal.

La nouvelle responsable de la garde-robe royale en titre remercia sincèrement le chambellan en lui déposant un baiser sur la joue, ce qui n'apaisa pas les désirs charnels du vieil homme à son égard, et quitta le palais de Holyroodhouse en marchant d'un pas soulagé. La route la menant à son petit logis ne lui avait jamais tant semblé aussi belle. Pour la première fois depuis son arrivée en Écosse, Charlotte contempla les maisons blanches et entendit le cri des enfants s'amusant dans les rues de la capitale. Le sourire aux lèvres, elle salua les passants qui la remarquèrent grâce à sa magnifique robe.

Rendue presque au parquet du bâtiment où se trouvait son petit appartement, elle monta les escaliers avec rapidité, malgré le large vêtement qui l'habillait. Elle devait revêtir aussitôt sa vieille robe tachée avant de rapporter à son propriétaire celle qu'elle avait empruntée la veille. Malheureusement, comme un bonheur n'arrive jamais seul, Charlotte ne se doutait pas que madame O'Connor faisait son inventaire avant de monter se coucher. Elle remarqua vite la disparition de la toilette. Bouillant de colère, elle attendait de pied ferme le retour de la jeune Anglaise. Une si belle occasion de l'humilier ne pouvait que lui donner un sentiment de supériorité.

Elle n'allait sûrement pas perdre l'occasion de mettre son assistante à ses pieds.

« Petite voleuse ! cria la grosse femme, alors que Charlotte tentait d'entrer incognito dans la pièce où étaient rangés les habits. Que faisais-tu avec cette robe ? » hurla l'épouse de monsieur O'Connor, des gouttelettes de salive lui coulant sur le menton.

« Je voulais simplement l'essayer pour voir comment elle m'allait », bégaya Charlotte, pétrifiée par la rage de sa patronne.

« Ne cherche pas à te faire trop d'idées, chérie ! Tu ne vas jamais pouvoir te permettre ces choses-là. Et n'eût été de monsieur O'Connor et de moi-même, tu serais toujours en train d'errer dans les rues malfamées d'Édimbourg. Donne-moi cette robe et ne reviens plus jamais ici, tu m'entends ? »

Charlotte lança le vêtement sur le comptoir en bois aux côtés de cette femme repoussante et sortit de l'arrière-boutique en courant. Malgré tout, elle était fière de la manière dont elle s'était conduite face à madame O'Connor. Charlotte détestait tellement cette Écossaise que seule la voix de la raison l'avait empêchée de lui sauter carrément à la gorge.

À l'extérieur, le soleil avait disparu du ciel et de gros nuages gris menaçaient les habitants qui circulaient nonchalamment dans les rues. La jeune Anglaise s'empressa donc de retourner à son logis pour passer une dernière nuit dans ce vieux lit inconfortable que son dos avait affronté depuis quelques longs mois déjà. La journée suivante allait lui permettre de repartir du bon pied ; une nouvelle vie qui ne pouvait être que plus heureuse se traçait devant elle.

Très tôt le lendemain matin, elle arriva au palais de Holyroodhouse avec quelques effets personnels enfouis dans un bagage à main et son affreuse robe jaunâtre. Sur le coup, les gardes hésitèrent à la laisser franchir les grilles mais, heureusement pour la responsable de la garde-robe royale, sa consœur rassura les deux hommes quant à l'identité de Charlotte. Remerciant la servante, elle entra d'un pas pressé à l'intérieur du château afin de se changer, espérant que le chambellan lui fournisse des vêtements appropriés. Au premier étage, une dame joliment vêtue lui indiqua ses quartiers, soit ceux du personnel subalterne de la reine. Un peu contrariée d'être réduite à un membre de dernier rang du palais de Holyroodhouse, la jeune Anglaise se tint coite. Une fois qu'on lui montra sa propre chambre, satisfaite tout de même de la tournure des événements – et plus ambitieuse que jamais –, Charlotte se fit la promesse de grimper rapidement les échelons de la hiérarchie du personnel de la résidence royale avant longtemps.

Elle ne voulait guère rester qu'une simple habilleuse, même si c'était pour la dame la plus puissante du royaume d'Écosse. Elle avait aspiré à occuper une position bien plus enviable lorsqu'elle était encore enfant ; même si sa mère la mettait souvent en garde d'avoir de telles convoitises, Charlotte n'était pas le genre de personne à accepter le sort que Dieu lui réservait. Non, la responsable de la garde-robe de la souveraine visait davantage une situation qui lui permettrait de côtoyer Marie Stuart et, si possible, de gagner ses bonnes grâces. Pour la première fois de sa vie, elle ressentait de la malice face à ses semblables. Elle rêvait de devenir dame de compagnie. Ces femmes suivaient la reine dans tous ses déplacements et portaient toujours des tenues très élégantes. Charlotte était prête à tout pour obtenir ce prestigieux titre, même poser des gestes déloyaux envers les autres.

Elle savait d'ores et déjà que, pour se rapprocher de la souveraine, elle devrait amadouer le vieux chambellan, la personne la plus influente à avoir accès à Marie Stuart. *Quoi de mieux pour gagner la sympathie de ce vieux fou que de devenir sa plus précieuse*, pensa-t-elle à ce moment précis. Vraiment, Charlotte n'allait pas rester longtemps responsable de la garde-robe royale. Un destin plus enviable s'échafaudait dans sa tête machiavélique.

Au cours des quelques semaines qui suivirent son entrée au palais, avec toute sa détermination et sa fougue, Charlotte courtisa Sir Isaac MacDonald. Elle ne s'était jamais doutée, au début de cette manœuvre, que le vieil homme deviendrait éperdument amoureux d'elle. Au départ, il ne s'agissait que d'une attirance charnelle, mais, en raison des nuits torrides, le chambellan avait développé un amour de jeune premier. Même si le physique trapu et le crâne dégarni de l'homme la répugnaient plus que tout, la jeune Anglaise avait bien dû se rendre à l'évidence que son plan fonctionnait mieux qu'elle ne l'avait envisagé.

Maîtresse du cœur de Sir MacDonald, il lui serait encore plus facile d'obtenir tout ce qu'elle désirait, même la position la plus enviable du palais de Holyroodhouse. Après seulement quelques semaines de manipulation, elle finit par trouver une occasion d'avoir enfin accès à la reine d'Écosse.

À la suite d'un cas mineur d'influenza, qui lui draina toute son énergie, une des dames de compagnie de Marie Stuart tira sa révérence de la Cour royale et retourna au domaine familial près d'Aberdeen pour retrouver ses forces. C'était le moment idéal pour Charlotte de frapper un coup sûr. Elle n'aurait qu'à persuader son amant secret qu'elle était la remplaçante idéale pour assumer cette fonction prestigieuse.

Les charmes irrésistibles de la jeune femme envoûtèrent soir après soir le vieux MacDonald, et le nom de Charlotte circula bientôt aux appartements du secrétaire privé de la reine. Une semaine plus tard, on la convoqua à un entretien particulier avec Lady Marianne, la dame de compagnie principale de Marie Stuart à ce moment-là.

Charlotte resta debout avec élégance mais, cette fois-ci, elle contrôla mieux ses émotions. De petite taille et plutôt austère, Lady Marianne, beaucoup plus âgée qu'elle, la fixa pendant un long moment sans rien dire. Puis, la vieille dame inspecta des yeux le corps de la postulante. Elle fit le tour de Charlotte, se pencha et se releva en tapotant certaines parties du corps de celle-ci. Jamais la jeune Anglaise ne s'était sentie aussi humiliée – même à la suite des accusations de madame O'Connor concernant l'emprunt de la robe – et dévisagée de cette façon.

« Vous êtes plutôt agréable à regarder pour… une Anglaise », dit finalement Lady Marianne, un sourire narquois sur le bord des lèvres.

Offusquée par cette remarque désobligeante, Charlotte sentit aussitôt le sang lui monter à la tête. Elle était sur le point d'exploser, mais réussit tant bien que mal à garder son calme. Elle n'allait pas donner à cette femme insignifiante une raison de rejeter sa candidature. Trop près du but, elle ne pouvait laisser ses émotions prendre le dessus.

« Je vous remercie, Madame », se contenta-t-elle de répondre poliment.

Étonnée par le sang-froid dont faisait preuve la nouvelle responsable de la garde-robe royale, Lady Marianne dut admettre que cette fille semblait posséder tous les atouts pour être la dame de compagnie de la femme la plus puissante d'Écosse : la beauté, l'élégance et une bonne maîtrise de soi. Mais ce n'était pas encore tout à fait suffisant pour prendre une décision finale.

« Quel est votre nom ? » demanda la vieille dame.

« Charlotte Gray, Madame. »

« Dites-moi, Charlotte, avez-vous de la famille en Angleterre ? »

« Non, Madame, je n'en ai point. Mes parents sont morts il y a bien longtemps. »

« Je suis bien attristée d'entendre cela. Et savez-vous faire du crochet ? »

« Absolument, Madame. »

« Je suis heureuse de l'entendre. Une jeune femme de la Cour royale se doit de maîtriser ce loisir si élégant. Et pourquoi une jeune Anglaise comme vous désire être au service de la reine d'Écosse ? » s'enquit Lady Marianne en regardant Charlotte droit dans les yeux afin d'y détecter un signe de faiblesse.

« Pour être honnête avec vous, Madame, je hais par-dessus tout la bâtarde d'Henri VIII et c'est pour cette raison que je suis venue à Édimbourg », répondit-elle, sachant fort bien que c'était la réponse appropriée dans la situation présente.

Se retournant pour faire dos à la jeune Anglaise et prenant un ton menaçant, Lady Marianne déclara qu'elle prendrait la journée pour étudier sa candidature. Une réponse lui serait donnée avant le coucher du soleil. Et sur ces mots, Charlotte Gray fut escortée par un valet jusqu'à la porte et retourna vaquer à ses occupations pour le restant de l'après-midi, le cœur gros et lourd.

Furieuse de cet entretien, la responsable de la garde-robe se jura qu'elle ferait payer coûte que coûte à Lady Marianne les propos dégradants que cette dernière avait tenus à son sujet.

Alors que le soleil s'estompait dans le ciel d'Édimbourg, la dame de compagnie principale de la reine somma une fois de plus la présence de Charlotte dans ses appartements privés. Anticipant le pire, celle-ci prit son courage à deux mains et se rendit entendre le verdict.

Ses mains étaient moites et des gouttelettes de sueur perlaient sur son front. Elle entra dans l'antichambre en tentant de garder un air décontracté afin de ne pas attirer le regard triomphal de la vieille femme.

« Ma chère… j'ai bien analysé votre requête et j'en suis arrivée à une décision », commença Lady Marianne en s'approchant de la jeune Anglaise et en lui prenant doucement les mains. Ce geste avait abasourdie la postulante.

Plus nerveuse que jamais, Charlotte attendit la suite avec impatience. Savourant avec grande joie le malaise visible de son hôte, la protégée de la souveraine décida de la faire languir davantage en lui offrant un verre. Intransigeante, l'Anglaise refusa avec respect l'offre de la dame.

« Charlotte Gray ! Après avoir bien réfléchi à la question et discuté avec le chambellan, j'ai décidé de vous offrir le titre de dame de compagnie », annonça finalement Lady Marianne d'un ton solennel après une minute de silence.

Sur ces mots, le regard de Charlotte s'illumina comme de petits diamants. L'enfant qu'elle avait déjà été avait prié souvent pour qu'un jour comme celui-ci arrive. Un avenir meilleur l'attendait maintenant au bout de ce parcours difficile. Elle en était persuadée, plus rien ne l'atteindrait.

« Ne souriez pas aussi rapidement, ma chère ! commenta la vieille dame. N'oubliez jamais que je vous aurai à l'œil et qu'à la première erreur je me ferai un plaisir de vous retourner à vos aiguilles et à vos fils. »

Sachant fort bien que Lady Marianne était très sincère dans cette déclaration, Charlotte se promit de ne jamais lui donner l'occasion de l'écarter du palais de Holyroodhouse. Elle était maintenant trop près de son but ultime, soit devenir la favorite de la reine d'Écosse.

CHAPITRE V
Un fantôme du passé

Dans les rues d'Édimbourg, 1561

CHARLOTTE PROFITAIT de sa rare journée de liberté pour parcourir les multiples petites boutiques de vêtements et les somptueuses bijouteries situées le long des rues étroites d'Édimbourg. Sa dernière visite au cœur de la ville remontait au soir de son altercation avec madame O'Connor concernant cette robe qu'elle avait empruntée quelques mois plus tôt. Selon son souvenir, de gros nuages noirs couvraient le ciel cette journée-là et les passants semblaient bien tristes.

Mais aujourd'hui, la scène était beaucoup plus invitante. Les chauds rayons du soleil perçaient au travers des nuages duveteux qui vivifiaient son moral. Elle ne s'était jamais sentie aussi libre de ses mouvements et heureuse de ne plus souffrir du froid, de la faim ou de servitude face à quiconque. La tâche de favorite de la souveraine n'était pas une corvée pour la jeune femme qu'elle était, mais davantage une mission des plus enivrantes.

À mi-chemin d'une rue bondée, Charlotte reconnut une enseigne de bois à quelques pas d'où elle se tenait. En zigzaguant dans les voies piétonnières, elle s'était retrouvée par inadvertance devant la boutique de couture de son ancien employeur.

Les mauvais souvenirs se bousculèrent tout d'un coup dans sa tête... les longues journées de travail dans le froid hivernal, les vieilles mains baladeuses de l'infâme monsieur O'Connor ainsi que les critiques incessantes de la femme de ce dernier. Bien qu'elle ne fût au service du commerçant que quelques mois, cela lui avait paru une éternité.

Charlotte avait la mauvaise habitude de se torturer inutilement l'esprit pendant de longues heures en pensant aux regrets qu'elle avait accumulés au fil des ans. Mais cette fois-ci, elle opta rapidement pour des pensées plus réjouissantes.

La dame de compagnie passa son chemin d'un pas précipité et s'engagea dans une ruelle sombre sans y avoir prêté aucune attention. Soudain, elle constata que l'endroit n'était pas des plus sûrs pour une jeune femme aussi richement vêtue qu'elle l'était. Plusieurs recoins de la capitale étaient dangereux, et ce, même en plein jour.

À quoi avait-elle pensé ?

C'est qu'elle n'avait justement pas réfléchi lorsqu'elle s'était aventurée dans l'allée obscure. Là était le problème... elle ne pensait pas suffisamment à ce qu'elle faisait et se lançait bien souvent à l'aveuglette.

Elle regarda autour d'elle non sans nervosité et traversa à grands pas la ruelle en serrant très fort le collier de perles qui pendait à son cou. Alors qu'elle allait mettre le pied dans une artère principale plus sûre, elle entendit une voix familière derrière elle.

« Ne serait-ce pas ma petite Charlotte que voilà ? » l'interpella la vieille dame.

La jeune Anglaise s'immobilisa. L'autre femme se mit à rire bêtement, comme elle le faisait si souvent. Le timbre de cette voix ne plaisait pas aux oreilles.

Non, ça ne pouvait pas être elle ! Pas ici ! Pas maintenant !

Prise de panique, Charlotte se retourna gauchement et posa son regard amer sur madame O'Connor. La vieille Écossaise était vêtue de vieux haillons grisâtres et trop serrés pour ce corps fort rond. Charlotte était persuadée qu'elle allait s'évanouir lorsqu'elle perdit pied sur le macadam cahoteux, échappant par le fait même ses gants de satin bleu.

La femme corpulente se pencha avec peine et misère, ramassa les délicats morceaux de tissu et les tendit à sa propriétaire.

« On ne salue pas son ancienne maîtresse ? demanda madame O'Connor d'un ton sarcastique. Je vois que tu portes de beaux vêtements et de splendides bijoux… maintenant. La vie au palais de Holyroodhouse doit être bonne pour toi ! »

Charlotte n'allait pas lui donner la satisfaction de la voir troublée ainsi. Reprenant ses esprits, elle replaça sa robe et récupéra ses gants froidement en remerciant son ancienne patronne de manière presque inaudible.

« Madame O'Connor ! Est-ce vraiment vous ? Mais que vous est-il arrivé, chère amie ? » dit l'Anglaise en empruntant la voix la plus hautaine qui soit.

« À la mort de mon mari, survenue il y a quelques semaines, le vieux fou – puisse-t-il brûler en enfer – m'a laissé d'énormes obligations et j'ai dû me départir de la boutique afin de payer mes créditeurs, expliqua-t-elle. Mais heureusement, très chère, maintenant que je vous ai trouvée, vous allez pouvoir m'aider à me sortir de cette fâcheuse situation. »

« Moi ! Mais qu'est-ce que vous me racontez là ? »

« Charlotte... Pauvre petite innocente Charlotte ! On oublie trop facilement ceux qui nous ont sauvé la vie il n'y a pas si longtemps. Monsieur O'Connor et moi t'avons donné du travail alors que tu traînais dans les rues. Tu y serais encore aujourd'hui si nous n'avions pas été là à cette époque ! » cria la grosse femme.

« Vous êtes complètement folle ! Je ne vous appartiens pas ! Et dois-je vous rappeler que je travaille pour la reine d'Écosse maintenant ? »

« Ne joue pas à l'indifférente avec moi, Charlotte Gray. Tu n'es qu'une petite écervelée et je sais que tu as quelque chose à cacher ! » dit-elle avec un sourire sur les lèvres.

Le visage de Charlotte devint très pâle en entendant ces mots. Est-ce que madame O'Connor avait découvert son terrible secret ? Cela était presque impossible. Comment pouvait-elle connaître la raison qui se cachait derrière sa fuite de Londres ?

Elle ne fait que fabuler afin de m'intimider, pensa la jeune Anglaise.

Toutefois, même si cela pouvait être vrai, est-ce que Marie Stuart viendrait à être informée de son passé caché ? Ou pire encore… serait-elle renvoyée en Angleterre ? Une mort certaine l'attendait là-bas. Les Anglais étaient plutôt cruels avec les gens jugés coupables de meurtres.

Elle devait dire quelque chose. Elle ne pouvait pas faire durer cette situation. Elle n'allait tout de même pas laisser cette stupide femme détruire tout ce qu'elle avait obtenu en travaillant si fort jusqu'à maintenant. Tant d'épreuves avaient été surmontées afin d'accéder au titre de favorite de la reine d'Écosse.

« Je ne vois vraiment pas ce que vous voulez insinuer, ma chère amie, dit Charlotte presque sans voix tout en détachant son collier de perles qu'elle portait si fièrement. Mais laissez-moi vous offrir ce présent afin de vous remercier, vous et feu votre mari, de l'hospitalité que vous m'avez si gentiment offerte dans le passé. »

« Je peux me satisfaire de cette pacotille pour le moment... Mais il me faudra beaucoup plus qu'un simple bijou pour me faire taire, très chère ! menaça madame O'Connor. Je reviendrai ici même dans une semaine et tu ferais mieux de trouver quelque chose de bien plus intéressant, sinon je vais directement au palais royal. »

« Comment osez-vous me faire des menaces ? Vous n'êtes plus qu'une mendiante dans des vêtements déchirés. Personne ne vous prendra au sérieux à la Cour royale ! On ne vous laissera même pas franchir le portail du domaine. »

« Peut-être pas moi, certes... mais ma nièce, Elizabeth McLeod, sûrement ! »

En entendant ce nom, la dame de compagnie comprit aussitôt qu'elle n'avait pas écarté toutes les menaces à la résidence royale. Après Lady Marianne et Sir Isaac MacDonald, elle n'aurait jamais pensé que la jeune rouquine pouvait causer des problèmes – même si elle l'avait trouvée plutôt suspecte dès le tout premier jour qu'elle l'aperçut.

Charlotte fit semblant de ne rien avoir entendu et reprit la route en direction du palais de Holyroodhouse. Mais la seule chose qui lui trottait en tête sur le chemin du retour était de savoir comment madame O'Connor ou même Elizabeth eurent vent de sa mésaventure en Angleterre. Elle n'avait jamais discuté de ce sujet avec ses anciens employeurs. Cependant, l'Écossaise semblait au courant de quelque chose... à moins que ce ne fussent que des paroles en l'air.

Elle ferait la lumière sur cette question. Charlotte était décidée à faire tout en son pouvoir pour empêcher cette vieille folle ainsi que sa nièce de parler. En serrant fort les poings, elle se promit de les mettre toutes les deux hors jeu.

En arrivant aux grilles du palais, la dame de compagnie essaya, tant bien que mal, de chasser cette mauvaise rencontre de son esprit. Elle avait eu suffisamment d'agitations pour la journée. Elle franchit le portail, salua l'un des gardes et entra dans la résidence en se dirigeant vers ses appartements privés au deuxième étage, non loin de ceux de la reine.

Charlotte s'apprêtait à pénétrer dans sa chambre lorsqu'elle aperçut Marie Stuart sortir de ses appartements – sans doute pour prendre son repas du soir, car la jeune femme avait senti une odeur de volaille rôtie provenant des cuisines en rentrant tout à l'heure.

« Ah ! Ma chère Charlotte ! Comment fut votre journée ? » s'enquit la reine en s'avançant dans sa direction.

« Très bien, Votre Majesté, mentit-elle. Madame est bien bonne de m'avoir donné ce petit congé. »

« Bien heureuse de l'entendre, répondit la souveraine sans vraiment porter attention à ce que Charlotte venait de dire. Allez vous rafraîchir et venez me joindre au petit salon, j'ai à discuter d'une affaire des plus importantes avec vous. »

La première idée qui lui vint en tête était que la reine devait être informée des menaces qui planaient sur elle. *C'est trop rapide. La reine ne peut tout de même pas avoir déjà été mise au courant de mon secret. Madame O'Connor vient tout juste de me dire qu'elle voulait me revoir dans une semaine. À moins que la rouquine ait décidé de passer à l'action tout de suite ? Impossible ! Non.* Elle balaya ces idées de son esprit afin de ne rien laisser paraître aux yeux de la souveraine et fit la révérence avant d'entrer finalement dans sa chambre.

Enfin seule et à l'abri des regards, Charlotte verrouilla la porte derrière elle et tomba à genoux au milieu de la pièce, prise de sanglots. Une énorme boule d'émotions s'était formée dans sa poitrine sur le chemin du retour, et elle ne pouvait plus la retenir. Libre de ses gestes, elle pleura à chaudes larmes toute cette vie secrète qui la hantait.

Pourquoi son passé faisait-il surface maintenant ? Pourquoi son chemin avait-il croisé celui de madame O'Connor ? Qu'est-ce que manigançait Elizabeth ? *Ferme-toi un peu ! C'est bien assez pour aujourd'hui*, se dit-elle, désespérée.

La jeune Anglaise se leva, alla à la table de chevet près de son lit, sur laquelle elle gardait toujours une carafe de porcelaine remplie d'eau fraîche, et s'aspergea le visage. *Je suis tout de même la dame de compagnie principale de la plus puissante femme du royaume d'Écosse et je ne laisserai pas ces deux idiotes détruire ma vie.*

Charlotte se fit alors la promesse de trouver un moyen de faire renvoyer Elizabeth et de garder celle-ci et sa tante hors de portée de nuire. Ces deux femmes allaient payer pour s'être mises sur sa route. La chasse aux ennemies venait de commencer.

La jeune Anglaise descendit au petit salon, pièce attenante à la salle à manger. La reine était assise devant une petite table de marbre blanc sur laquelle reposait un large plateau d'argent garni de victuailles. Marie Stuart regardait avec attention un parchemin jaunâtre. À la vue de ce document, Charlotte sentit ses jambes faiblir sous elle. La souveraine était-elle en possession d'une information pouvant lui nuire ? Avec délicatesse, la dame de compagnie prit place près de sa maîtresse, sans montrer son inquiétude.

« Savez-vous ce que je tiens là, ma chère ? lui demanda Marie Stuart, ne s'attendant pas à une réponse. Bien sûr que non ! »

Ce bout de papier lui avait été donné en matinée par un membre de son conseil privé. La reine leva la tête doucement, déposa le document sur la table et annonça à Charlotte qu'elle aurait besoin de son aide pour une mission délicate, mais primordiale. L'Anglaise comprit aussitôt que ses peurs n'étaient nullement fondées. La souveraine n'était pas prévenue de son terrible secret... Pas encore ! Soulagée, elle écouta avec précaution les paroles de sa puissante maîtresse. Les battements de son cœur reprirent leur rythme habituel et la moiteur de la paume de ses mains s'estompa petit à petit.

« Vous n'êtes pas sans savoir, ma chère, que John Knox est une sérieuse menace pour le Vatican et pour la Couronne écossaise... Comme vous le savez aussi, il est de mon devoir le plus sacré de préserver la terre qui m'a été léguée par mes prédécesseurs. »

« Votre Majesté a toute ma confiance ainsi que ma plus profonde admiration. Je sais que Madame est la seule qui pourra nous délivrer des protestants. »

Constatant que Marie Stuart l'avisait de détails rarement dévoilés à l'extérieur des séances du conseil privé, un sentiment de fierté s'empara d'elle tout à coup. Elle, Charlotte Gray, était maintenant admise dans le cercle très restreint des confidents de la reine. La favorite comprit qu'elle avait surmonté tous les obstacles à la Cour royale, que la vie ne serait plus jamais mauvaise pour elle. Alors un sourire de jouissance se fit voir sur ses lèvres roses pulpeuses.

La souveraine se leva d'un bond et fit les cent pas dans la pièce. Elle devait annoncer d'une manière méthodique à sa dame de compagnie le rôle qu'elle souhaitait voir sa favorite jouer dans une nouvelle stratégie élaborée plus tôt en journée.

« Je dois être informée en tout temps de ce que mijote ce satané prédicateur protestant afin de l'empêcher d'empoisonner mon peuple avec ses sottises, expliqua la reine.

« Et pour cette raison, je vous demande, Charlotte Gray, de devenir mes yeux et mes oreilles. Vous infiltrerez ce groupe d'hérétiques pour espionner les faits et gestes de John Knox pour moi… pour mon peuple ! » continua-t-elle gravement en s'immobilisant près de la fenêtre entrouverte.

La dame de compagnie ne pouvait pas en croire ses oreilles. La reine lui demandait un service d'espionnage… à elle. Même si l'Anglaise essaya de ne rien laisser paraître, Marie Stuart pouvait lire l'angoisse dans les yeux de Charlotte. Elle s'approcha de sa favorite en la fixant de son regard royal.

« En fait, vous allez le convaincre que vous avez changé d'allégeance ; que vous avez finalement entendu la vraie voix du Seigneur. Et vous amènerez John Knox à croire que vous pourriez être son espion à la Cour royale. »

Puis, plus rien. Un lourd silence s'installa dans la petite pièce. Le temps s'était arrêté autour de la dame de compagnie.

Jamais Charlotte n'avait, même un instant, envisagé qu'elle aurait un jour à jouer un rôle aussi primordial dans l'histoire politique et religieux de l'Écosse. Ce pays qui n'était pas sa terre natale exigea d'elle un tel sacrifice. Ce que Marie Stuart lui demandait était certes très dangereux pour sa sécurité ; cela pourrait même lui coûter la vie si jamais ce protestant venait à apprendre le subterfuge, mais les répercussions sur sa position sociale ne feraient que renforcer ses liens avec la reine d'Écosse.

Était-elle prête à accomplir cette tâche ? Voulait-elle mettre sa propre vie en jeu pour la souveraine ? Pour ce pays qui n'était pas le sien ?

Toutefois, elle se rendit soudainement compte que la reine d'Écosse lui avait demandé – à elle – de devenir ses yeux et ses oreilles ; qu'elle lui faisait confiance – à elle – pour mener cette mission périlleuse. Au sommet de son art, elle n'allait pas échouer l'ultime test de confiance de sa maîtresse.

« Votre Majesté, c'est avec une profonde humilité et un profond honneur que j'assumerai ce rôle pour le prestige de la Couronne écossaise », répondit-elle solennellement en baissant les yeux.

« Je comprends que ce que j'exige de vous ne sera pas facile, ma chère amie, dit la reine dans un rare moment de vulnérabilité. Mais je suis des plus certaines que *nous* gagnerons cette bataille contre le Mal. »

La puissante femme s'assit au bout de la table, remercia sa confidente et implora qu'on la laisse seule pour le restant de la soirée. Elles parleraient à nouveau de ce sujet urgent demain matin. Mais pour le moment, la souveraine devait se pencher sur d'autres problèmes politiques.

Charlotte obéit aussitôt. Elle se leva, fit la révérence habituelle et retourna en toute hâte dans ses appartements privés. Une mission qui changera le rude destin de cette jeune Anglaise l'attendait prochainement. La nuit serait des plus longues pour elle.

Très tôt le lendemain matin, la dame de compagnie descendit aux cuisines du palais de Holyroodhouse. Une journée fort occupée se présentait à elle… Un entretien privé avec la reine en matinée, le choix de la toilette de Sa Majesté pour la visite officielle de l'émissaire du pape en après-midi, ainsi que le départ pour le château de Stirling en soirée pour préparer les festivités du grand bal annuel. Pour la jeune Anglaise, il s'agissait d'un horaire tout à fait normal pour celle qui occupait la position de favorite de la souveraine.

Avec l'accumulation grandissante de responsabilités cruciales, Charlotte devenait la personne de référence pour quiconque voulait rencontrer la souveraine. À vrai dire, comme elle était parvenue à créer moult friction entre la reine et Sir Isaac MacDonald, il y avait de cela quelques semaines déjà, ce dernier fut chassé de la résidence royale. La dame de compagnie avait réussi à convaincre Marie Stuart qu'elle était capable de prendre également en charge les fonctions de chambellan. *Je suis la seule personne en qui Madame puisse avoir une totale confiance*, aimait-elle se persuader jour après jour.

« Dites-moi, ma bonne Jane, avez-vous vu Elizabeth ce matin ? » demanda l'Anglaise.

« Non, mademoiselle Charlotte ! »

La rouquine n'était peut-être pas encore descendue. Elle irait voir à l'étage des domestiques. Remerciant la cuisinière de sa grande gentillesse, Charlotte monta au grenier à la recherche de la nièce de madame O'Connor.

Elle s'arrêta devant la chambre de la jeune femme, regarda autour afin de s'assurer qu'aucun œil curieux ne l'observait.

La porte était entrouverte, mais aucun bruit n'en sortait. Incapable de se retenir, elle entra sur la pointe des pieds.

La pièce était relativement petite et remarquablement bien rangée. Les rideaux étaient ouverts et une bonne quantité de lumière y pénétrait. Le seul détail qui attira son attention était un parchemin roulé, laissé sur le lit. Intriguée, Charlotte ferma doucement la porte derrière elle et prit le document du bout des doigts.

Elle défit le ruban rouge du papier, le déroula de façon à en minimiser le froissement et le lut avec frayeur.

Aux bonnes gens d'Angleterre,

Au nom de Sa Majesté Elizabeth Regina, reine d'Angleterre, d'Irlande et de France, Charlotte Wight, née dans le duché du Kent en l'an 1540 sous le nom de Gray, est condamnée à la pendaison par le cou jusqu'à ce que mort s'ensuive pour le meurtre de John Wight.

Sir William Cecil, Lord Burghley

En ce vingt-huitième jour de novembre de l'an quinze cent soixante

C'est avec les mains tremblantes et des larmes lui coulant sur les joues que la jeune Anglaise roula le parchemin tout en revivant ce terrible jour, où son accusation fut publiquement annoncée par les autorités de Londres.

De gros flocons de neige tombaient sur Londres en cette froide journée. Le vent glacial passait au travers de ses vêtements peu adéquats en cette saison automnale.

Ses mains étaient gelées au point de lui faire affreusement mal. Elle devait souffler sans arrêt sur le bout de ses doigts frêles pour activer leur circulation sanguine. Ses lèvres étaient très gercées et asséchées par le vent.

Elle se trouvait dans un marché public, près de la Tamise, depuis à peine quelques minutes lorsque des soldats de la Garde royale arrivèrent à cheval. Le plus jeune déroula un grand parchemin et en lut le contenu à haute voix, qui déclarait la condamnation à mort de la jeune femme.

Elle avait prié fort pour que ce terrible incident puisse être oublié de tous. Malheureusement, celui-ci la pourchassait encore.

Cachée derrière une charrette remplie de foin, Charlotte sauta à l'arrière sans réfléchir pour y trouver refuge. Par chance pour elle, un paysan grimpa sur le siège peu de temps après et quitta la capitale anglaise sans remarquer qu'une passagère clandestine s'y camouflait.

Charlotte sortait souvent la tête du foin pour voir dans quelle direction se dirigeait le chariot. Ils s'en allaient clairement vers le nord. Et voyant qu'elle n'était plus en danger, elle descendit à pas de loup non loin d'Oxford, sans attirer l'attention du chauffeur.

Elle se faufila dans la ville en empruntant les petites rues les moins achalandées et finit par se trouver sur la route menant à Birmingham. Un convoi de marchands itinérants qui se rendaient à Édimbourg lui offrit de monter avec eux pour le long voyage.

Elle n'aurait pas à se cacher pendant un moment, pour autant qu'elle puisse s'intégrer parmi ce groupe éclectique. Et elle était certaine que personne ne penserait à la chercher en Écosse avant longtemps.

Il est clair qu'une nouvelle vie l'attendait à Édimbourg.

Alors que la dame de compagnie s'apprêtait à sortir de la pièce, elle entendit des pas sur les vieilles planches du parquet qui venaient vers elle. Ce ne pouvait être qu'Elizabeth. Sa chambre était la dernière du corridor et personne n'avait à se trouver dans ce coin du palais sans raison.

L'Anglaise n'avait aucun moyen de s'échapper ou de se cacher. Elle allait devoir mentir pour se sortir de cette situation embarrassante – encore une fois. La rouquine entra dans la pièce.

« Ah ! Vous voilà enfin, Elizabeth ! Je vous ai cherché partout », lança Charlotte.

« C'est ce que m'a dit Jane, Mademoiselle, comme j'entrais », répondit la servante, préoccupée en apercevant le document enroulé qui trônait sur son lit.

Visiblement, elle avait oublié de remettre le parchemin dans le tiroir qu'elle tenait fermé à clé. Elle était si stupide. Comment avait-elle pu négliger une chose aussi importante ?

Elle jeta des coups d'œil nerveux vers ce bout de papier. Elle était inquiète que la dame de compagnie l'ait vu ; ou pire, qu'elle l'ait lu. Il était encore trop tôt pour mettre son plan à exécution. Elle voulait attendre le moment propice pour montrer cette pièce à conviction à Charlotte. Et avec l'aide de sa tante, madame O'Connor, elle voulait la faire chanter.

« Ma chère, je vais avoir besoin de vos services pour quelques jours, continua Charlotte. Nous partirons pour le château de Stirling en soirée, mais j'ai des choses à régler ici avant notre départ. »

Ah ! Cette Anglaise écervelée ne semble pas avoir remarqué le document, pensa la rouquine.

« Très bien. Si Mademoiselle veut bien me laisser seule pour me changer, je serai à sa disposition pour tout le temps qu'elle le voudra. »

« C'est parfait alors ! Mais pas maintenant… j'ai un entretien avec Madame dans un instant. Venez me rejoindre dans les jardins dans environ une heure. »

Et sur ces mots, elle se rendit à son audience privée avec la souveraine.

La discussion avec Marie Stuart avait comme but de mettre sur pied une stratégie pour amadouer John Knox. Il avait été convenu que Charlotte se rendrait aussi souvent que possible aux diverses célébrations et multiples rassemblements religieux, afin de montrer son dévouement à sa nouvelle foi.

Au bout de quelques semaines, elle demanderait une audience en privé avec le prédicateur pour proclamer son allégeance presbytérienne et pour lui prouver qu'elle pourrait être une précieuse alliée. En cette période de grande agitation, John Knox ne pourrait faire autrement que de voir en elle une collaboratrice des plus utiles.

Une protestante aussi influente travaillant pour lui comme supposée catholique à la Cour royale serait une proposition qu'il ne pourrait refuser. Et Charlotte informerait, évidemment, la reine de tous les faits et gestes de John Knox à l'avance.

C'était une aventure des plus risquées. Cependant, la dame de compagnie réitéra sa loyauté infaillible envers la souveraine et son peuple. Et si elle remplissait cette mission, la reine lui serait redevable pour toujours d'avoir sauvé la foi catholique en Écosse.

Après cette rencontre, Charlotte alla dans les jardins chercher Elizabeth afin qu'elles puissent s'attaquer à la garde-robe de la reine en vue de son audience avec le cardinal Pontormo en après-midi. Grand théologien de l'Église de Rome, il avait été mandaté par le Saint-Père afin de convaincre la très chrétienne souveraine de trouver un mari prochainement, afin de s'assurer d'un héritier pour le trône d'Écosse.

En fidèle servante du catholicisme, mais avant tout en tant que femme très indépendante pour son époque, Marie Stuart rassura le messager de ses bonnes intentions.

« Si Dieu désire me voir mariée, alors je suis des plus certaines qu'Il m'enverra un époux convenable très bientôt », avait-elle répondu au cardinal.

Relativement satisfait – pour le moment – de ce qu'il venait d'entendre, l'homme remercia la souveraine pour sa dévotion, puis il la bénit. Et après un copieux repas en tête-à-tête avec la puissante femme, il reprit sa route pour Glasgow, où on l'attendait pour des affaires personnelles.

Après le repas du soir, Elizabeth accompagna Charlotte au château de Stirling – qui se trouvait à mi-chemin entre Édimbourg et Glasgow – où une tâche monumentale les y attendait.

La semaine suivante, la reine d'Écosse allait donner son bal annuel tant attendu. Cet événement grandiose réunissait pour la nuit les plus influents nobles ainsi que les chefs de clans les plus puissants du royaume d'Écosse. Il s'agissait sans aucun doute d'une occasion unique de rencontrer intimement la souveraine.

Puis durant les célébrations, certains chanceux présélectionnés avaient la possibilité de danser avec Marie Stuart. Les femmes revêtaient leur plus belle robe et portaient leurs bijoux les plus resplendissants afin d'impressionner les membres de la Cour royale. Et, décidément, c'était le moment idéal pour les jeunes hommes célibataires de se trouver une épouse convenable.

La dame de compagnie et la servante à la chevelure rousse travaillèrent de longues heures sans s'arrêter. Aucune des deux femmes ne fit allusion au parchemin. Certes, elles étaient trop occupées par leur travail pour se préoccuper de ce détail, mais ni l'une ni l'autre ne souhaitait soulever la suspicion de l'autre.

CHAPITRE VI
Les soubresauts du cœur

Château de Stirling, 1561

UNE PLEINE lune éclairait le ciel dégagé au-dessus du château de Stirling. Les premiers invités venaient tout juste de passer la poterne accessible par l'esplanade sud. Cette nuit-là, des milliers d'étoiles scintillaient à l'horizon comme une mer de diamants.

Tous les chandeliers de cristal avaient été polis avec soin dans toute la résidence. Les plus imposants étaient dans le Grand Hall, où se dérouleraient la majorité des festivités. Comme le plafond de cette salle était très haut, les lustres avaient été suspendus plus près du sol afin de mieux éclairer les invités. Et avec la charpente à blochets en bois foncé, on aurait dit que les chandeliers flottaient tout simplement dans le vide.

Sous la rangée élevée de vitraux colorés de part et d'autre de la pièce, dans de jolis cadres dorés sculptés, d'immenses portraits plain-pied des légendaires rois d'Écosse avaient été accrochés aux murs pour l'événement, car, d'habitude, les murs étaient laissés nus. Mais, pour le bal annuel – surtout en ces temps de grande agitation causée par les protestants –, Marie avait exigé que la célébration fût des plus pompeuses, étalant par le fait même toute sa gloire. Une horde de musiciens jouaient depuis un moment déjà au balcon. Des acrobates et des acteurs viendraient compléter le divertissement au fil de la soirée. L'endroit était tout simplement féerique.

Tout au fond de la pièce, les valets avaient aménagé une section légèrement en retrait afin que la reine puisse s'entretenir en privé avec ses invités personnels. Un trône massif avait été transporté de Holyroodhouse et avait été orienté pour que la souveraine ait une vue d'ensemble du Grand Hall. Elle ne voulait rien manquer.

Le comte d'Aberdeen et son épouse furent le premier couple à arriver au château de Stirling – de lointains cousins de Marie Stuart qu'elle estimait tout particulièrement. Ils étaient immédiatement suivis par les barons d'Inverness, de Galloway et de Dundee – qui étaient les trois gentilshommes les plus riches du royaume. Leurs familles avaient bâti leur fortune au fil des siècles – en partie comme guerriers, mais principalement en tant que propriétaires terriens.

Durant toute la soirée, les invités s'entassèrent dans la salle principale pour voir la reine d'Écosse. Cependant, la souveraine ne fit son apparition publique qu'aux derniers coups de minuit. Elle portait une large robe de velours bleu foncé par-dessus des jupons de dentelle blanche. Des rangées de perles et de diamants pendaient à son cou, et elle portait une délicate couronne en forme de cœur incrustée de perles. Elle était tout à fait resplendissante.

Toutes les têtes se tournèrent à l'annonce de son arrivée. Tous les yeux étaient rivés sur elle alors qu'elle traversait la salle pour se rendre à ses quartiers privés. Les hommes étaient troublés par son charisme et les femmes étaient jalouses de sa beauté incontestable. Malgré tout, tous se mirent à potiner dans son dos aussitôt qu'elle prit place sur son trône avec ses dames de compagnie.

Parmi les distingués invités se tenait Henri Stuart, mieux connu sous le nom de Lord Darnley – un cousin germain de Marie. Henri était âgé de dix-sept ans, il était beau, cultivé et il était un descendant du roi Henri VII d'Angleterre. Darnley n'avait vu sa cousine que deux fois avant ce bal lorsqu'elle était encore en France. Si la reine lui était totalement indifférent auparavant, ce soir-là il tomba amoureux fou d'elle.

La reine prit enfin place au milieu des invités et ouvrit officiellement les festivités en dansant avec son demi-frère, Jacques Stuart, 1er comte de Moray. L'homme, qui était plus âgé qu'elle, avait été éduqué à la Cour royale écossaise, contrairement à sa jeune demi-sœur. Et il était presbytérien, donc ennemi de l'entourage de la souveraine.

Après le retour de Marie en Écosse, il avait été fait premier conseiller de la reine. Prétendant au trône d'Écosse, il s'était allié le soutien de John Knox et de ses disciples. Homme patient, Moray avait trouvé plus avantageux pour lui d'être dans les bonnes grâces de sa cadette, plutôt que d'essayer de la renverser… pour le moment, du moins.

Une fois la danse entamée, les convives emboitèrent le pas dans un mouvement synchronisé. Des rires remplirent le château à mesure que les gens étaient transportés par la musique.

Charlotte portait une sublime robe dorée en satin. Elle avait tressé sa chevelure abondante avec de petits rubans de dentelle jaune. Elle parlait avec quatre autres dames de compagnie et avait les yeux rivés sur le spectacle qui s'offrait à elle. Il s'agissait de son premier bal. Bien qu'elle en eût rêvé à maintes reprises lorsqu'elle était beaucoup plus jeune, sa position sociale ne lui avait jamais permis un tel privilège.

Toutefois, l'Anglaise en avait assez des discussions insipides, elle voulait sortir de l'ombre et faire le tour de la salle pour voir les choses de plus près. Elle souhaitait frayer avec la haute société écossaise, peut-être même danser.

Elle fit le tour à quelques reprises afin de trouver un cavalier convenable qui l'inviterait sur la piste de danse. Malheureusement, tous les gentilshommes avaient déjà trouvé une partenaire ou étaient engagés dans une conversation.

Elle allait abandonner sa quête lorsqu'une chaude main masculine lui effleura le poignet gauche, ce qui la fit frissonner de la tête aux pieds. Elle se tourna sans se précipiter. Ses yeux se posèrent tout d'abord sur les hautes bottes de cuir de l'étranger. Relevant la tête, son regard finit par rencontrer celui de l'homme. Il lui souriait gentiment.

Il était le plus bel homme qu'elle ait jamais rencontré. Une mâchoire bien dessinée, des cheveux noirs et des lèvres pulpeuses des plus sensuelles. La dame de compagnie fut d'emblée attirée par les grands yeux bleus pétillants. Elle resta muette lorsqu'il lui adressa la parole le premier.

« Est-ce que Mademoiselle accepterait de me faire l'honneur de la prochaine danse ? »

Les joues de Charlotte s'empourprèrent. Elle ne put s'empêcher de laisser sortir un petit rire nerveux.

Remarquant l'embarras de son interlocutrice, il la prit par la main et s'approcha d'elle. D'habitude, il n'était pas aussi téméraire, mais il avait admiré la jeune femme de loin une bonne partie de la soirée et ne voulait pas laisser passer cette occasion.

Alors, sans trop comprendre ce qui lui arrivait, l'Anglaise se retrouva sur la piste de danse. La musique bourdonnait dans ses oreilles. Les invités autour d'eux s'évanouissaient petit à petit dans la lumière ambrée des chandelles qui les enveloppaient. Elle ne pouvait voir que lui.

Ils dansèrent ensemble tout le restant de la soirée, sans jamais prononcer un mot. L'instant était délicieusement magique. Charlotte espérait que ce moment se poursuive une éternité.

La nuit tira à sa fin. Et comme les derniers invités quittaient le château sans se presser, les deux jeunes gens se retirèrent à l'extérieur. Ils marchèrent dans les jardins, le long du rempart nord. Les étoiles disparaissaient une à une au-dessus du Nether Bailey.

« Vous dansez comme une reine, ma chère », lui dit-il tendrement en regardant l'horizon.

Troublée par ces mots flatteurs, Charlotte sourit sottement. Les hommes n'avaient jamais été aussi charmants avec elle.

« Quel est votre nom ? » continua-t-il en se tournant vers elle.

Elle pensait perdre conscience.

« Charlotte Gray », réussit-elle à répondre.

« Un si joli nom pour une si jolie demoiselle... »

« Monseigneur est beaucoup trop aimable avec moi. Et nous ne nous connaissons même pas... »

« Je n'ai pas besoin de savoir chaque petit détail pour voir que vous êtes charmante, ma chère. »

« Dans ce cas, j'accepte très humblement vos compliments, conclut Charlotte. Mais moi, je ne connais toujours pas votre nom, Monseigneur ! »

« William… pour vous, je serai tout simplement William ! »

Leurs regards se croisèrent de nouveau.

Oserait-il prendre ses délicates mains dans les siennes ? Comment réagirait-elle ? Est-ce qu'elle le giflerait ? Est-ce qu'elle se mettrait à crier ?

Elle avait tout de même dansé avec lui toute la nuit. Et elle l'avait accompagné volontairement ici. Alors, n'hésitant plus, il lui prit les mains.

« Mademoiselle ! cria soudainement une voix féminine, au loin, derrière eux. La reine demande à vous voir immédiatement ! »

« Oh Seigneur ! J'arrive tout de suite ! » répondit la dame de compagnie à contrecœur.

Charlotte était troublée. Elle retira rapidement ses mains. Elle avait honte d'avoir montré autant d'impudeur face à ce parfait étranger. C'était comme si elle l'avait attendu toute sa vie… et elle ne voulait pas le quitter maintenant. Mais le devoir l'appelait.

Il lui demanda s'il était possible pour eux de se voir une autre fois. Fixant la bonne qui se tenait près de la grille nord, Charlotte lui chuchota de venir la rejoindre le lendemain juste après le coucher du soleil, près des étables. Elle lui donna même un petit mouchoir blanc brodé avec les initiales CG – pour Charlotte Gray – en signe de sincérité.

Il accepta sans hésitation.

Sur cette promesse, leurs regards se quittèrent finalement. Et Charlotte s'évanouit dans la nuit mourante. Comme dans un rêve.

La dame de compagnie marchait à pas pressés derrière la bonne. Elles passèrent par la cour intérieure, puis entrèrent dans la résidence principale. Il y avait encore bon nombre de bonnes et de valets qui s'afféraient à nettoyer, mais tous les invités étaient partis depuis longtemps.

La reine attendait dans ses appartements privés. Elle était à demi endormie près d'une fenêtre à regarder le soleil se lever au-dessus de Stirling.

« Vous voilà enfin, ma chère ! Nous commencions à nous inquiéter, s'écria-t-elle. Je me suis laissé dire que vous aviez fait la rencontre de Lord Stirling ce soir… Est-ce vrai ? »

Charlotte avait bien passé une bonne partie des festivités avec un bel étranger. Ils avaient dansé jusqu'à ce que leurs pieds ne puissent plus les supporter. La promenade dans les jardins avait été tout aussi agréable. Mais bien peu de choses avaient été dites et elle ne connaissait que le prénom de cet homme.

Comprenant que le charmant William était en fait ce Lord Stirling, elle fut prise d'un terrible chagrin. Un homme de son rang ne pouvait pas tomber amoureux d'une simple dame de compagnie. En théorie, il pouvait s'éprendre de toutes les filles de la terre s'il le voulait, mais rares étaient les situations où un aristocrate mariait une simple roturière. Et Charlotte ne cherchait pas une amourette de passage. Alors, ce qu'elle aurait tant voulu être le grand amour disparut péniblement en un battement de cils. Elle ne le reverrait jamais – et cela incluait la rencontre près des étables promise plus tôt.

« Il est vrai, Madame, que j'ai passé une partie de la soirée avec ce Lord Stirling. Mais je peux garantir à Votre Majesté que, aussi agréable que fût cette rencontre, rien de contraignant ne s'est produit… et ne se passera jamais ! »

« Ah ! Je suis bien heureuse de vous l'entendre dire, ma chère, dit la reine d'un ton supérieur. Vous savez que toute relation avec cet homme est impossible pour vous… Lord Stirling est certes un noble, mais, d'abord et avant tout, il est un membre notoire de mon conseil privé. Cela me mettrait dans une bien délicate situation advenant un conflit avec les lords. »

« Madame n'a pas à s'inquiéter davantage. Je connais fort bien les conséquences. De plus, je vous suis entièrement dévouée et ne ferais rien pour vous placer – vous ou la cour – en danger », déclara Charlotte, en retenant ses larmes.

La remerciant de sa fidélité, la souveraine lui donna congé. L'Anglaise fit la révérence et sortit du petit salon en fermant la porte derrière elle.

Charlotte fit quelques pas maladroits dans le couloir sombre, mit son visage entre ses mains et éclata en sanglots. La nuit qu'elle venait de vivre avait été tout à fait féerique. C'était exactement comme dans ses rêves, mais, malheureusement, elle devait se réveiller.

Écarter les adversaires gênants était maintenant une tâche plutôt facile pour elle, mais être obligée de laisser passer l'amour de sa vie était un sacrifice beaucoup plus douloureux. Malgré ce profond chagrin, le sujet était clos et elle n'allait jamais plus revoir William.

Elle se redressa, défripa sa robe d'un geste de la main et se retira dans ses appartements en essuyant les larmes sur ses joues. Elle n'y serait pas dérangée pendant un bon moment.

Vêtue de la tête aux pieds, Charlotte se laissa tomber sur son lit douillet et s'endormit aussitôt en repensant à la première fois où l'amour fit irruption dans sa vie.

Charlotte venait à peine d'avoir dix-huit ans lorsqu'elle rencontra John Wight pour la première fois. Il avait vingt-trois ans. Et ce jeune homme était loin d'être fortuné.

Valeureux cultivateur dans le duché du Kent, il travaillait chaque jour à la sueur de son front afin d'amasser suffisamment d'argent pour se construire une petite maison sur la terre familiale. À la mort de son père – qui décéda dans un terrible feu détruisant les deux bâtiments principaux, un joli cottage de deux étages et une énorme grange –, il hérita de ce terrain décimé par les flammes. Et depuis, il avait consacré temps et énergie à cultiver ses champs.

Un jour, il crut bon qu'il était temps de se marier pour fonder sa propre famille. Bien qu'il fût encore jeune et en bonne santé, viendrait le jour où il aurait besoin de mains vigoureuses pour l'aider à labourer sa terre. De plus, des héritiers mâles assureraient la continuité de son nom.

À cette époque, Charlotte vivait toujours avec ses parents et ses sœurs cadettes non loin de la propriété des Wight.

Un matin d'été en 1559, John se rendit au village le plus près pour acheter des provisions. Sur le chemin du retour, il aperçut une jeune femme marchant en bordure de la route. Comme il aimait venir en aide aux jolies demoiselles, il offrit à Charlotte de monter dans sa charrette.

Celle-ci était épuisée de sa longue promenade jusqu'au village et, comme il lui restait encore un long trajet à faire, elle accepta volontiers la proposition. D'habitude, elle ne faisait pas confiance aussi facilement aux étrangers, mais il semblait si gentil…

Les deux voyageurs discutèrent durant tout le parcours. John était ensorcelé : elle était si jolie et vive d'esprit. Et Charlotte le trouvait bien sympathique.

À plusieurs reprises, elle a ri de bon cœur des remarques désinvoltes du conducteur. Le temps s'écoula si vite qu'ils faillirent dépasser la résidence des Gray.

John ordonna à son cheval d'arrêter et se rendit en toute hâte de l'autre côté de la charrette pour aider la jeune fille à descendre. Elle prit la main tendue et sauta prudemment. Avant de reprendre sa route, il lui demanda si elle accepterait de le revoir. Comme Charlotte ne voulait pas paraître trop frivole, elle demanda à réfléchir à son offre. Et elle s'éloigna en riant à gorge déployée.

Une semaine s'écoula avant que le cultivateur ait à retourner au village. Chaque fois, il devait passer devant la maison de Charlotte.

Ce matin-là, elle était à l'extérieur avec sa plus jeune sœur, Margaret. Assises sur le gazon, elles jouaient toutes deux avec des papillons. Elles avaient entendu venir une carriole, mais elles n'y avaient pas prêté attention jusqu'à ce qu'elles se rendent compte que la charrette s'était arrêtée devant la maison.

« Regarde, Charlotte… il y a quelqu'un qui attend sur le bord de la route, dit Margaret. Et il semble plutôt charmant ! »

Charlotte tourna la tête et ses joues se colorèrent en voyant John. Il était déjà descendu de sa carriole et caressait la crinière de son cheval.

« D'après ce que je vois, tu sembles penser la même chose, ajouta Margaret. Est-ce que tu le connais ? »

« Je l'ai rencontré une fois déjà », expliqua Charlotte en se levant et en se dirigeant vers la route.

« Attends ! Tu vas où, comme ça ? » cria sa jeune sœur.

Elle ne répondit pas. Elle était bien heureuse qu'il ne l'ait pas oubliée. Si elle n'avait pas écouté la voix de la raison, elle aurait couru vers le garçon. Mais Charlotte était trop mature pour ce genre d'enfantillage.

John souriait jusqu'aux oreilles.

Au cours des semaines suivantes, son amour pour elle grandit rapidement et il voulut rendre les choses officielles. Ils étaient faits l'un pour l'autre ; c'est du moins ce que croyaient les gens de leur entourage.

Lorsque l'hiver arriva, John avait trouvé suffisamment de courage pour aller demander la main de Charlotte à son père. Monsieur Gray appréciait cet homme et il avait la certitude qu'il serait un bon époux pour sa fille aînée. Et sans hésitation, il donna son accord.

En revanche, Charlotte n'éprouvait pas les mêmes sentiments pour John. Certes, elle l'aimait bien. Il était toujours si gentil et terriblement drôle.

Cependant, elle le considérait plutôt comme un très bon ami ou un grand frère, comme quelqu'un à qui elle pouvait parler de tout et de rien. Elle n'était pas amoureuse de lui et voulait encore moins le marier.

De plus, depuis sa tendre enfance, elle avait rêvé qu'un riche gentilhomme viendrait l'enlever pour l'amener dans son manoir et qu'elle deviendrait une vraie lady. Elle savait que c'était impossible, mais elle aspirait à bien plus qu'une simple vie à la ferme. Et tout ce que John pouvait lui offrir était une parcelle de terre ingrate et les fondations d'une éventuelle maison.

Toutefois, sa mère finit par la raisonner ; ces histoires de princesse, selon elle, n'arrivaient pas aux gens simples. Alors, en faisant fi de ses espoirs démesurés, Charlotte accepta cette union comme étant sa seule destinée. Si Dieu voulait qu'elle suive cette route, pourquoi alors Le contredire ?

Le couple se maria au début du printemps de 1560.

CHAPITRE VII
L'affaire du collier

Palais de Holyroodhouse, Édimbourg, 1563-1565

LES TENSIONS politiques entre la reine d'Écosse et les nobles de son royaume s'étaient estompées depuis la dernière convocation du Conseil royal au palais de Holyroodhouse. Marie Stuart avait reconquis une bonne réputation au sein de son peuple.

Tant les membres de la noblesse que ceux de la paysannerie la respectaient. Elle avait su gagner le cœur de la majorité de ses sujets avec ses réformes décentralisatrices.

Les premières années du règne de la fille du défunt Jacques V en terre écossaise furent soulignées par la liberté de religion et la participation active des riches propriétaires terriens. La seule véritable ombre au tableau était la mauvaise influence grandissante de John Knox sur le peuple.

Afin de contrôler les soulèvements des protestants, la reine avait mis sur pied une stratégie qui impliquerait sa dame de compagnie principale, Charlotte Gray.

Depuis plusieurs mois déjà, la jeune catholique se rendait aussi souvent que possible aux cérémonies liturgiques célébrées par le prédicateur presbytérien. Elle faisait en sorte d'être vue par le plus grand nombre de membres dans l'assistance. Malgré la peur constante d'être démasquée, Charlotte s'acquitta fort bien de sa tâche et fut vite capable de convaincre John Knox qu'elle avait embrassé sa nouvelle foi. Même si, au début, l'homme était des plus sceptiques, la jeune femme réussit à s'attirer la sympathie de John Knox et la confiance de ses plus proches partisans.

Tel qu'il fut planifié, la jeune Anglaise demanda une audience privée avec le prédicateur extrémiste. Heureusement, John Knox vit rapidement en elle une alliée fort utile au sein des catholiques à la Cour royale. Et il finit par lui proposer d'être son espionne auprès de la reine – ainsi que cette dernière l'avait prévu.

La dame de compagnie joua très bien son jeu les semaines qui suivirent. Elle rapportait chaque bribe d'informations significatives à Marie Stuart et transmettait de faux faits à John Knox. Jamais il ne douta de la loyauté de Charlotte Gray envers lui et de ses croyances religieuses.

Le risque que la dame de compagnie prenait chaque fois qu'elle était parmi les protestants – ou, à vrai dire, n'importe où ailleurs – lui attira l'immense respect de la reine. Rien ne lui était refusé... du plus simple désir aux caprices les plus extravagants. Charlotte était devenue la personne la plus notable à la cour, après la souveraine.

Compte tenu de tout ce chaos dans lequel elle se trouvait depuis un bon moment déjà, Charlotte n'avait pas eu le temps de s'occuper d'Elizabeth McLeod ni de son abjecte tante. Elle leur avait donné à toutes deux beaucoup de bijoux précieux ainsi qu'une somme d'argent substantielle au fur et à mesure que son pouvoir grandissait. Et, au fil du temps, les deux Écossaises se montrèrent de plus en plus exigeantes. Elles menaçaient sans cesse de montrer à la reine le parchemin dans lequel il était question de la condamnation de l'Anglaise.

Ce chantage avait duré presque deux ans.

Cependant, vu que les choses allaient bien pour elle avec les presbytériens, Charlotte pouvait maintenant diriger ses énergies pour se débarrasser de la rouquine – qui représentait, pour le moment, une plus grande menace que madame O'Connor.

Depuis le bal donné au château de Stirling en 1561, une liaison amoureuse était née entre Henri Stuart - Lord Darnley - et la reine Marie Stuart. Attirée par le charme irrésistible et la beauté juvénile du jeune noble, la souveraine lui avait finalement promis son cœur. Marie avait accueilli avec faveur la possibilité de résoudre sa situation maritale en mariant ce cousin.

Le comte de Moray, le demi-frère de la reine, n'aimait pas l'idée que ce jeune écervelé puisse s'immiscer dans les sentiments de la plus puissante femme du royaume d'Écosse. D'autant plus que Moray était, jusqu'alors, le seul homme en qui Marie Stuart avait mis toute sa confiance. Et maintenant qu'il y avait un autre homme dans la vie de sa demi-sœur, elle se passerait facilement de ses conseils.

Toutefois, ne voulant pas se faire exclure de la cour, il toléra tant bien que mal cette liaison amoureuse. Il avait espéré que ce ne fût qu'une amourette sans importance, qui ne durerait qu'un moment. Malheureusement pour Moray – et pour bien d'autres dans le voisinage de la reine –, Marie accepta enfin la demande en mariage de Darnley.

S'opposant de toutes ses forces à cette union, le demi-frère de la souveraine annonça publiquement sa désapprobation. Et il ne fut pas le seul à le faire.

Follement éprise du jeune lord, la reine fit la sourde oreille aux commentaires négatifs et alla de l'avant dans les préparatifs des festivités. Elle fit comprendre à tout son entourage qu'elle ne se ferait jamais dicter ni sa conduite ni le choix de son époux.

Marie Stuart maria Lord Darnley lors d'une célébration catholique privée le 29 juillet 1565. La cérémonie religieuse se déroula à la chapelle royale du palais de Holyroodhouse. L'intérieur du bâtiment était décoré avec sobriété : quelques gerbes de fleurs ici et là, une centaine de bougies blanches accrochées aux lustres cuivrés et des banderoles de soie déposées le long de la nef centrale. Une chorale de cinq jeunes hommes agrémentait les moments de silence entre les paroles du prélat de l'Église de Rome. La reine d'Écosse était vêtue d'une robe bleu pâle, d'une traîne dorée et de bijoux étincelants. Henri Stuart, quant à lui, portait un uniforme de couleur brune ainsi qu'une cape noire. Seuls les lords du Conseil royal, les membres immédiats de la famille royale ainsi que quelques hommes importants de l'Église catholique purent assister à leur union. Évidemment, les dames de compagnie de Marie Stuart étaient également présentes ce jour-là.

Préoccupée par la grande opposition des seigneurs écossais à ce mariage, Charlotte Gray craignait pour la vie de la souveraine. Mais elle n'était pas la seule à avoir des appréhensions, et l'événement était surveillé par des dizaines de gardes.

Redoutant une attaque-surprise menée par John Knox et ses fidèles protestants, la Cour royale avait décidé de positionner des hommes armés tout autour de la chapelle. Et, à l'intérieur, des sentinelles étaient alignées le long des deux grands balcons de part et d'autre de la nef.

Lorsque l'archevêque d'Édimbourg commença la célébration religieuse, Charlotte – qui se trouvait dans le chœur avec les autres dames de compagnie – fit rapidement le tour de la salle des yeux pour voir l'assistance.

Elle reconnut la plupart des seigneurs qui siégeaient au Conseil royal ainsi que leurs épouses. Parmi eux, James Hepburn, comte de Bothwell, semblait particulièrement contrarié d'assister à cette célébration chrétienne. Il était de ceux qui avaient manifesté le plus d'opposition lorsque le mariage avait été annoncé officiellement. Selon lui, Lord Darnley était un jeune effronté totalement dépourvu d'intelligence politique qui se préoccupait avant tout de sa propre ascension au pouvoir – les mois qui suivront lui donneront entièrement raison.

Puis le regard de Charlotte se posa sur Lord Stirling, qui était assis dans les premières rangées. Son cœur se mit à battre de plus en plus fort. Ses yeux se remplirent aussitôt de larmes. Les images de cette nuit magique lorsqu'ils se sont rencontrés se bousculèrent dans sa tête.

Stirling avait eu le cœur déchiré en raison de la tournure des événements. Bien qu'il eût tenté d'entrer en contact avec Charlotte à plusieurs reprises, il n'eut jamais de réponse et décida de mettre ses sentiments en veilleuse. Toutefois, il ne se départit jamais du petit mouchoir brodé qu'elle lui avait donné.

Essuyant une larme qui avait glissé sur sa joue rose, la dame de compagnie finit par apercevoir la silhouette d'une vieille rivale assise quelques bancs derrière Lord Stirling. Lady Marianne se trouvait aux côtés de son nouveau mari, Lord Bute. C'était la première fois que Charlotte revoyait cette femme depuis qu'elle avait conspiré pour la faire renvoyer du palais royal.

❧

Lorsqu'elle fut nommée dame de compagnie grâce à l'appui de Sir Isaac MacDonald, le vieux chambellan, Charlotte travaillait sous la supervision étroite de sa supérieure, Lady Marianne. Comme elle avait toujours été très ambitieuse, elle ne manqua jamais une occasion de prouver sa grande utilité à la Cour royale – particulièrement envers la reine. Elle voulait vraisemblablement se voir confier les tâches les plus importantes. Cependant, cette compétition enrageait au plus haut point Lady Marianne.

Cette vieille femme devint vite un obstacle gênant. Si Charlotte aspirait à être la personne de confiance de la souveraine, elle devait se débarrasser de Lady Marianne. Et elle mit au point une stratégie malhonnête – mais tout de même efficace – pour la déloger.

Responsable des joyaux royaux, Lady Marianne était la seule – outre la souveraine – à avoir accès à la pièce qui cachait ces trésors inestimables. Charlotte savait que son plan était très risqué, mais elle savait aussi que c'était le meilleur moyen de mettre cette dame de compagnie hors service.

Un soir, alors que l'ensemble des serviteurs étaient endormis, l'ambitieuse jeune femme se rendit dans la salle des joyaux en se servant du double des clés qu'elle avait volées plus tôt dans les appartements privés de Lady Marianne ; cette dernière, à ce moment-là, était occupée avec la reine. Le trousseau de clés était bien caché dans un tiroir à double fond. Charlotte avait découvert ce petit détail utile en espionnant une conversation entre Marie Stuart et sa dame de compagnie principale quelques semaines auparavant.

La voûte était située sous le château dans une partie excavée, directement sous les appartements privés de la souveraine. Une série d'antichambres sombres au pied d'un escalier étroit menaient à la salle principale.

Charlotte fut estomaquée en ouvrant la dernière porte. Elle n'avait jamais vu autant de richesses rassemblées dans une seule pièce. Les magnifiques boîtes contenant les trésors étaient tout aussi incroyables que les joyaux eux-mêmes. Certaines avaient été sculptées dans de rares bois exotiques, tandis que d'autres avaient été moulées avec des métaux précieux.

Une chose avait été claire dès le départ dans la tête de Charlotte. Elle voulait faire renvoyer Lady Marianne, mais elle ne voulait pas la faire pendre. Alors, elle ne s'attarda pas aux couronnes de diamants ni aux sceptres en or massif.

Cependant, elle trouva un splendide collier de perles noires – qui avait été offert à Marie Stuart par sa cousine, la reine Élisabeth Ire d'Angleterre, à son retour en Écosse en signe de paix mutuelle entre les deux femmes.

« C'est parfait », se dit-elle à haute voix.

Ces mains tremblaient au point qu'elle faillit échapper le collier derrière un immense coffre, ce qui aurait pu être catastrophique. Elle réussit tant bien que mal à placer le bijou dans un petit baluchon en satin qu'elle attacha soigneusement autour de sa cuisse. Sous ses longues robes, on n'y verrait que du feu si elle venait à rencontrer un garde dans un couloir.

Elle prit soin de verrouiller la série de lourdes portes derrière elle en faisant le chemin contraire et se dirigea d'un pas précipité à sa chambre. Par bonheur, personne ne la vit. Du moins, c'est ce qu'elle pensait.

Charlotte ne dormit pas cette nuit-là. Elle gardait un œil sur la porte verrouillée de sa chambre et l'autre sur le baluchon de satin qu'elle avait déposé sur sa table de chevet. Chaque craquement dans le couloir la faisait sursauter.

Le lendemain matin, l'Anglaise attendit que Lady Marianne quitte ses appartements privés. Lors de la belle saison, celle-ci se rendait dans les jardins à la première heure pour cueillir des fleurs qu'elle plaçait dans la chambre de la reine. Charlotte disposait d'une bonne demi-heure pour aller replacer les clés dans la grande commode et trouver un endroit approprié pour dissimuler le collier de perles.

Dans le couloir, la jeune femme croisa deux bonnes. Elle attendit de les voir descendre un grand escalier avant d'entrer dans les appartements de Lady Marianne.

L'endroit était merveilleusement bien décoré. On entrait tout d'abord dans un joli petit salon privé avant de pénétrer dans une immense chambre à coucher. De riches tons d'ocres et de bruns dominaient dans les deux pièces. Chacune avait deux très grandes fenêtres qui laissaient entrer une impressionnante quantité de lumière naturelle, même lors des jours pluvieux.

Charlotte n'y avait pénétré que trois fois auparavant – à deux reprises au moment de sa nomination comme dame de compagnie et une autre fois lorsqu'elle vint prendre les clés de la voûte. Ce n'était toutefois pas le moment de visiter.

Sans plus attendre, l'Anglaise se rendit dans la chambre à coucher et trouva une boîte à bijoux qui serait parfaite pour y cacher le trésor volé. Elle prit soin de l'enfouir sous la pile de pierres précieuses. Quiconque viendrait par la suite y jeter un coup d'œil se rendrait compte que l'objet avait été placé à cet endroit de façon intentionnelle. Et Lady Marianne serait la suspecte logique. Bien sûr, Charlotte remit le trousseau de clés dans le tiroir à double fond.

L'opération ne lui avait pris que quelques minutes et elle était sur le point de partir lorsqu'elle entendit des pas dans le couloir. Ce n'était probablement rien, mais elle ne voulait pas prendre le risque de se faire voir dans cette pièce, ce qui mettrait son plan en péril.

Et avec ses larges jupons, il n'y avait pas beaucoup d'endroits pour se cacher. Elle n'avait pas pensé à ce détail.

Quelqu'un finirait par la repérer sous le lit. La grande armoire était déjà comble. Derrière les épais rideaux de velours ? Quant aux cadres des fenêtres, ils étaient suffisamment profonds.

Charlotte se camoufla juste à temps derrière les rideaux de la dernière fenêtre de la chambre à coucher, car quelqu'un venait d'entrer dans le petit salon. Elle avait peur de regarder pour voir qui s'y trouvait, mais réussit tout de même à distinguer Lady Marianne. Mais pourquoi était-elle de retour aussi tôt ? Avait-elle remarqué que ses clés avaient disparu ? Est-ce que les deux femmes de chambre de tout à l'heure lui auraient fait part de la présence de Charlotte dans le couloir ?

La vieille dame de compagnie se dirigea droit vers la grande commode qui se dressait dans la chambre à coucher. Elle cherchait visiblement quelque chose en particulier.

« Je suis certaine de les avoir laissés ici quelque part », dit-elle à haute voix.

Charlotte était convaincue que son cœur allait lui sortir de la poitrine tellement il battait la chamade.

À quelques reprises, elle effleura les rideaux où se terrait l'Anglaise. Mais elle ne la remarqua jamais. Elle trouva finalement ce qu'elle cherchait : sa paire de gants pour le jardinage, qui étaient très utiles pour manipuler les tiges épineuses des rosiers. Puis elle quitta ses appartements aussi rapidement qu'elle y était entrée.

Charlotte était soulagée. Elle pouvait enfin respirer normalement. Cependant, il était grand temps de quitter cette pièce. Elle ne voulait pas pousser sa chance davantage.

Elle sortit donc aussi discrètement qu'elle était entrée dans les appartements privés de Lady Marianne et retourna à sa propre chambre. Marchant en sens opposé, elle passa de nouveau devant les deux mêmes bonnes, qui se regardaient en riant. *Ça ne peut qu'être une drôle de coïncidence*, pensa-t-elle.

Deux jours plus tard, la reine d'Écosse rencontrait l'ambassadeur anglais. En bonne diplomate, Marie Stuart exigea de porter le fameux collier de perles noires. Lady Marianne fut dépêchée à la voûte, mais elle ne le trouva nulle part.

« C'est impossible ! Je me souviens très bien de l'avoir remis dans son écrin moi-même le mois dernier» , hurla-t-elle complètement hystérique.

La souveraine entra dans une colère terrible lorsqu'elle en fut informée. Elle ordonna aussitôt une fouille complète du château à la recherche du trésor manquant. La quête commencerait par la chambre de Lady Marianne, puisqu'elle était la seule à avoir accès aux joyaux de la reine.

Afin d'éloigner le plus possible les soupçons d'elle, Charlotte suggéra que toutes les autres dames de compagnie inspectent – sous la supervision de gardes, évidemment – les appartements privés de Sa Majesté. Juste au cas où le bijou s'y trouverait toujours.

Évidemment, le collier fut vite retrouvé parmi les bijoux de Lady Marianne. Et la reine en fut avisée sur-le-champ.

« Votre Majesté, c'est impossible ! » protesta la dame de compagnie entourée d'hommes armés.

« Tout cela est bien fâcheux, ma chère, répliqua la reine, furieuse. Moi qui avais mis toute ma confiance en vous. Et c'est ainsi que vous me remerciez ? »

« Je suis au service de Madame depuis plusieurs années déjà… et je ne ferais jamais une chose aussi indigne. Je peux vous en assurer ! »

Une dizaine de bonnes chuchotaient un peu à l'écart. Et toutes les dames de compagnie étaient sous le choc… sauf une ! Charlotte était ravie de la tournure des événements, mais jouait le jeu de l'incrédulité. Son plan avait fonctionné à merveille.

« Suffit ! imposa la souveraine à propos de l'attroupement qui s'était formé. Pour toutes ces années de loyauté, Lady Marianne, je vais vous épargner l'emprisonnement. Mais je vous démets tout de suite de vos fonctions. Allez chercher vos effets personnels et sortez d'ici ! »

La pauvre femme en larmes fit la révérence et embrassa la bague de Marie Stuart une dernière fois avant d'être escortée à sa chambre. Elle prit quelques robes ainsi que ses boîtes à bijoux personnelles. Quatre gardes imposants l'accompagnèrent à un carrosse qui l'attendait devant le palais de Holyroodhouse.

Charlotte les suivait de quelques pas.

« Je ne sais pas comment tu t'y es prise, mais je suis certaine que c'est toi qui es derrière tout ça, Charlotte Gray ! » accusa Lady Marianne en montant sur son siège.

Heureusement pour la jeune femme, personne n'avait entendu les allégations de la vieille dame. Le cocher, occupé à attacher les bagages, faisait trop de bruit pour avoir entendu quoi que ce soit. Et les gardes attendaient devant les portes de la résidence à plusieurs pas de là.

« Madame délire complètement ! Je ne ferais jamais pareille chose à une amie ! » mentit Charlotte.

Le cocher grimpa sur son siège. Et dès le premier coup de cravache, les chevaux avancèrent à petits pas.

« Et même si ce que vous dites est vrai, Madame ne pourrait jamais le prouver ! » dit la jeune femme en riant.

L'ancienne dame de compagnie était furieuse. Elle avait les yeux presque exorbités tellement son visage était bouffi de colère. Cependant, les chevaux avaient déjà atteint les grilles frontales du domaine et elle ne pourrait rien y faire pour le moment.

« Tu vas payer pour ça, Charlotte Gray ! Tu m'entends ! Un jour, tu vas payer pour tes actions ! » furent les dernières paroles qu'elle prononça avant de disparaître.

Charlotte avait finalement pu se débarrasser de l'obstacle le plus redoutable à son ascension vers le pouvoir. Elle fut très attentionnée envers la reine les semaines qui suivirent cette affaire. Et Marie Stuart était visiblement satisfaite de sa dévotion.

En peu de temps, Charlotte Gray fut nommée dame de compagnie principale. Elle était maintenant la personne la plus influente à la Cour royale, après la souveraine – comme elle l'avait si souvent souhaité.

CHAPITRE VIII
Les années sanglantes

Palais de Holyroodhouse, Édimbourg, 1566-1567

BIEN QUE Marie et Darnley fussent officiellement mariés le 29 juillet 1565, la partie contractuelle de l'union fut complétée en secret quelques semaines auparavant. Darnley était devenu roi consort d'Écosse avant même le mariage. Et pour ce jour bien particulier, la reine lui conféra plusieurs autres titres et fit frapper une pièce d'or en son honneur.

Cependant, peu de temps après les célébrations, Marie commença à cerner la vraie nature de son nouvel époux. Si elle l'avait déjà aimé profondément, elle se rendit compte aujourd'hui que cet amour n'était pas réciproque et qu'elle n'était qu'un pion dans la quête du pouvoir du nouveau roi. Le contrat matrimonial – qui faisait que l'Écosse revenait à Darnley si Marie venait à mourir sans enfant – était son trésor le plus précieux.

En signe de désapprobation face aux récriminations de sa puissante femme ou à toute offense dont il croyait être victime, Darnley disparaissait souvent pendant des jours à la chasse sur les routes du royaume ou dans des maisons closes d'Édimbourg, avec une bande de jeunes hommes aussi débauchés que lui.

Le mariage de la reine avec son cousin attira une vague de protestations parmi tout le peuple d'Écosse. Et la présence des seigneurs au Parlement était à son niveau le plus bas. La popularité de la souveraine en souffrit directement, et le prestige de la Couronne royale commença à décliner auprès de la noblesse écossaise.

Marie s'impatienta. Elle fit faire un sceau pour remplacer sa signature et prit un nouveau secrétaire privé du nom de David Rizzio – un Italien arrivé avec l'ambassadeur de Savoie. Il avait un grand talent de musicien, était cultivé et aimait les jeux de société. Avec lui, Marie retrouvait les plaisirs de la France. Sans tarder, le jeune homme se vit donner une grande importance dans le processus décisionnel de Marie Stuart. Elle le consultait sur presque tout ce qui touchait la politique et la religion.

Charlotte devint rapidement jalouse de ce nouveau personnage. Son influence à la Cour royale ainsi que son accessibilité à la reine se virent sur le coup diminués. Il devint à son tour un obstacle encombrant digne d'être éliminé. *Je ne laisserai personne se mettre dans mon chemin maintenant, j'ai travaillé bien trop fort pour me rendre jusqu'ici*, se répétait-elle constamment pour se justifier.

Heureusement, elle avait remarqué au fil des semaines l'aversion grandissante de Darnley pour le nouveau secrétaire. Elle n'aurait pas à conspirer toute seule cette fois. Mais elle n'avoua jamais ouvertement ses intentions à l'époux de la reine.

Alors, aussi sournoisement et aussi souvent que possible, l'Anglaise laissait entendre à Lord Darnley qu'une mystérieuse relation se développait entre Marie Stuart et Rizzio. Charlotte n'eut pas à tenter de le convaincre bien longuement pour lui faire croire que le secrétaire était devenu l'amant de sa femme. L'Italien n'allait certes pas prendre la place de Darnley.

Jusqu'à ce moment-là, le comportement colérique d'Henri Stuart s'était limité à de fréquentes soirées de beuveries et de perversions sexuelles, une négligence flagrante dans ses fonctions de consort et une attitude plutôt abusive envers sa femme. Toutefois, l'ampleur de sa nature cruelle se révélerait avec le meurtre de Rizzio.

Entre-temps, Marie était devenue enceinte de Darnley. Et cela signifiait que l'époux perdrait la possibilité d'être un jour officiellement roi.

Et ce furent les seigneurs qui avaient désapprouvé son union avec la reine tout au début, et qui s'étaient rebellés contre lui par le passé, qui finirent par signer un traité qui les engageaient à offrir leur aide dans l'obtention du contrat matrimonial en échange de leur protection. Mais la cruauté infligée à Rizzio et le déroulement du plan étaient l'œuvre de Darnley.

Charlotte était dans ses appartements privés ce soir de mars 1566. Elle avait entendu une horde de pas dans le couloir. Comme si une armée marchait dans le palais. Elle eut juste le temps d'ouvrir la porte de sa chambre pour voir six hommes entrer dans la demeure de Marie Stuart.

Le roi avait insisté pour que Rizzio soit assassiné en présence de la reine dans l'espoir qu'elle fasse une fausse couche. Et depuis quelque temps, elle prenait toujours son repas du soir en compagnie de son secrétaire dans son cabinet privé.

Des cris stridents emplirent la résidence.

Bien que Charlotte fût ravie de savoir que Rizzio allait être éliminé, elle n'avait jamais voulu mettre la souveraine en danger. *Mais qu'est-ce que j'ai fait ?* Elle ne pouvait pas supporter que quelque chose arrive à Marie Stuart. Elle ne se le pardonnerait jamais.

Elle emprunta le passage secret qui reliait ses propres appartements à ceux de la reine. La scène était absolument troublante. L'Italien, qui était couvert de sang, se faisait assener des coups de pieds de tout bord, tout côté par les hommes armés. Et Darnley – qui était déjà sur place avant l'arrivée des assassins – retenait son épouse par les bras.

Comme le plan ne visait pas à nuire physiquement à Marie Stuart, Charlotte put convaincre le roi de la laisser amener la reine dans la pièce adjacente. Mais elles furent accompagnées par deux des complices.

« Charlotte, ma chère, que se passe-t-il donc ? » lui demanda la souveraine, hystérique.

« Votre Majesté... votre époux, le roi, croyait que Madame entretenait une relation amoureuse avec son secrétaire privé ! »

« Ridicule ! L'idée est totalement absurde ! cria la reine. Monsieur Rizzio préfère la compagnie des hommes... Il ne cherchait pas à monter dans mon lit ! »

L'Anglaise fut très surprise de la réponse et resta muette pendant un moment. Elle ne se doutait de rien. Elle n'avait jamais remarqué les inclinaisons de Rizzio. *Il n'en demeurait pas moins une menace considérable pour moi*, se dit-elle, tentant de se convaincre d'avoir bien agi.

Les nerfs de Darnley finirent par flancher. Il alla trouver Marie et tenta de confesser qu'il avait permis le retour des lords en Écosse en retour de leur aide pour obtenir le contrat matrimonial. Mais, espérant sauver sa peau, il soutint qu'il n'avait aucune idée s'ils avaient l'intention de tuer Rizzio.

Le meurtre de David Rizzio mit un froid irréconciliable entre Marie Stuart et son jeune époux. Et malheureusement pour le roi, sa femme ne fit pas de fausse couche. Son plan avait lamentablement échoué.

Cependant, la reine tenta de conserver une relation en apparence normale avec Darnley pour ne pas mettre en péril l'avenir de son enfant, car il pouvait toujours en nier la paternité, ce qu'il ne fit pas. À la naissance de Jacques, en juin 1566, elle ostracisa son époux et se dévoua corps et âme à son nouveau-né.

L'annonce de la naissance d'un héritier au royaume d'Écosse agaçait au plus haut point Élisabeth Tudor, reine d'Angleterre et cousine de la souveraine écossaise. Fille du roi Henri VIII et d'Anne Boleyn, elle était continuellement menacée à cause de sa bâtardise. Plusieurs seigneurs anglais ne reconnaissaient pas la légitimité de cette rouquine sur le trône. Et parmi eux, certains souhaitaient même voir Marie Stuart – tout aussi légitime que sa cousine – accéder à la couronne anglaise.

Heureusement pour Élisabeth Ire, elle obtint le soutien de ces sujets protestants – qui étaient en plus grand nombre et plus fortunés que les détracteurs catholiques. Mais étant sans époux et sans enfant, elle n'était plus en mesure de rivaliser avec sa cousine. Il devait se passer quelque chose afin de mettre un terme une fois pour toutes à cette menace constante.

En décembre 1566, Marie, qui avait officiellement pardonné à la plupart des meurtriers de Rizzio – y compris à James Hepburn, 4e comte de Bothwell –, donna son consentement à leur retour en Écosse à la suite d'un accord secret conclu à Craigmillar. Les seigneurs avaient proposé d'éliminer Darnley, ce qui plut à la reine, pour autant qu'on ne sache pas qu'elle faisait partie du complot.

Toutefois, ne voulant aucunement faire face à ceux qu'il avait trahis, l'époux de Marie s'enfuit chez son père à Glasgow. Il tomba grièvement malade en chemin et, dès son arrivée, on lui diagnostiqua la variole.

Un mois plus tard, Marie alla le visiter et lui demanda de revenir avec elle à Édimbourg. Cependant, elle ne le voulait pas à Holyroodhouse par peur d'attraper la maladie. On lui aménagea un environnement salubre dans une petite auberge, aux portes de la ville.

Elizabeth McLeod – qui, depuis un bon moment, avait été assignée au roi à titre de servante personnelle – fut envoyée pour prendre soin du malade. Elle était devenue au fil des mois une fidèle confidente du roi, et certains disaient même qu'elle visitait fréquemment son lit.

Ce détail ne fit pas l'affaire de Charlotte – qui vivait toujours sous la menace que soit révélé au grand jour le parchemin la condamnant à la pendaison pour meurtre. Mais la situation ne nécessiterait pas son intervention cette fois-ci. Le destin avait son propre plan pour Elizabeth McLeod.

La reine, accompagnée de certains seigneurs, rendait de fréquentes visites à Darnley à l'auberge du Old Provost. Et, en peu de temps, ce dernier fut reconnu suffisamment bien pour quitter sa quarantaine. Le rétablissement du malade ne plaisait guère à l'entourage de la Cour royale.

Dans la nuit du 9 février 1567, Marie – qui aurait dû passer la soirée avec son époux – retourna prestement à Holyroodhouse pour assister aux masques de mariage de son page préféré. Et au petit matin, une énorme explosion réduisit l'auberge en une pile de débris.

Dans les décombres, la foule ne retrouva que les cadavres de deux serviteurs. Ce ne fut que quelques heures plus tard que quelqu'un tomba par hasard sur le corps de Darnley, dans le jardin non loin de l'incident. À ses côtés gisait le corps d'Elizabeth. Aucun des deux ne portait de marques de l'explosion. Quelques objets inusités furent trouvés près d'eux : un long manteau, un poignard, de la corde et une chaise...

Informée du drame, Charlotte ne put contenir son immense joie. Avec la disparition de la jeune Écossaise, madame O'Connor ne serait plus aussi influente. Il n'y avait finalement plus personne sur sa route pour l'empêcher de mener à terme ses plans ambitieux.

Après la mort de son deuxième mari, Marie Stuart souffrit d'une grave dépression et se retira à la campagne pour se reposer. Le comte de Bothwell – avec qui elle entretenait une relation depuis un certain temps – profita de ce moment de vulnérabilité pour épouser la reine et s'approprier le titre de duc d'Orkney.

✠

La souveraine et le comte de Bothwell se rencontrèrent une première fois, en 1560, alors qu'elle était l'épouse du dauphin de France. L'année suivante, devenue veuve, la reine retourna en Écosse dans une galère française ; en raison de ses capacités navales, le noble écossais reçut le mandat d'organiser une partie du voyage royal. C'est à lui que revint la tâche de veiller à la sécurité de la souveraine lors du voyage en mer. Relation strictement politique pendant des années, elle devint plus intime peu avant la mort de Darnley.

✠

En mai 1567, après avoir été enlevée puis violée, Marie Stuart se maria avec James Hepburn sous la menace de ce dernier et selon les rites de l'Église protestante, à Dunbar. Prisonnière de son propre sort, la reine d'Écosse implora Dieu de bien vouloir protéger son fils contre les manigances de son troisième époux.

Ne pouvant pas se soulever contre ce maître tyrannique, Charlotte se dévoua corps et âme à sa maîtresse. Elle s'occupa personnellement du fils héritier du royaume d'Écosse. Ne voulant que le meilleur pour la souveraine et l'enfant, la dame de compagnie regrettait amèrement les jours plus glorieux du célibat de Marie Stuart. Aucun autre homme n'avait été en mesure de déposséder la reine de ses pouvoirs comme en avaient été capables ses deux derniers époux.

Son union avec Bothwell aliéna ses plus proches alliés, et les lords s'unirent finalement pour les affronter, elle et son mari. Puis les seigneurs prirent possession du palais royal peu de temps après. La reine dut capituler et Bothwell prit la fuite en Scandinavie – où il fut emporté par la folie dans une prison danoise en 1578.

Marie Stuart fut emprisonnée au château de Lochleven et, en juillet 1567, elle fut forcée d'abdiquer la couronne en faveur de son fils – qui devint le roi Jacques VI d'Écosse sous la régence de son oncle, le comte de Moray. Très troublée par tous ces événements, la souveraine – qui était alors enceinte des jumeaux de Bothwell – fit une fausse couche.

Durant cette période mouvementée, Charlotte Gray et tous les autres membres de la suite royale furent contraints de rester au palais de Holyroodhouse, et ce, sous haute surveillance. Les lords qui gardaient Marie Stuart en captivité avaient décidé de mettre deux de leurs bonnes au service de la reine, afin d'avoir à l'œil cette dernière. Bien que l'Anglaise plaidât à plusieurs reprises pour qu'on la laisse assister Marie, les seigneurs refusèrent toute tentative de négociations.

Les premiers mois qui suivirent son enlèvement, la reine tenta de s'échapper à quelques reprises, mais sans succès. Elle devra attendre jusqu'en mai 1568 pour que sa brave amie, Charlotte Gray, vienne la libérer.

L'Anglaise – qui avait aussi été chassée du palais de Holyroodhouse par le demi-frère de Marie Stuart – avait secrètement été mise en contact avec George Douglas. Ce dernier était le fils du propriétaire du château où était détenue la reine. George était follement tombé amoureux de Marie dès le premier regard et était prêt à faire tout en son pouvoir pour aider Charlotte dans sa mission de sauvetage. Avec l'aide de son cousin, Willie Douglas, George et Charlotte mirent sur pied un plan pour sortir la souveraine de l'île de Lochleven.

Le 2 mai, le jeune Willie – qui avait demandé la permission à son père de s'occuper des préparatifs des festivités du mois de mai – s'assura que tous les invités participaient aux danses endiablées et qu'ils consommaient suffisamment de boissons alcoolisées. Marie feignit d'être malade et fut excusée de ne pas être à la célébration. Elle attendait à la fenêtre de sa chambre en guise de signe, habillée en simple servante.

Lorsque la reine aperçut Willie dans la cour, elle s'empressa de descendre l'escalier et de sortir par les grilles, au bout du terrain. Le jeune homme verrouilla le portail derrière lui grâce à la clé qu'il avait volée à son père un peu plus tôt et la balança au fond de la bouche d'un canon. Ils montèrent tous les deux à bord d'une petite embarcation et pagayèrent jusqu'au rivage, où les attendaient Charlotte et George Douglas.

« Madame ! Madame ! » lança la dame de compagnie d'une voix frêle lorsque la barque accosta finalement.

Et elle s'effondra en larmes aux pieds de la souveraine. Émue par la situation, mais toujours bien consciente de son rang, Marie Stuart prit Charlotte par les mains et l'aida à se relever.

« Ma dévouée Charlotte, je suis si heureuse de vous voir ici », marmonna la reine visiblement exténuée.

« Votre Majesté pourra toujours compter sur mon aide », répondit fièrement l'Anglaise.

« Très bien… Mais ne restons pas ici plus longtemps, mes amis, car une mission urgente nous attend à Glasgow », conclut Marie.

Et sur ces mots, les deux femmes et leurs alliés montèrent sur des chevaux et prirent la route pour le château de Cadzow, situé dans le Lanarkshire, non loin de Glasgow. La souveraine avait entendu son geôlier dire que le comte de Moray s'y était terré pour fuir les partisans de Marie – qui se trouvaient pour la plupart dans la capitale du royaume.

Consciente que l'abri choisi par son demi-frère devait être gardé sous très haute surveillance jour et nuit par une horde d'hommes armés, la reine proposa de loger quelques jours à Cadzow afin de mettre au point les derniers détails de son plan d'attaque.

En chemin, ils firent une courte pause aux châteaux de Nirdy et de Craignethan, où la reine dicta ses dernières volontés à sa dame de compagnie... au cas où il lui arriverait quelque chose les jours suivants. Elle avait en outre décidé que son fils entrerait en possession de ce document lorsqu'il serait en âge de régner seul.

Parmi ses vœux, elle avait mentionné que le roi d'Écosse se devrait de protéger la liberté de religion de tous ses sujets. Bien que très fidèle à ses convictions religieuses, Marie Stuart était quand même sensible à l'état fragile de son royaume et souhaitait par-dessus tout préserver l'unité de son peuple.

Charlotte ne dormait plus très bien depuis l'enlèvement de sa maîtresse et même depuis qu'elle l'avait retrouvée. Elle ne mangeait pas beaucoup non plus. En peu de temps, sa fine silhouette était devenue très frêle et des cernes s'étaient formés sous ses yeux fatigués.

Elle était épuisée par le voyagement qu'elle avait dû faire ces derniers jours. Mais elle était avant tout terrifiée à l'idée que John Knox finisse par découvrir ses manigances des dernières années.

Une fois arrivée au château de Cadzow, Marie Stuart put enfin mettre la touche finale à son plan. Elle avait réussi à rallier en cours de route une armée d'environ six mille hommes composée de seigneurs favorables à sa cause et de loyaux sujets. Les fidèles accouraient de partout pour se joindre aux troupes. On disait même que la reine s'était montée une armée bien plus importante que celle de son demi-frère – qui avait été mis au courant de sa fuite de Lochleven.

Cependant, Moray avait de son côté des généraux beaucoup plus compétents qui étaient mieux préparés, mais qui pouvaient surtout arrêter de se battre entre eux en vue de préparer un affrontement. Et lorsque les troupes de Marie rencontrèrent celles de son demi-frère le 13 mai 1568, l'armée de la reine – dépassée par les événements – fut défaite en moins d'une heure.

Écrasée et humiliée, Marie Stuart décida de quitter l'Écosse sans tarder et de se rendre en Angleterre avec sa dame de compagnie pour implorer l'aide de sa cousine, la reine Élisabeth Ire. La souveraine espérait trouver en cette puissante femme une oreille attentive, qui était non seulement un membre de la famille, mais aussi une reine tout comme elle.

À l'approche de l'abbaye de Dundrennan – où elles allaient traverser le Solway Firth –, les deux femmes s'arrêtèrent un moment pour faire le plein d'énergie. En descendant de sa monture, la reine d'Écosse contempla une dernière fois la terre qui lui avait été léguée par ses ancêtres. Elle n'avait jamais cru qu'un jour comme celui-ci pût arriver. Toute tentative de réconciliation serait veine. Knox et Moray avaient gagné.

Leur voyage avait duré quatre jours. Deux jeunes hommes avaient été envoyés à l'abbaye par George et attendaient patiemment leur arrivée avec un petit bateau de pêcheurs. Les quatre dames de compagnie, dont la très digne Mary Seton, avaient également été dépêchées sur place et s'afféraient aux préparatifs en vue du départ imminent.

« Nous devons reprendre notre route maintenant, ma chère Charlotte », déclara Marie Stuart, les yeux en larmes.

« Votre Majesté, je crains de ne pouvoir vous accompagner plus loin », chuchota la dame de compagnie, mal à l'aise.

« Et pourquoi cela ? » demanda la reine, irritée.

Ce n'était pas le moment des jeux d'enfants. Charlotte le savait bien.

« Madame, croyez-moi, c'est avec grande tristesse que je vous annonce cela, car j'ai toujours été la plus dévouée sujette de Votre Majesté. Mais je crains que ma vie ne soit en grave danger en Angleterre. »

« Qu'est-ce que vous me racontez là ? »

« Je ne peux plus vous cacher mon terrible secret… j'y suis accusée du meurtre d'un homme », confia l'Anglaise, honteuse.

« Ma chère Charlotte, je ne comprends pas... *Vous* avez tué un homme ? »

« Je ne me rappelle pas très bien ce qui s'est passé cette journée-là... mais un mandat d'arrestation a publiquement été diffusé contre moi. »

Sachant qu'il s'agissait de la seule occasion qu'elle aurait avant longtemps d'expliquer sa version des faits à quelqu'un en qui elle avait totalement confiance, Charlotte raconta à Marie Stuart ce qui s'était produit lors de cette horrible nuit.

« Avant que je ne mette les pieds à Édimbourg, j'habitais dans le duché de Kent avec mon époux – nous étions mariés depuis quelques mois seulement. Sans que je sache comment, je me suis éveillée sur le plancher de la cuisine ce matin-là. Mes mains étaient couvertes de sang. Le couteau que j'utilisais d'habitude pour couper la viande gisait à mes côtés – aussi couvert de sang. J'ai compris que quelque chose d'affreux s'était produit. J'ai appelé mon mari à l'aide, mais je n'ai eu aucune réponse de sa part. Alors, j'ai entrepris de fouiller la maison. Je l'ai finalement trouvé dans le salon. Il était assis dans son fauteuil, sans vie, la gorge tranchée », expliqua Charlotte les mains tremblantes.

« Et vous ne vous souvenez pas comment une telle chose a pu se produire ? »

« Non, Madame ! »

« Donc, vous ne savez pas non plus si *vous* avez tué votre époux ? »

« Non, mais je crains qu'il n'y ait pas d'autre explication logique… C'est mon couteau qui a été retrouvé plein de sang sur le plancher de la cuisine. Et j'étais aussi couverte du sang de mon mari. »

« Mais quelqu'un peut avoir tout manigancé pendant que vous étiez inconsciente ! »

« J'aimerais bien pouvoir y croire… mais pourquoi quelqu'un aurait fait une chose pareille ? Nous étions de simples fermiers. Mon cher mari était apprécié de tous. Et, de toute manière, les autorités anglaises n'ont jamais cru à cette hypothèse farfelue… »

« Je pourrais peut-être avoir une discussion avec ma cousine à ce sujet une fois en Angleterre. »

« Madame est bien trop aimable. Vous avez des affaires bien plus importantes à vous inquiéter pour le moment… »

Se rendant compte que Charlotte ne l'accompagnerait donc pas pour ce voyage, la reine la prit tout simplement dans ses bras. *Jamais quelqu'un ne m'avait été aussi dévoué au cours de toutes ces années*, pensa-t-elle. *Ni mon demi-frère, ce crapuleux Jacques Stuart, ni mes deux derniers époux.*

« Ma chère amie, continua la souveraine, j'espère que nous nous reverrons un jour. Sachez que je n'oublierai jamais votre amitié. »

Avant de se séparer, Marie enleva la petite broche d'or qu'elle avait dans les cheveux et la remit à Charlotte en signe de gratitude. Celle-ci reconnut le précieux objet… c'était le bijou que la reine portait dans les moments difficiles.

« Je ne peux pas accepter un tel présent, Votre Majesté ! »

« Je vous en prie, prenez-le ! Et que cette broche vous donne la même paix d'esprit qu'elle a su m'apporter au cours des années. »

Avec l'aide des deux jeunes hommes, Marie Stuart prit place à bord du bateau avec ses favorites. Quant à Charlotte, elle monta sur son cheval et salua la reine une dernière fois avant de prendre le chemin du retour.

DEUXIÈME PARTIE

Envers et contre tous

CHAPITRE IX
Un accueil douteux

Nord de l'Angleterre, 1568-1569

MARIE STUART et ses dames de compagnie accostèrent près d'un petit village, au nord de l'Angleterre. Après avoir passé deux jours et deux nuits à naviguer, la modeste embarcation de la souveraine termina enfin sa mission. Heureuse d'avoir échappé à ses adversaires, Marie envisageait maintenant de se rendre à Londres. Elle espérait demander une audience à sa cousine afin de lui présenter la situation et de bénéficier d'une aide militaire. Selon la reine d'Écosse, l'intervention d'Élisabeth Ire était l'unique solution pour remonter sur le trône des Stuart. Sans armée, Marie Stuart ne pouvait pas se dresser contre son demi-frère. Il contrôlait les soldats de la Garde royale et jouissait des finances du royaume. De plus, il gardait à ses côtés le jeune fils de la souveraine et héritier de la Couronne. Comment pouvait-elle le combattre puisqu'à l'heure actuelle il gouvernait l'Écosse ? Non, elle n'avait aucune autre solution que l'appui de la reine d'Angleterre.

« Madame, nous devons trouver refuge rapidement, car un orage pointe à l'horizon », dit la plus jeune des femmes qui l'accompagnaient.

« Vous avez raison, ma chère amie. Rendons-nous à l'auberge la plus près d'où j'informerai ma cousine de ma présence ici. »

La souveraine et ses quatre suivantes foulèrent le sol anglais pour la première fois. Sans bagages encombrants, sauf une petite malle en bois que transportaient deux dames de compagnie, les femmes prirent la direction du petit village. Les deux jeunes hommes qui avaient aidé la reine d'Écosse reprirent la mer vers leur pays. Le ciel devint sombre et une bourrasque forte s'abattit sur la région. Les robes des Écossaises virevoltèrent sous le souffle de plus en plus féroce du vent. De fines gouttelettes de pluie tombèrent des nuages gris, ce qui rendit la marche quasi impraticable.

« Votre Majesté, ne devrions-nous pas trouver un abri pour nous protéger de cette intempérie ? » proposa Mary Seton en se couvrant la tête avec un petit châle de laine.

« Je vois une grange abandonnée dans cette clairière », s'écria la plus jeune des favorites en désignant de la main le bâtiment.

« Très bien ! Nous y resterons pendant l'orage, mais, lorsque la pluie cessera, nous reprendrons notre route », décida Marie Stuart.

Les quatre femmes accélérèrent le pas et traversèrent un champ d'avoine. Elles arrivèrent devant la porte de l'abri. L'endroit semblait désert et sans risque pour la souveraine. Mary Seton se détacha du groupe et franchit l'entrée de la grange. Elle regarda à l'intérieur, mais avait de la difficulté à percevoir les choses, car une noirceur envahissait les lieux. Rien ne semblait dangereux pour sa maîtresse et ses acolytes. Satisfaite, elle sortit prévenir la reine de la sécurité de l'endroit. Aussitôt, les Écossaises se réfugièrent sous le toit du bâtiment. Trempées de la tête aux pieds, les femmes frissonnaient de froid sous leurs vêtements mouillés. Inquiète pour la santé de la souveraine, sa favorite principale lui suggéra de se dévêtir et de changer de robe. Consciente du froid qui la mortifiait, Marie Stuart ne se fit pas prier pour s'exécuter. Pendant que les autres déboutonnaient le vêtement de leur maîtresse, Mary Seton ouvrit la malle et en sortit une magnifique robe rouge bourgogne. Le coffre ne contenait pas beaucoup d'objets, seulement trois robes, quelques sous-vêtements féminins, des accessoires de beauté, une poignée de bijoux et un petit sac de pièces d'or. Il n'y avait ni nourriture ni médicament. Le strict nécessaire pour un cortège en fuite. Alors que les femmes rhabillaient la souveraine, cette dernière versa une larme glacée sur sa joue rose. Cette peine aurait pu passer inaperçue si l'une des favorites n'avait pas reçu la larme sur le dessus de sa main en tentant de boutonner la toilette de sa maîtresse.

« Madame, vous avez du chagrin ? »

« Je vais bien, ma chère amie, mais Dieu me met à l'épreuve. Je suis lasse de cette agitation. »

Alors que la pluie tombait encore sur les lieux, la reine d'Écosse raconta à son entourage ses souvenirs d'enfance. Mille images lui revinrent à l'esprit : sa mère, son petit François, sa chère Élisabeth, son professeur Ronsard et sa grand-mère bien-aimée. Elle se rappela la douceur de la peau de Marie de Guise, cette femme si loyale envers son défunt époux. Elle ne l'avait pas connue comme elle l'aurait souhaité, mais les moments qu'elles passèrent ensemble étaient intacts dans sa mémoire. Sa mère avait sacrifié sa santé pour préserver l'héritage de sa fille chérie. Ses années à la cour des Valois lui manquaient cruellement. Certes, sa relation avec Catherine de Médicis n'était pas des plus cordiales, mais il n'empêche que ce moment était joyeux pour elle. Elle s'était éprise du dauphin François, son François. Elle l'aimait et il le lui rendait bien. Ils avaient tellement d'affinités en commun : l'équitation, la solitude, les arts et l'âge de la jeunesse. La mort de son premier mari l'avait ébranlée émotionnellement. Depuis cet amour qui lui fut arraché sournoisement par le Tout-Puissant, son cœur n'avait plus été en mesure de se donner à nouveau.

À ce moment précis, elle regrettait amèrement la disparition de cet époux. La perte de François II fut l'élément déclencheur d'une série de cauchemars pour Marie Stuart. Son départ du royaume de France où elle fut ni plus ni moins chassée par la reine douairière et les Valois. Cette famille qui l'avait jadis accueillie à bras ouverts l'avait par la suite ignorée à un point tel que la veuve du jeune roi dut retourner vivre à Édimbourg, en Écosse, là où sa véritable descente aux enfers a débuté. Détestée par les presbytériens et méconnue de son peuple, la souveraine connut des années de règne qui ne furent pas de tout repos. Elle dut affronter constamment cet univers d'hommes assoiffés de pouvoir. Son deuxième mariage fut un échec monumental. Lord Darnley avait été un époux plus que médiocre et un consort maladroit. Il lui avait causé davantage de problèmes qu'elle ne pouvait l'imaginer. Ce mari fut tellement gênant pour la reine d'Écosse qu'elle dut le supprimer pour rehausser son prestige, cette image que le jeune seigneur avait ternie en raison de l'incohérence de ses gestes. Sa dernière union conjugale, qu'on lui soumit de force, avec le comte de Bothwell l'avait menée à sa perte. Ce rustre lui avait enlevé sa dignité en la violant sauvagement et en l'obligeant à l'épouser. Seul soulagement, leur relation ne dura pas plus d'une année. Mais quelle année horrible passa-t-elle aux côtés de cet homme ignoble ! Marie Stuart chassa ces mauvais souvenirs de sa tête.

« Mes filles, je crois que nous passerons la nuit dans cet abri de convenance », déclara la souveraine sur un ton humoristique.

Les dames de compagnie préparèrent un lit de paille pour le repos de leur maîtresse. Certes, ce n'était pas un endroit recommandé pour une femme de son rang, mais avait-elle le choix ? La reine s'allongea sur sa couchette improvisée et ferma les yeux. Ses quatre favorites firent de même de leur côté.

Le lendemain matin, très tôt, un fermier d'âge mûr se présenta à l'intérieur de la grange. Surpris d'y trouver un petit groupe de femmes endormies, l'homme à la moustache avança doucement vers Marie Stuart. Il fut intrigué par la beauté de la dame qui était allongée sur le sol. Il déposa le pied sur une brindille qui se rompit en deux. Le bruit fit sursauter Mary Seton, qui sortit de son profond sommeil. Ne s'attendant pas à la présence de cet homme, elle craignait pour la sécurité de la souveraine. Sans broncher, elle se leva et se dirigea vers lui. La dame de compagnie lui prit la main et l'amena à l'extérieur du bâtiment. Elle ne voulait pas réveiller sa maîtresse.

« Mon brave, j'imagine que cette grange est votre propriété ? » lui demanda Mary Seton.

« Effectivement, Madame ! » répondit-il sans trop comprendre ce qui se passait.

« Je m'appelle Mary et ces femmes sont mes cousines. Nous nous sommes perdues en chemin et nous aimerions nous rendre au village le plus près. Pourriez-vous nous y conduire, mon brave ? » insista-t-elle en usant de son charme.

« C'est que… »

« Nous avons de quoi vous payer pour votre aide, mon cher ami », ajouta-t-elle en constatant l'hésitation de l'étranger.

« Si vous me prenez par les sentiments, Madame », répliqua le fermier en souriant.

Sur cette entente, l'homme rebroussa chemin et retourna à sa demeure pour y chercher sa calèche. Mary Seton réveilla la reine d'Écosse et les autres favorites et les informa de la bonne nouvelle. Heureuse d'apprendre qu'elles se rendraient au village, la souveraine sourit de bonheur.

« Mes chères amies, pour notre sécurité, nous devons nous présenter sous une identité plus commune », décida Marie Stuart.

Leur stratégie était fort simple. Elles étaient cinq cousines qui arrivent du nord de l'Angleterre et qui souhaitent se rendre à Londres. Pour expliquer leur accoutrement, elles diraient qu'elles proviennent d'une famille noble de la frontière.

Le fermier arriva quelque temps plus tard. Il embarqua à l'arrière de la calèche la malle des dames. La souveraine prit place à côté du conducteur et les autres s'entassèrent près du coffre. Le véhicule emprunta le chemin menant au village le plus près. Pendant le trajet, la reine réfléchit à la tâche qui l'attendait en sol anglais.

Arrivées au village, les cinq femmes débarquèrent de la voiture. Mary Seton remercia l'individu en déposant deux pièces d'or dans le creux de sa main. Deux dames descendirent la malle et la mirent sur le sol. Regardant le vieillard retourner d'où il venait, Marie Stuart dit à ses favorites de trouver une auberge. En avançant de quelques pas, la plus jeune des femmes remarqua une enseigne annonçant l'endroit recherché. Aussitôt, elles se dirigèrent vers les lieux souhaités. Le groupe pénétra à l'intérieur du bâtiment. Ce n'était pas une demeure convenable pour Marie Stuart mais, dans le cas présent, celle-ci se satisferait de cette auberge. La favorite principale loua la plus grande chambre de l'endroit et versa une avance pour la semaine. Elles montèrent à l'étage et franchirent la porte de la pièce. L'intérieur empestait la moisissure et l'ameublement était plutôt défraîchi. Un carreau de la vitre de la fenêtre était fracassé et laissait passer le vent.

« Votre Majesté, ce n'est que temporaire… D'ici quelques jours, la reine d'Angleterre vous sortira de cette mauvaise situation, déclara Mary Seton en constatant le visage triste de sa maîtresse. Reposez-vous, Madame, pendant que nous descendrons au village pour nous procurer des vivres et quelques accessoires utiles », ajouta-t-elle.

Acquiesçant à la proposition de sa favorite, la reine d'Écosse s'allongea dans l'un des deux petits lits. Les autres femmes sortirent de la pièce et se rendirent chez les marchands du village. Pendant l'absence de ses dames de compagnie, la fille des Stuart tomba dans un profond sommeil. Elle fit un terrible cauchemar et devint toute en sueur. Dans son songe, elle se voyait trancher la tête sous le regard d'hommes vêtus de noir. La gorge asséchée, la souveraine se réveilla brusquement. Elle ouvrit les yeux, regarda le plafond jaunâtre et sentit son cœur battre anormalement. Elle se leva du lit et alla jeter un coup d'œil par la fenêtre. *Que m'arrive-t-il ?* se questionna-t-elle. *Non, Marie, tout ira pour le mieux*, se répéta-t-elle pour se soulager. Soudain, on frappa à la porte de la chambre. Inquiète, la reine se dirigea vers l'entrée de la pièce. Elle demeura immobile un instant. On frappa de nouveau, mais cette fois-ci plus fortement. Elle avança doucement sa main vers la poignée. Alors que la reine se décidait enfin à ouvrir, la poignée fit un tour sur elle-même. La porte s'ouvrit lentement. Marie recula de quelques pas. Elle regarda autour d'elle afin de trouver une arme pour se défendre. Tout près se tenait debout un chandelier en fer. Elle le saisit fermement et fixa la porte qui s'ouvrit davantage. Une femme apparut dans le cadrage. La souveraine reconnut sa favorite principale et sentit ses nerfs se relâcher.

« Madame, je suis désolée de vous avoir fait cette peur », s'exclama d'une voix soumise Mary Seton.

« Vous n'avez rien à vous reprocher, ma chère amie… c'est mon cœur qui me joue des tours, répondit-elle en déposant l'objet sur la table. Où sont mes filles ? »

« Elles sont dans le hall. »

La dame de compagnie s'approcha de sa maîtresse et lui remit de l'encre ainsi qu'une plume d'oie et du papier. Elle l'avait acheté d'un marchand à un prix plus que dérisoire.

« Madame, avec ce papier, vous pourrez écrire à votre cousine pour l'informer de votre présence dans son royaume », dit-elle avec un sourire rempli de gentillesse.

« Effectivement, ma chère amie ! Je m'empresse de ce pas à lui rédiger une lettre. »

La reine d'Écosse prit place sur une petite chaise en bois tout à fait inconfortable. Elle trempa la plume de l'animal dans l'encre noire et jeta ses premières phrases. Se tenant debout, derrière sa maîtresse, Mary Seton priait pour qu'Élisabeth Ire réponde de façon positive à la correspondance de l'Écossaise. La puissante femme d'Angleterre était le dernier recours et la favorite le comprenait que trop bien. Dans sa lettre, la souveraine réclamait l'aide urgente de sa cousine royale. Marie Stuart pesait chacun de ses mots, car elle jouait l'un des moments cruciaux de sa vie. L'angle choisi pour écrire ce message se situait entre le familier et le protocolaire. Il s'agissait bien d'une parente, mais également d'un monarque. L'objectif de la lettre était de convaincre la reine d'Angleterre de prêter main-forte à son égale. Cette aide devait passer – aux yeux de Marie Stuart – par une armée et une diplomatie. Seule Élisabeth Ire pouvait lui fournir des soldats et user de son influence politique pour renverser son demi-frère, cet usurpateur. Le comte de Moray et ses fidèles devaient se soumettre pour qu'elle puisse remonter sur le trône. À la fin de la correspondance, elle demandait une audience auprès de sa cousine Tudor. Après avoir relu trois fois chacune des phrases écrites, la reine d'Écosse cacheta le papier avec de la cire chaude et y enfonça les armoiries de sa bague en signe de sûreté. Elle déposa un baiser sur le précieux document et le remit à Mary Seton.

« Veuillez le transmettre à un messager de confiance. Je veux que cette missive soit livrée dans les plus brefs délais à la reine d'Angleterre », exigea l'Écossaise.

La dame de compagnie exécuta de ce pas l'ordre de sa maîtresse. Elle se rendit dans une taverne, trouva un messager qui s'apprêtait à prendre le chemin de la capitale, lui donna la lettre scellée et lui versa une somme d'argent. L'homme – en parfaite condition malgré quelques verres dans le corps – quitta les lieux. Assis sur le dos de son cheval, il partit pour Londres.

Deux jours plus tard, le secrétaire de la reine d'Angleterre reçut la correspondance de Marie Stuart. D'abord surpris d'apprendre la fuite de la souveraine écossaise, il fut ravi de la savoir en sol des Tudor. Le vieil homme suggéra à Élisabeth Ire de refuser l'audience souhaitée par sa cousine en prétextant la sécurité des deux têtes couronnées. Il convainquit sa maîtresse de la possibilité de mettre hors jeu cette rivale royale gênante. C'était là l'occasion rêvée de contrôler la catholique. La reine anglaise devait donc faire escorter sa parente vers une maison à Workington. Rendue sur les lieux, Marie Stuart vivrait en résidence surveillée pour une période indéterminée. Officiellement, Élisabeth Ire prétendrait que ce geste est attribuable à son inquiétude face aux attentats qui pourraient menacer sa cousine, mais, en vérité, la fille des Stuart devenait tout simplement prisonnière de l'autorité anglaise. En accord avec le plan de son secrétaire, la fille d'Henri VIII ordonna à une cavalerie de se rendre dans le nord du royaume.

À la fin du mois de mai 1568, cinq soldats de la Garde royale et deux seigneurs arrivèrent dans le petit village. Alors que Marie Stuart et ses dames de compagnie faisaient une promenade dans un champ de fleurs sauvages non loin de là, un enfant accourut pour avertir la souveraine de la présence de ces hommes. Aussitôt informée, la reine d'Écosse se tourna vers ses favorites.

« Mes chères amies, notre calvaire est terminé. Ma bien chère cousine a répondu à mon appel », croyait-elle innocemment.

Les quatre dames de compagnie ricanèrent de plaisir de se savoir sauvées. Plus d'une semaine s'était écoulée depuis la fuite de la souveraine du royaume d'Écosse. Marie Stuart jubilait à l'idée d'anéantir son traître de demi-frère. Il payerait pour avoir volé le trône de la fille de Jacques V.

De retour au village, la reine et ses favorites s'approchèrent de la cavalerie anglaise. L'un des seigneurs, le plus âgé, descendit de son cheval et fit la révérence à Marie Stuart.

« Madame, Sa Majesté la reine d'Angleterre nous a mandatés pour vous escorter jusqu'à Workington. »

« Pour quelle raison, mon brave ? » s'informa-t-elle.

« La souveraine s'inquiète de votre sécurité et croit d'usage de vous loger dans une résidence convenant à votre sang royal », répondit calmement le noble.

« Si tel est le désir de ma cousine, je m'y plierai avec joie. »

Un carrosse noir tiré par quatre chevaux attendait sur les lieux. La souveraine écossaise et sa suite prirent place sur les banquettes. Les hommes avaient pris soin de ramasser la malle et les effets personnels de Marie Stuart. Le cortège se dirigea à la hâte vers Workington. Une jolie résidence, située en périphérie de la ville, servirait de maison temporaire pour la cousine d'Élisabeth Ire. Arrivé sur le site du manoir, le véhicule freina devant la grille en fer forgé. Marie Stuart sortit la tête pour examiner les alentours.

« Quel agréable endroit, déclara-t-elle. S'il avait été construit dans mon royaume, je l'aurais choisi comme résidence lors des journées chaudes. »

Les portes s'ouvrirent, laissant le carrosse poursuivre son chemin jusqu'au parvis du bâtiment. Un serviteur ouvrit la portière et la reine d'Écosse descendit, suivie de ses favorites. Le domaine était magnifique avec ses milliers de fleurs multicolores, et un calme enivrant flottait dans les airs.

« Madame, après la semaine que vous avez passée dans cette auberge, vous voilà à nouveau dans une demeure qui vous convienne », affirma Mary Seton pour redonner espoir à sa puissante maîtresse.

Un gentilhomme attendait dans l'entrée du manoir. Il était jeune, séduisant et bien vêtu. Il piqua la curiosité de la dame de compagnie principale de la souveraine.

« Soyez la bienvenue à Workington Hall, chère reine d'Écosse », dit-il en se penchant le haut du corps pour déposer un baiser sur la main de son interlocutrice.

« Vous êtes bien aimable, monseigneur. »

« Sa Majesté la reine d'Angleterre a exigé de vous servir dignement et de m'assurer que votre sécurité soit augmentée. »

« Je vois bien là la grandeur d'âme de ma chère cousine Élisabeth », répondit l'Écossaise en foulant le marbre du portique.

Les cinq femmes pénétrèrent dans la première pièce. L'intérieur était richement décoré d'œuvres d'art, de meubles et d'accessoires. Les favorites contemplaient les lieux avec un regard émerveillé, sauf Mary Seton. Elle examina davantage l'hôte qui venait de les accueillir. L'individu ne lui était pas indifférent, malgré les quelques années qui les séparaient.

« Dites-moi, mon cher, à qui appartient cette demeure ? » questionna la souveraine.

« À votre humble serviteur, Madame. »

« Vraiment ? répliqua-t-elle. Qui êtes-vous ? Je suis impatiente de le savoir. »

« Lord John Seymour », répondit-il.

John Seymour, voilà un nom qui sonnait bien dans la tête de la dame de compagnie. Elle n'avait jamais vécu de passion amoureuse, trop occupée à servir sa maîtresse. Mais le regard de l'homme l'envoûtait, un sentiment qu'elle n'avait jamais ressenti jusqu'ici.

« J'espère qu'elle vous conviendra pendant votre séjour parmi nous » ajouta-t-il.

Le noble expliqua à Marie Stuart qu'il serait absent pendant un long moment. Il devait se rendre en Irlande pour rejoindre les conseillers royaux. Un village du sud de l'île s'était rebellé et la capitale avait dépêché un groupe de ministres afin de maîtriser le soulèvement populaire. À l'annonce du départ de Lord Seymour, Mary Seton fut déçue. Elle ne pourrait pas apprendre à le connaître et pourrait peut-être en tomber follement amoureuse.

« Votre Majesté, je dois vous quitter maintenant. Mes serviteurs sont vôtres et s'efforceront de vous rendre la vie plus agréable en ces jours difficiles pour vous », conclut le gentilhomme en se dirigeant vers la sortie.

Une dizaine de serviteurs travaillaient sur le domaine de Workington Hall. S'ajoutait à ce petit groupe une garde de douze soldats envoyés expressément par la reine d'Angleterre. On informa la reine d'Écosse que ces hommes étaient présents pour empêcher des intrus de s'attaquer à sa personne. En réalité, c'était l'inverse qui se passait. Ils avaient plutôt comme mandat de ne pas laisser la souveraine et ses filles sortirent des grilles du manoir.

Le soir tomba sur la ville et Marie Stuart se retira seule dans l'un des jardins du domaine. Épuisée de ces journées bouleversantes, elle était néanmoins heureuse de se retrouver dans un si joli manoir. Depuis plusieurs mois déjà, la souveraine ne régnait plus sur le royaume d'Écosse, mais essayait plutôt de survivre aux mille et un complots qui se tramaient contre sa personne. Sa naïveté envers les hommes – ses hommes – l'avait menée à sa perte. Que lui restait-il à ce jour ? Elle avait perdu son trône, avait été trahie par ses proches, et on lui avait arraché son enfant. Mais il lui restait sa dignité royale et elle comptait bien faire valoir cet aspect.

Dans un élan d'espoir, l'Écossaise se rendit à sa chambre pour rédiger une nouvelle lettre à sa cousine. Cette fois-ci, elle la remercierait de son hospitalité et réclamerait l'urgence d'une rencontre en privé.

Alors que le soleil dardait ses premiers rayons lumineux, Mary Seton réveilla sa maîtresse en douceur.

« Madame, un seigneur envoyé par la reine d'Angleterre réclame une audience. »

« Faites-le patienter… », répondit-elle désorientée.

Pendant que l'homme restait au premier étage, les favorites habillèrent Marie Stuart et lui déposa une coiffe. Une femme de son rang se devait d'être présentable en public en toute circonstance. Un instant passa et la reine fit enfin son apparition dans la pièce où se tenait l'individu.

« Votre Majesté, notre bien-aimée souveraine m'a chargé de vous amener dans un autre endroit », fit savoir l'homme bedonnant.

« Pour quelle raison ? » s'enquit-elle sur un ton amer.

« Madame, je ne fais qu'exécuter les directives royales. »

« Soit, si tel est le désir de la reine », répliqua sèchement la souveraine.

Pourquoi un autre déplacement ? À quand cette rencontre souhaitée ? Élisabeth Ire comprenait-elle l'ampleur du désastre qui s'abattait sur Marie Stuart ? Tellement de questions se bousculaient dans la tête de l'Écossaise.

Les dames de compagnie préparèrent les affaires de leur maîtresse et les rangèrent dans la malle. Un carrosse et une escorte attendaient à l'extérieur. Une pluie battante tombait sur la région. Malgré ce temps infernal, le véhicule roula vers une autre ville du comté de Cumberland. Cette fois-ci, la destination se situait à quelques milles plus à l'est. Cockermouth était un endroit plutôt laid et sans charme apparent. À première vue, les lieux étaient quasi désertiques. Lorsque le véhicule qui transportait les cinq femmes s'immobilisa, Marie Stuart croyait trouver un autre manoir coquet. Erreur ! Elle se retrouva devant un château en piteux état. La reine ne savait trop s'il était encore habitable. Une tour du côté est du bâtiment de pierre s'était même écroulée. Sans compter les nombreuses vitres cassées. Observant l'affreuse demeure qui se dressait tant bien que mal devant elle, la fille des Stuart se surprit à croire qu'elle était bien éveillée. *J'imagine que mon séjour ici sera de courte durée,* se convainquit-elle.

Marie Stuart et ses favorites s'installèrent près d'une semaine à Cockermouth. La reine d'Écosse détestait l'endroit et priait régulièrement pour que Dieu lui vienne en aide. Près de deux semaines s'étaient écoulées depuis sa fuite de son royaume natal. Elle rêvait souvent à son fils. Était-il entre bonnes mains ? Souffrait-il d'être séparé de sa mère ? Était-il heureux ? Tant de questions qu'elle se posait. Les longues journées que la souveraine passait à attendre un signe de sa cousine lui paraissaient interminables. Elle comprenait la situation dans laquelle se trouvait Élisabeth Ire. Être reine d'Angleterre – donc défenseresse de la foi protestante – et vouloir aider une catholique, puisse-t-elle être cousine, n'était pas une mince affaire. Un soulèvement populaire était la crainte que vivait chaque monarque, et l'Écossaise le savait plus que quiconque. Elle devait attendre le feu vert de la fille des Tudor pour retourner dans son royaume.

La rumeur de la présence de Marie Stuart courait les rues d'Angleterre depuis quelques jours. Les fidèles du Saint-Père voyaient en elle l'incarnation d'une chrétienne déterminée. De petits groupes catholiques se formèrent dans les villes et les villages, y compris à Londres. Les partisans de Rome, qui ne reconnaissaient pas Élisabeth Ire comme souveraine légitime, considéraient la reine d'Écosse comme véritable prétendante au trône anglais. L'argument sur lequel reposait leur désaccord face à la souveraine Tudor fut le refus du pape Clément VII d'annuler le mariage entre Henri VIII et sa première épouse, Catherine d'Aragon. Pour les catholiques, la seconde femme du monarque et mère d'Élisabeth Ire, Anne Boleyn, n'était nulle autre qu'une prostituée de haut rang. Alors que Marie Stuart était la petite-fille de Margaret Tudor, sœur du roi d'Angleterre. Ils espéraient voir la fille de Jacques V porter la couronne de l'usurpatrice.

Informée par l'organisation de ces petits regroupements catholiques, la reine d'Angleterre craignait d'être renversée par les partisans du Vatican. Comment pouvait-elle empêcher sa cousine de lui nuire ? Sur quel prétexte pouvait-elle l'emprisonner plus longtemps ? La réponse lui vint du comte de Moray par une lettre fort habile. Le demi-frère de Marie Stuart accusa cette dernière du meurtre de son époux, Lord Darnley. Voilà la solution à ses problèmes. Elle retiendrait la reine d'Écosse tant et aussi longtemps que le doute planerait sur la tête royale de Marie. Élisabeth Ire s'assurerait que l'incertitude sur l'implication ou non de sa cousine dans l'assassinat d'Henri Stuart demeure en suspens le plus longtemps possible.

Le 29 mai, en matinée, la souveraine écossaise reçut la visite de deux émissaires de la reine d'Angleterre. La nouvelle qu'ils rapportèrent à Marie Stuart la désenchanta profondément. Lord Henri Scrope, gouverneur de Carlisle et commandant des frontières du nord, et Sir Francis Knollys, vice-chambellan de Sa Majesté, l'informèrent de la décision de leur maîtresse de transférer les cinq femmes à Carlisle.

« Pour quelle raison dois-je me rendre dans cet endroit ? » demanda-t-elle sur un ton provocateur.

« Madame, le régent du royaume d'Écosse vous accuse du meurtre de Lord Darnley, votre époux », répondit d'une voix ébranlée le vice-chambellan.

« Sachez, mon ami, que cet homme, mon demi-frère, n'est pas légitime dans sa fonction de régent. »

« Vous avez abdiqué en faveur de votre héritier, qui, encore enfant, est sous la régence du comte de Moray », répliqua-t-il.

« Suffit ! Je suis encore la reine d'Écosse et le serai jusqu'à ma mort », ajouta-t-elle violemment.

« C'est pour cette raison que la reine d'Angleterre doit faire la lumière sur cette situation chaotique », déclara l'homme poliment.

« Certes, j'ai confiance dans le jugement de ma cousine et ferai comme bon lui semble. »

Encore une fois, la reine d'Écosse devait partir, mais, cette fois-ci, elle ne s'en plaignit pas. Quitter Cockermouth fut pour elle une délivrance. La souveraine et ses dames de compagnie prirent la direction du château de Carlisle sur l'heure du midi.

« Votre Majesté, Dieu veille sur vous », dit Mary Seton en regardant l'Écossaise fatiguée par ces transferts.

Situé à seize kilomètres au sud de la frontière anglo-écossaise, le château de Carlisle redonnait espoir à la souveraine. Elle se sentait rapprochée de son royaume et croyait en sa bonne étoile. La demeure était magnifique quoique plutôt poussiéreuse, constatèrent les cinq femmes. Elle était nichée sur une falaise et l'un de ses remparts donnait sur une rivière. L'air était frais et les rayons de soleil réchauffaient les lieux. L'été arrivait à grands pas et l'ambiance était sereine. Marie Stuart en arrivait presque à oublier son statut de fugitive. Chaque matin, elle se promenait seule ou accompagnée sur les sentiers du domaine. Durant la journée, elle jouait de la harpe – comme lorsqu'elle était à la cour de France – et, en soirée, la reine écrivait à sa cousine et à ses proches parents sur le continent. Elle était convaincue que le vent tournerait en sa faveur à un moment donné. Pour montrer toute sa loyauté envers Élisabeth Ire, l'Écossaise lui fit parvenir, avec l'une de ses nombreuses correspondances, une bague à l'effigie des armoiries des Stuart. Par ce cadeau, elle souhaitait adoucir le cœur de la puissante femme anglaise.

Outre ses quatre favorites, la reine se lia d'amitié avec Lady Margaret Scrope. La femme du gouverneur de Carlisle fut mandatée par le secrétaire d'Élisabeth Ire pour surveiller de plus près les agissements de la souveraine d'Écosse. Elle exécuta cette tâche – sans que Marie Stuart ne se doute de rien – tout en gagnant sa confiance. La cousine de la reine d'Angleterre voyait en cette noble une complice pour l'exécution de ses plans. Un matin de juin, la fille des Stuart convoqua Lady Scrope dans ses appartements.

« Lady Scrope, j'ai besoin de vous pour remettre une lettre à un messager de confiance. »

« Si Madame me le demande, je remplirai cette mission avec joie », répliqua-t-elle sur un ton hypocrite.

Lorsqu'elle fut en possession du papier, Lady Scrope le fit parvenir non pas à un messager tel qu'il lui avait été demandé, mais plutôt à la reine d'Angleterre. À la lecture de la lettre, Élisabeth Ire comprit toute l'ampleur de la situation dans laquelle se trouvait Marie Stuart. Dans cet envoi, cette dernière réclamait l'aide armée du roi de France pour déloger son demi-frère du trône écossais. Voyant la lenteur des actions de sa cousine, l'Écossaise sollicitait l'intervention de Charles IX. La puissante femme anglaise devait réagir rapidement si elle voulait devancer sa rivale. Élisabeth Ire convoqua ses plus proches conseillers et leur demanda d'élaborer une stratégie pour nuire davantage à la crédibilité de Marie Stuart. N'ayant aucune preuve tangible de la participation de la souveraine d'Écosse dans le meurtre de Lord Darnley, ils proposèrent à leur maîtresse de jouer à la médiatrice.

« Idée plutôt intéressante, mes seigneurs », répondit la reine d'Angleterre.

En effet, en se positionnant au centre de l'échiquier, elle devenait neutre, donc intouchable. Les adversaires de la souveraine écossaise devront prouver la culpabilité de cette dernière auprès de la fille des Tudor. Quant à la fugitive, elle devra convaincre sa parente de son innocence. En agissant ainsi, Élisabeth Ire avait la légitimité de garder sous surveillance sa cousine accusée de meurtre. Emprisonnée, la fille des Stuart devenait inoffensive, donc moins menaçante pour le trône de la fille d'Henri VIII. En réalité, la reine d'Angleterre n'était nullement préoccupée par l'assassinat d'Henri Stuart. Malgré les preuves qui pesaient contre Marie Stuart et les requêtes de la famille de Lord Darnley, elle ne s'en souciait guère. À vrai dire, elle aurait sûrement agi de la même manière que sa cousine si elle avait été à sa place. *Un mari gênant demeure un obstacle pour le règne d'une femme,* aurait pensé la souveraine anglaise. Non, ce n'était pas ce petit noble prétentieux l'objet de ses inquiétudes, mais le sang des Tudor qui coulait également dans le corps de la petite-fille de la sœur du roi Henri VIII.

Les semaines passaient et Marie Stuart attendait toujours l'intervention armée de la reine d'Angleterre contre son demi-frère. Depuis sa première lettre envoyée à Élisabeth Ire, elle n'avait obtenu aucune aide substantielle de cette dernière. Par contre, malgré sa réputation d'avare, la souveraine anglaise défrayait les coûts relatifs aux séjours de la fugitive. N'ayant que très peu de moyens financiers, la reine d'Écosse bénéficiait de l'aide monétaire de sa cousine. Mais toutes les audiences privées et toutes les forces musclées en terre écossaise furent refusées par les autorités de Londres. À plusieurs reprises, Marie Stuart se recueillait dans la chapelle du château de Carlisle pour supplier le Tout-Puissant de lui venir en aide. Il n'était pas rare pour les dames de compagnie de voir leur maîtresse en sanglots. Un soir de juillet, alors que le soleil se couchait derrière les montagnes, la reine d'Écosse s'isola sur un rocher non loin de la demeure pour y pleurer. Se croyant seule, elle hurla sa douleur de toutes ses forces.

« Mon Dieu, sauvez-moi ! »

Ce cri lui venait de l'intérieur et la souffrance se faisait sentir par le son grave qui sortait de sa bouche. Elle se jeta à genoux sur les petites pierres difformes et déposa son front sur le sol sec. La souveraine releva la tête, le visage inondé de larmes, et frappa la terre avec le poing. Tout près, cachée derrière un arbre, Mary Seton fut témoin de cette scène dramatique. Jamais elle n'avait vu sa maîtresse dans une telle colère. Elle se jura de ne jamais en glisser un mot à quiconque, surtout pas à Marie Stuart.

Le 13 juillet 1568, Lord Scrope et son épouse se présentèrent à la fille des Stuart. Occupée à faire ses prières matinales, elle les fit attendre un bon moment dans l'antichambre. Lorsque les portes s'ouvrirent enfin, la souveraine leur accorda l'audience demandée. Elle se doutait bien de la raison de leur présence si tôt chez elle.

« Madame, la reine d'Angleterre nous a ordonné une directive vous concernant », dit d'entrée de jeu l'homme.

« Dites, mon brave, je suis impatiente de connaître les paroles de ma chère cousine », répondit-elle d'une voix sarcastique.

« Afin de s'assurer de votre sécurité… »

Il n'eut pas le temps de terminer sa phrase que la reine d'Écosse lui poussa un rire en plein visage.

« MA sécurité !

« Voyez-vous ça ? On prétend se soucier de ma personne depuis le début. Ce n'est pas moi qu'on protège, mais les rebelles qui m'ont délogée de mes prérogatives royales, déclara-t-elle.

« Pourquoi me traiter en prisonnière ?

« Je suis la victime… moi. Je n'ai rien à me reprocher, je suis une reine de droit divin et ma place est sur mon trône en Écosse.

« J'ai cherché refuge en Angleterre afin que la reine m'accorde son appui. Et qu'ai-je en retour ? Une surveillance jour et nuit comme si j'étais l'ennemie de Londres. »

« Je suis dans l'obligation de vous annoncer que vous et votre suite serez transférées dans les plus brefs délais dans notre résidence du duché d'York », l'informa Lord Scrope sans broncher.

« Sortez ! Sortez immédiatement ! » fulmina la souveraine en montrant du doigt les portes.

Les deux émissaires de la reine d'Angleterre prirent la sortie. Rouge de colère, Marie Stuart tournoya sur elle-même. Ses mains moites s'élancèrent dans toutes les directions. Une rage incontrôlable s'empara d'elle, qui la fit sortir de ses gonds.

D'un coup de main, elle renversa tous les objets sur son passage. Des plats en porcelaine, des toiles peintes et des bouquets de fleurs se retrouvèrent dispersés sur le sol. Jamais les dames de compagnie n'avaient vu leur maîtresse dans un état pareil. Elles étaient affolées par la crise de la reine d'Écosse, et Mary Seton comprit que l'enfer s'était abattu sur Marie Stuart. Dès cet instant, la favorite craignit que le désespoir n'eut raison de sa maîtresse.

Quelques jours plus tard, pour une quatrième fois en peu de temps, la souveraine en fuite et son entourage reprirent la route. Le château de Bolton se situait à plusieurs kilomètres à l'est de Carlisle. Le trajet en carrosse dura près d'une journée. Tout le long du voyage, Marie Stuart n'émit aucun mot ni même aucun son. Elle fixa le paysage par le châssis du véhicule. Aucune émotion ne transperçait de son visage. Inquiète par l'attitude de la fille de Jacques V, la plus jeune des dames de compagnie prit la parole juste avant de franchir la grille de la prestigieuse demeure.

« Madame, vous êtes plus près de Londres maintenant. Peut-être que la reine d'Angleterre se décidera à venir vous rencontrer », affirma-t-elle en glissant un sourire vers Mary Seton.

L'Écossaise tourna la tête vers sa favorite et la regarda droit dans les yeux.

« Croyez-vous sincèrement que ma cousine pourrait se décider enfin à m'accorder l'audience si désirée ! ? » lui demanda-t-elle avec une étincelle d'espoir dans les yeux.

« Tout est possible, Votre Majesté ! Ayez la foi, Dieu vous protège », répliqua doucement la jeune femme.

Lorsque la reine d'Écosse débarqua du carrosse, elle fut accueillie par ses hôtes, Lord et Lady Scrope. Le ciel était bleu, un doux arôme sucré de fleurs envahissait les lieux et un petit vent caressa le bout du nez de Marie Stuart. La scène lui permettait de croire que peut-être ses prières seraient enfin exaucées.

« Madame, soyez la bienvenue au château de Bolton », dit le noble en s'agenouillant devant son invitée.

Elle lui tendit la main et l'homme y déposa un petit baiser en signe de respect. Dès son arrivée, la souveraine prit congé de ses hôtes et se retira dans ses appartements. Elle rédigea, encore une fois, une lettre à Élisabeth Ire la suppliant de lui accorder cette audience si chère à son cœur. Après avoir couché sur papier le contenu de ses requêtes, elle trempa à nouveau sa plume dans l'encrier. Cette fois-ci, elle écrivit au roi d'Espagne, Philippe II. Marie Stuart, fidèle catholique, lui exposa sa fâcheuse situation. Elle lui demanda l'aide du puissant royaume ainsi que des ressources financières.

Les réponses à ses messages arrivèrent au compte-gouttes. La raison en fut fort simple. Le secrétaire particulier de la reine d'Angleterre détourna chaque correspondance entre l'Écossaise et les autres monarques du continent européen. Renseignée sur les agissements de sa cousine et sur les réactions de ses correspondants, Élisabeth Ire pouvait aisément devancer sa rivale. Les autorités anglaises interceptèrent les sommes d'argent envoyées par l'Espagne, la France et la Maison de Lorraine. Les émissaires royaux se virent refuser l'accès à la reine d'Écosse. Ignorant totalement les stratagèmes de la fille des Tudor, Marie attendait patiemment un signe, aussi minime fût-il, de ses acolytes.

Le lendemain, assise au bord de l'eau, Marie Stuart reçut la visite d'un conseiller royal de Londres. Mandaté par le Parlement anglais, il avait comme mission d'informer la prisonnière de la dernière décision d'Élisabeth Ire.

« Madame, au nom de Sa Majesté, j'ai le devoir de vous informer qu'une commission royale d'enquête a été érigée pour élucider votre affaire. »

« Que me dites-vous là ? » rétorqua-t-elle.

« Le Parlement écossais, le comte de Moray ainsi que les Lennox vous accusent du meurtre d'Henri Stuart, Lord Darnley », ajouta-t-il solennellement.

Ébahie par les dernières paroles de l'Anglais, la souveraine se leva brusquement.

« On m'accuse, moi, la reine d'Écosse, du meurtre de mon défunt époux.

« Je n'ai rien à me reprocher... Si ma chère cousine considère que cette commission est essentielle, je m'y plierai afin que la vérité soit enfin dévoilée, hurla-t-elle.

« Lorsque toute cette mascarade sera terminée, j'espère que le Parlement anglais consentira enfin à m'aider. » dit-elle.

Dès la mi-août 1568, la reine d'Angleterre ordonna l'ouverture de la commission royale d'enquête. Une dizaine de seigneurs anglais, dont le duc de Norfolk, siégèrent à l'instance juridique. Les réunions se déroulèrent à York, mais elles eurent vite lieu au palais de Westminster. Craignant un soulèvement des partisans de Marie Stuart, Élisabeth Ire considéra plus sécuritaire de déplacer la commission dans la capitale. Lors des audiences, la délégation écossaise essaya de démontrer la culpabilité de la fille de Jacques V. Rédigeant de faux documents, les seigneurs anglais présentèrent ces lettres accusatrices comme ayant été écrites de la main de la fugitive. Des témoins – payés par les adversaires de l'accusée – furent entendus par les juristes. Malgré les efforts acharnés du comte de Moray, aucune de ses manigances ne put convaincre les membres de la commission royale d'enquête. Insatisfaite de la tournure des événements, la reine d'Angleterre mit un terme aux travaux. La conclusion fut que ni la reine d'Écosse ni le comte de Moray n'étaient fautifs dans cette histoire. La question n'ayant pu être tranchée, Marie Stuart ne fut pas autorisée à être libérée.

ꕥ

À la fin du mois de janvier 1569, soit huit mois après son entrée en sol anglais, Marie Stuart fut officiellement déclarée prisonnière « pour son bien » par les autorités de Londres. Un long calvaire s'amorça dès lors pour la souveraine. En plein froid hivernal, la reine d'Angleterre fit transférer sa cousine plus au sud du royaume. Démoralisée, fatiguée et irritée par les agissements d'Élisabeth Ire, la fille des Stuart perdit confiance envers cette femme. Pour la première fois depuis le début de cette mauvaise aventure, elle regretta d'avoir foulé le sol anglais. Elle s'en voulait d'avoir eu la naïveté de croire que la reine d'Angleterre lui aurait porté secours. La seule chose qu'elle lui avait procurée était une perte de temps précieux. L'Écossaise était en colère contre elle-même. *J'aurais dû trouver refuge auprès des de Guise,* se répéta-t-elle constamment. La puissante famille de sa mère lui aurait été d'une bien meilleure aide. Pourquoi avait-elle eu la mauvaise idée de se jeter dans la gueule du loup ?

Assise dans l'un des fauteuils inconfortables du château de Tutbury, la reine d'Écosse convoqua ses quatre dames de compagnie. Quelques minuscules flocons tombèrent du ciel et se déposèrent sur un tapis blanc qui entourait déjà la résidence. Installées près d'un foyer allumé, les femmes écoutèrent leur maîtresse qui caressait un petit chien. Cet animal, l'une des rares permissions qu'Élisabeth Ire accorda à sa cousine, égayait les longues et tristes journées de Marie Stuart.

« Mes filles, je vous réunis afin de vous exposer la situation dans laquelle nous nous trouvons, dit la souveraine en guise d'ouverture.

« Depuis maintenant huit mois, j'essaie de convaincre ma cousine de me prêter son secours. Malheureusement, je crains de m'être trompée sur la bonne volonté de la reine d'Angleterre.

« Nous avons été transférées de Workington à Cockermouth, puis de Carlisle au château de Bolton.

« Nous voilà actuellement ici, et Dieu sait combien de lieux nous visiterons encore, ajouta-t-elle, désespérée, en haussant les épaules.

« Il faut nous rendre à l'évidence : ma cousine ne m'aidera point. Cette bâtarde s'est rangée du côté de mon traître de demi-frère. Il est plus que clair qu'elle compte me détruire. C'est pour cette raison que j'ai changé mes plans immédiats et futurs », déclara l'Écossaise en fixant les yeux de ses favorites.

Elle leur exposa la situation qui se tramait dans le royaume d'Écosse. D'un côté, ses partisans, les seigneurs qui lui étaient demeurés fidèles et le parti pro-catholique. De l'autre, les rebelles, la position du comte de Moray et les protestants de John Knox.

« On m'a informée que le duc de Norfolk souhaiterait se joindre à moi.

« Si cela s'avère vrai, son intervention pourrait m'être utile, affirma la souveraine en souriant.

« Ce gentilhomme et ses proches pourraient me soutenir, ici, en Angleterre, alors que les lords qui sont en ma faveur, eux, prépareraient mon retour en Écosse, dit-elle en regardant Mary Seton.

« À l'extérieur de nos frontières, les rois de France et d'Espagne reconnaîtraient mon rang, ce qui légitimerait mon action, ajouta-t-elle en se leva d'un bon.

« Oui, voilà la situation ! »

Les dames de compagnie éclatèrent de rire en se frappant la paume des mains. Elles étaient heureuses de voir leur maîtresse reprendre espoir. Après tant d'échecs, la reine d'Écosse voulait combattre le feu par le feu. L'idée était tout élaborée ; il ne lui restait plus qu'à communiquer avec ses alliés, sans attirer l'attention d'Élisabeth Ire. Comment faire, alors qu'elle était épiée du matin au soir par la sévère épouse du propriétaire du château ?

La comtesse de Shrewsbury détestait les Écossais et en particulier leur souveraine. Mandatée par les autorités anglaises pour surveiller les faits et gestes de la fille de Jacques V, elle se faisait un malin plaisir de lui nuire. Cette femme détestable détruisait les lettres destinées à la reine, l'empêchait de recevoir de la visite, lui refusait très souvent la présence d'un prêtre catholique, l'enfermait à l'intérieur du bâtiment et, à de nombreuses occasions, repoussait ses demandes.

Il était difficile, voire impossible pour la souveraine, d'échanger avec le monde extérieur. Seul l'ambassadeur de France à Londres réussissait à recevoir – à l'occasion – des nouvelles d'elle. Dès qu'il obtenait de l'information, il la communiquait à la Cour royale de France. Le duc de Norfolk tenta en vain d'avoir une audience auprès de Marie Stuart. Toutes ses demandes furent rejetées par le secrétaire de la reine d'Angleterre. Le statut de prisonnière de la reine d'Écosse n'était point conforme aux règles de Londres. Selon les lois du Parlement anglais, une personne était considérée comme prisonnière si un tribunal reconnaissait l'inculpé d'un acte fautif. Dans le cas de la fille des Stuart, elle n'avait pas été formellement accusée du meurtre de Lord Darnley. Les seuls reproches qui lui étaient adressés ne reposaient que sur des témoignages douteux et des documents plus que discutables. Indéniablement, la situation injuste de Marie Stuart ne relevait que de l'entêtement de sa rivale. Vue comme une véritable bombe pour la fille d'Henri VIII, la reine d'Écosse ne devait pas retrouver sa liberté.

Au printemps 1569, constatant que la catholique jouissait d'une vague de sympathie un peu partout sur le territoire anglais, Élisabeth Ire convoqua ses plus proches conseillers. Dans le même temps, une agitation provoquée par les protestants en France se termina mortellement pour plusieurs d'entre eux, ce qui renforçait l'inquiétude de Londres. La reine d'Angleterre craignait plus que jamais un soulèvement populaire afin de libérer Marie Stuart. Ce n'était pas tant pour l'Écossaise elle-même que le peuple commençait à manifester son mécontentement, mais davantage pour protester contre les politiques anti-espagnoles. Frustrés de voir le commerce anglais amputé d'une grande partie de ses revenus, les sujets de la souveraine réclamaient ouvertement des changements. Pour sauver son trône, la souveraine d'Angleterre envisagea même de négocier avec sa cousine. Comme celle-ci était devenue trop gênante pour elle, la Tudor considérait que sa prisonnière devait retourner dans son royaume. Élisabeth Ire ordonna à son secrétaire particulier d'entreprendre des pourparlers avec Marie Stuart.

À la mi-avril, un messager déposa un parchemin au château de Tutbury. Comme à l'habitude, il fut ouvert et lu par la comtesse de Shrewsbury. Elle le remit à la dame de compagnie principale de sa prisonnière, qui le donna à la reine d'Écosse. Habilement écrit, le document stipulait que dans sa grande générosité, Élisabeth Ire souhaitait entamer des discussions avec elle pour sa libération éventuelle.

« Mary ! Mary ! » s'écria la fille des Stuart.

À l'appel de son prénom, la favorite accourut vers les appartements de sa maîtresse. Essoufflée, elle franchit les portes de la chambre de l'Écossaise.

« Madame, que se passe-t-il ? » demanda-t-elle à bout de souffle.

« Ma chère, je crois que Dieu a répondu à mes prières, répondit-elle en remerciant le ciel.

« Voyez ce que je tiens à la main ?

« Il s'agit de la clé de ma libération », ajouta-t-elle en riant aux éclats.

« Je ne comprends pas, ma reine », répliqua Mary Seton.

« Ma cousine envisage de me libérer prochainement. La reine d'Angleterre a mandaté son secrétaire pour négocier une entente avec moi. »

« Votre Majesté, c'est la plus belle nouvelle des derniers mois. »

Pendant plus de trois semaines, les deux parties amorcèrent des échanges par messagers. L'entente proposée énonçait clairement que Marie Stuart devait refuser toute prétention à la Couronne anglaise du vivant de sa cousine Élisabeth Ire. Par contre, si cette dernière mourait sans héritier légitime, la fille de Jacques V pourrait s'emparer du trône des Tudor. Le document précisait aussi qu'un pacte d'amitié, l'équivalent d'une ligue offensive et défensive formelle, devait subsister entre les deux royaumes. À son retour en terre écossaise, la souveraine devait pardonner aux seigneurs qui l'avaient trahie, mais pouvait réclamer la totalité de ses biens volés. Afin de démontrer sa bonne foi, Marie Stuart ajouta deux autres points importants à l'entente. Elle exigeait un divorce immédiat d'avec son dernier époux, le comte de Bothwell, et un sévère châtiment pour les assassins de son deuxième mari, Lord Darnley. De son côté, Élisabeth Ire demanda à la reine d'Écosse de promettre – sur papier – que les droits des protestants soient respectés dans son royaume. Elle réclama également que le roi de France n'intervienne pas dans les relations anglo-écossaises et qu'il n'ait aucun droit sur les affaires politiques d'Édimbourg.

Le 14 mai, la souveraine s'isola tout l'avant-midi pour réfléchir à l'accord écrit négocié entre la reine d'Angleterre et elle. Avant d'accepter officiellement cette entente, elle voulait s'assurer de ne pas commettre d'erreur irréparable. Elle avait fait beaucoup trop de mauvais choix au cours de cette dernière année et espérait mettre un terme à cette vie de prisonnière. Elle se retira dans la chapelle du château de Tutbury afin de prier. Alors que le soleil éclairait le domaine, Marie Stuart réclama la présence de Mary Seton. La favorite se précipita dans les jardins, comme l'exigeait sa maîtresse.

« Madame ! » dit la dame de compagnie en soulevant le bas de sa robe en signe de révérence.

« Ma chère amie, j'ai besoin de vos précieux conseils », dit la souveraine en souriant.

Elle lui présenta l'entente écrite et lui demanda de la lire attentivement. La favorite prit entre ses mains le papier et lut distinctement chaque phrase. Elle releva la tête et attendit la question de Marie Stuart.

« À la lecture de cet accord entre ma cousine et moi, croyez-vous que je devrais l'accepter ? »

Mary Seton fixa à nouveau le papier et réfléchit aux conséquences de sa réponse.

« Votre Majesté, si la reine d'Écosse retourne la tête haute dans son royaume, elle sera sans aucun doute la gagnante de cette entente officielle », se risqua-t-elle d'affirmer.

La souveraine regarda les yeux de sa favorite pendant un instant et lui fit un sourire du coin de la bouche.

« Votre réponse rejoint entièrement la mienne », déclara-t-elle.

Le lendemain, très tôt, Marie Stuart signa l'entente officielle entre Élisabeth Ire et elle. Par ce geste, elle acquiesça à chacun des éléments de l'accord royal. Satisfaite, la reine d'Écosse réveilla ses dames de compagnie et leur annonça la bonne nouvelle.

« Mes filles, nous retournerons en Écosse sous peu, s'écria-t-elle avec une voix remplie de joie.

« Tout redeviendra comme avant... », ajouta-t-elle avec une certitude inébranlable.

CHAPITRE X
Repartir à zéro

Édimbourg, 1568

L'ÉTÉ 1568 commençait à peine qu'il s'annonçait déjà très chaud. La verdure luxuriante couvrait une fois de plus les terres, et des volées d'oiseaux se faisaient entendre dans tous les coins du royaume.

Cependant, derrière toute cette beauté se cachait une terrible réalité : la fuite précipitée de Marie Stuart en Angleterre, la régence de son demi-frère – le comte de Moray – et l'apogée de John Knox et de ses fidèles protestants. Les tensions entre catholiques et presbytériens étaient à leur paroxysme. L'Écosse avait de loin connu de biens meilleurs jours sous le règne de Marie.

Lorsqu'elle retourna à Édimbourg, Charlotte Gray trouva domicile chez un petit aubergiste, à l'entrée de la ville. Désemparée et craignant pour sa vie, elle avait décidé de s'y terrer pendant un moment, juste pour voir évoluer les événements.

Assise sur le bord de son lit étroit, la jeune Anglaise examina les quelques pièces d'argent et d'or qu'elle avait réussi à garder sur elle durant ce périple rocambolesque. Et son avoir était bien maigre. Elle en avait tout juste pour payer sa pension et pour manger pendant quelques semaines. Mais si elle y ajoutait les bijoux qu'elle portait en quittant le palais de Holyroohouse avec la reine pour aller au château de Cadzow, la somme devenait plus intéressante.

L'inventaire comprenait un collier de perles blanches avec boucles d'oreilles assorties, deux bagues en or serties de pierres d'émeraude et de rubis, une petite broche en argent en forme de papillon ainsi que l'épinglette offerte par la souveraine. *Si je réussis à vendre mes bijoux, je pourrai certainement subvenir à mes besoins pendant plusieurs mois*, se rassura-t-elle.

Une semaine après son retour à Édimbourg, Charlotte se résigna à vendre ses bijoux. C'est donc avec une profonde tristesse qu'elle se rendit chez le bijoutier qui lui avait été suggéré par le propriétaire de l'auberge où elle logeait. L'endroit était reconnu pour receler les objets les plus exquis du royaume.

« Ah ! Bonne journée à vous, Mademoiselle ! dit poliment le vieil homme alors que Charlotte avait à peine mis les pieds dans sa boutique. Comment puis-je vous être utile aujourd'hui ? »

« Mon cher... Mon mari semble croire que je possède trop de bijoux ! Comme si cela pouvait être possible pour une femme ! Peu importe... Pour le moment, je dois me départir de quelques-unes de mes possessions. J'aimerais que vous me disiez combien vous seriez prêt à m'offrir... » mentit l'Anglaise.

Charlotte prit son petit sac en tissu dans lequel elle gardait précieusement ses trésors et les déposa délicatement sur le comptoir devant le marchand. L'homme les examina avec son œil de connaisseur et conclut qu'il pourrait lui offrir trois mille livres pour le lot.

La somme était considérable. C'était en fait bien plus que ce qu'elle avait anticipé. Mais, avec quelques livres supplémentaires, elle pourrait facilement payer la rente d'un petit cottage en campagne et y vivre en paix pendant un bon moment.

Alors, utilisant tous ses charmes, elle réussit à faire monter les enchères à cinq mille livres. Elle-même fut surprise de la facilité avec laquelle elle put convaincre l'homme. Néanmoins, c'était exactement ce dont elle avait besoin.

Satisfaite de la tournure des événements, elle donna ses bijoux en échange de la somme offerte. Son seul vrai regret était sans contredit de se départir du présent de la reine. Mais elle n'avait pas d'autre choix. Elle devait absolument quitter la capitale pendant un certain temps si elle voulait rester en vie.

Le marchand s'excusa un instant et disparut dans l'arrière-boutique. Après ce que Charlotte crut être une éternité, il revint enfin avec une boîte en bois remplie de pièces d'or.

À présent, elle *devait* retourner à l'auberge. Ce n'était pas le moment de s'éterniser dans les rues avec une telle somme en sa possession. Elle devait se mettre en sécurité. Et sa petite chambre ferait l'affaire pour l'instant, car elle n'avait aucune autre solution, et ce, même si la femme de chambre y était plutôt fouineuse. Mais la situation ne serait que très temporaire.

Remarquant la détresse de sa cliente, le vieil homme offrit les services de son fils cadet, qui l'escorterait à son logis. L'offre était des plus appréciées car, avec une masse pareille à transporter, elle n'irait pas bien loin toute seule. Le jeune homme l'aida à monter à bord de sa carriole et mit le coffre sur le siège, à côté d'elle.

En route, Charlotte pensa à Marie Stuart. Était-elle arrivée saine et sauve en Angleterre ? Était-elle maintenant hors de danger ? Est-ce que sa cousine, la reine Élisabeth Ire, lui apporterait l'aide nécessaire ?

Toutefois, il n'y avait aucun moyen d'obtenir des détails sur la situation. Peut-être viendrait-elle à entendre quelque chose à ce sujet dans les rues.

La jeune Anglaise avait parcouru un long chemin depuis qu'elle avait mis les pieds en Écosse pour la première fois, il y a huit ans. Et avec une rare détermination et beaucoup de manipulation, elle avait réussi à atteindre son but : être une des femmes les plus respectées du royaume. Elle n'oublierait jamais ses années glorieuses au service de la reine d'Écosse.

Le cheval s'immobilisa enfin devant la petite auberge où logeait temporairement Charlotte, et le jeune homme porta le coffre à l'intérieur.

L'Anglaise s'apprêtait à traverser la rue quand un mendiant s'approcha d'elle. Il l'examina bêtement pendant un instant, puis il lui adressa la parole.

« Vous... Je vous connais ! Vous travaillez pour la catholique », cria l'étranger visiblement ivre.

Charlotte était certaine qu'elle allait vomir. L'horrible odeur de pourriture qui venait de la bouche de cet homme lui montait au nez. Prise de panique, elle regarda nerveusement autour d'elle pour voir si d'autres avaient entendu la remarque de ce vieux fou.

« Je peux vous assurer, Monsieur, que vous vous méprenez sur moi, car je ne suis ici que pour prendre soin d'une cousine malade », mentit-elle maladroitement.

« Voyez-vous cela ! Et pourtant, je pourrais jurer vous avoir déjà vue au palais... »

« Je n'y ai jamais mis les pieds ! »

Elle s'excusa poliment, traversa la rue à la hâte et entra dans l'auberge sans se retourner. Le fils du bijoutier l'attendait dans le lobby. Il avait déjà monté le coffre à sa chambre. Elle le remercia mille fois, se précipita à l'étage supérieur et verrouilla la porte de sa chambre derrière elle. Enfin seule, elle tira son trésor jusqu'au pied du lit et s'assit sur une chaise, ne sachant trop que faire.

Par chance, l'incident survenu dans la rue était sans conséquence pour le moment. Mais si un pauvre homme comme ce mendiant pouvait la reconnaître aussi facilement, il n'était pas faux de penser que John Knox – ou même Moray – puisse la trouver. Tous les deux voudraient probablement la voir morte.

Et avec cinq mille livres en sa possession, cette petite auberge était certainement le pire endroit où se trouver. Alors Charlotte resta enfermée dans sa chambre autant que possible, ne mettant le nez dehors que lorsque cela était nécessaire.

Une semaine plus tard, comme elle l'avait souhaité, elle se trouva une charmante chaumière à deux étages à parois en clayonnage recouvert de torchis, au nord d'Édimbourg. Cette maison était dotée d'une grande cuisine avec un immense garde-manger et d'un séjour convenable. La chambre à l'étage était invitante et assez spacieuse pour aménager, près de la fenêtre, un espace pour y faire de la broderie. Les vues étaient simplement sublimes dans la maison.

Construite non loin de la côte, on pouvait admirer sans problème le Firth of Forth et quelques jardins – qui étaient remplis de roses rouges qu'aimait tant Charlotte. Il y avait même une petite grange sur la propriété, à quelques pas seulement de la résidence principale.

Elle adorait vraiment la tranquillité de l'endroit. Le propriétaire et sa femme ne vivaient pas très loin de sa propriété, ce qui pouvait être utile en cas de besoin. Et elle pouvait se rendre à la capitale en moins d'une demi-journée. C'était parfait.

Cependant, cette quiétude d'esprit avait un prix. Elle aurait à débourser presque mille livres par année pour louer et entretenir le cottage. Elle aurait à faire attention à ses dépenses, car elle devait se nourrir, se payer quelques tenues décentes, et pensait même à s'acheter un cheval pour ses déplacements. Elle serait néanmoins en mesure de subvenir à ses besoins sans avoir à s'inquiéter pour les années à venir.

CHAPITRE XI
Un long purgatoire

Château de Sheffield, 1569-1584

L'ESPOIR, perdu depuis sa fuite en mai 1568, renaissait dans le cœur de la reine d'Écosse. L'entente officielle en vue de sa libération, signée entre sa cousine royale et elle, lui permettait de ressentir à nouveau ce sentiment. Détruite par les multiples échecs, Marie Stuart voyait enfin la lumière au bout du long tunnel. La joie de vivre s'était envahie de l'entourage de la souveraine. Ses favorites passèrent leurs journées à chanter et à danser. Le printemps laissait lentement place à l'été et les arbres se revêtaient de leurs plus beaux atours. La chaleur du soleil se répandit graduellement sur le domaine du château de Tutbury.

Un émissaire de la reine d'Angleterre se présenta aux portes de la résidence de Marie Stuart au cours de la première semaine du mois de juin. Il apportait avec lui la permission royale de libérer bientôt la prisonnière. Dans ce message, on annonçait le retour de la fille de Jacques V, prévu pour le 1er juillet 1569. La reine d'Écosse était impatiente de revoir son fils, à peine âgé de deux ans, et de le serrer contre elle. Elle envisageait l'avenir avec optimiste. Plus jamais un homme ne lui dicterait sa conduite et ne l'empêcherait d'exercer ses prérogatives royales.

Alors que la nuit venait de tomber lors d'un soir d'été, Marie Stuart plongea dans un horrible cauchemar. Dans son songe, elle se voyait vêtue de rouge s'avançant vers un billot d'exécution. Son bourreau, habillé de noir, se tenait près d'elle, une hache tranchante à la main. Au cœur de son sommeil, elle lâcha un cri de frayeur qui fit sursauter ses dames de compagnie. Couchée dans la pièce voisine, Mary Seton accourut au lit de sa maîtresse. Elle réveilla en douceur la souveraine endormie.

« Madame, réveillez-vous, je vous en prie », chuchota la favorite.

Marie Stuart ouvrit les yeux lentement et chercha du regard d'où provenait cette voix féminine. Elle reconnut sa dame de compagnie principale, assise sur le bord du lit.

« Mary, je voyais ma tête tranchée sous l'arme d'un homme », expliqua-t-elle, les mots se bousculant au sortir de sa bouche.

« Votre Majesté, il s'agissait d'un affreux cauchemar, répondit sa favorite pour la rassurer.

« Soyez sans crainte, rien de cela n'arrivera. D'ici quelques jours, vous serez à nouveau au palais de Holyroodhouse », ajouta-t-elle en lui caressant les cheveux.

Informé de l'entente par ses espions à Londres, le comte de Moray éclata de colère. *Il ne faut pas que cette femme revienne en Écosse,* se répétait-il. Vu l'acharnement qu'il avait mis à l'anéantir depuis ces années, il avait toutes les raisons du monde de craindre les représailles de sa demi-sœur. Il l'avait chassée du palais royal, l'avait capturée et enfermée dans un château isolé. Le régent lui avait enlevé son fils unique, le prince héritier. Il avait obligé la reine d'Écosse à abdiquer sa couronne en faveur de l'enfant en lui faisant signer un décret royal. Les partisans de Jacques Stuart se faisaient un devoir d'éliminer les catholiques et de détruire les temples restés fidèles au Saint-Père. Le retour possible de Marie Stuart signifiait à coup sûr l'arrêt de mort pour les traîtres de la souveraine. Certes, l'accord ne stipulait aucune revanche concernant les rebelles, mais le comte savait fort bien qu'une fois libre la fille de Jacques V pourrait rejeter du revers de la main sa promesse faite à la reine d'Angleterre.

Le 26 juillet, les seigneurs – en particulier ceux qui étaient contre la catholique – se réunirent en assemblée nationale. Tous les chefs de clans des quatre coins du royaume d'Écosse se rendirent auprès du régent. Usant d'arguments convaincants, le comte de Moray essaya de les effrayer sur le possible retour de sa demi-sœur. Il leur fit croire qu'elle ferait exiler ses adversaires ou, pire, qu'elle les ferait tuer. Fort de son exposé, Jacques Stuart obtint d'eux un vote à très forte majorité. Les suzerains rejetèrent formellement la totalité des points de l'entente entre la reine d'Angleterre et la reine d'Écosse. Satisfait du résultat, le régent envoya un messager auprès du secrétaire d'Élisabeth Ire pour lui annoncer la décision des hautes instances écossaises.

À la fin de juillet, alors que Marie Stuart jubilait à l'idée d'être enfin libre, une mauvaise nouvelle lui parvint au château de Tutbury. Un individu, richement vêtu, demanda une audience à la reine d'Écosse. Mary Seton informa sa maîtresse de la présence de ce dernier.

« Votre Majesté, un envoyé de Sir Francis Walsingham souhaite s'entretenir avec vous »

Convaincue que le gentilhomme lui annoncerait la date de son départ pour l'Écosse, la souveraine se hâta de rencontrer l'Anglais. Elle marcha rapidement jusqu'au grand salon. Cette pièce, la plus magnifique de toutes, était idéale pour entendre une si bonne nouvelle. Elle ouvrit la porte avec empressement et s'avança près de l'homme.

« Madame, je suis envoyé auprès de vous pour vous annoncer une décision de Sa Majesté la reine d'Angleterre », déclara-t-il en courbant légèrement le dos.

« Faites, mon brave ! » lui répliqua Marie Stuart, les yeux scintillants.

« À la suite d'un vote quasi majoritaire de l'Assemblée nationale du royaume d'Écosse contre l'entente royale entre la reine d'Angleterre et vous, j'ai le regret de vous annoncer formellement que le Parlement anglais – sur consentement de la souveraine – annule officiellement ce traité », l'informa l'émissaire de Londres.

Les paroles de l'étranger lui transpercèrent le cœur. Jamais la fille de Jacques V n'avait entendu de mots si lourds de conséquences. Anéantie, Marie Stuart sentit ses jambes flancher. Puis elle tomba à genoux sur le plancher du grand salon. Son visage devint pâle et sa gorge se noua. Aucun son ne sortit de sa bouche et aucune larme ne coula. La souveraine plongea dans un monde où le temps s'arrêta. Elle ne voyait plus l'homme debout devant elle. Elle n'entendit pas sa favorite qui s'adressait à elle. Non, la reine d'Écosse n'avait vraiment pas envisagé un tel revirement de situation. Pour protéger l'intimité de sa maîtresse, Mary Seton dirigea l'Anglais vers la sortie. En se retournant, elle constata la disparition de l'Écossaise. Écrasée par sa tristesse, Marie Stuart courut dans les couloirs de la résidence. Elle prit en toute hâte la direction des jardins extérieurs. Elle retenait de la main gauche le bas de sa robe et déposa l'autre sur sa bouche afin d'étouffer ses cris. La souveraine emprunta un chemin en coup de vent sans regarder où elle allait. Arrivée au pied d'un immense chêne, elle se jeta sur le sol humide. Retenues depuis un bon moment, les larmes s'échappèrent de ses yeux. Un ruisseau s'écoula le long des joues roses de la fille des Stuart.

« Pourquoi ? s'écria-t-elle en colère.

« Seigneur, je suis une fidèle de votre Père. Pourquoi m'abandonnez-vous ainsi ? »

En proie à la douleur qui la terrassait, elle poussa un cri de désespoir. Le ciel, nuageux depuis la matinée, prit part à cette scène tragique. Une pluie s'abattit sur les lieux et un vent impétueux souffla sur le domaine. Dans sa bulle, Marie Stuart ne remarqua pas l'orage qui se préparait.

Inquiète de la disparition de sa maîtresse, Mary Seton partit à sa recherche. Elle parcourut les nombreux parterres fleuris du terrain. Trempée de la tête aux pieds, elle aperçut au loin, sous un arbre, la reine d'Écosse. Elle accéléra le pas afin de la rejoindre. La suivante s'approcha de la souveraine, lui tendit la main et lui sourit.

« Vous ne comprenez pas ! » s'exclama Marie Stuart.

« Madame, il est vrai que je n'ai pas votre charge sur mes épaules…, répliqua la favorite sous le ciel mouvementé, mais j'ai promis de vous servir, peu importe ce qui se dresserait sur mon chemin, ajouta-t-elle.

« Vous devez vous ressaisir, vous êtes la reine d'Écosse, la descendante d'une lignée de rois. C'est dans l'adversité qu'on reconnaît les grands souverains », dit-elle en fixa des yeux l'Écossaise.

Alimentée par les paroles sensées de sa protégée, Marie Stuart se releva et lui frotta doucement le visage.

« Vous avez raison, ma chère amie, affirma la prisonnière. Vous me rappeler ma petite Charlotte Gray. »

« C'est un honneur que vous me faites, Madame. Charlotte était un modèle de détermination et de fidélité envers la couronne de vos ancêtres. »

Attirant la souveraine vers l'intérieur du château de Tutbury, la favorite craignait pour la suite des événements. Elle avait réussi à convaincre Marie Stuart de revenir à la raison, mais de manière temporaire seulement. La reine d'Écosse n'allait pas demeurer immobile face à la destruction de son destin.

En soirée, la fille de Jacques V se plaignit de maux de tête et de frissons. Sa gorge s'assécha et ses yeux devinrent rougeâtres. Couchée dans son lit, elle grelottait malgré l'épaisseur des couvertures qui recouvraient son corps. Plus la nuit avançait, plus elle se plaignait de douleurs. Mary Seton se doutait bien de l'origine de l'état de santé de sa maîtresse. Son escapade en fin d'après-midi l'avait jetée sous la pluie battante. Trempée jusqu'aux os, la souveraine ne pouvait pas échapper aux conséquences. Toutes les dames de compagnie s'occupèrent de leur maîtresse. L'une lui épongea le front, une autre lui apporta des remèdes chauds, la plus jeune vérifia constamment la température de la souffrante et l'aînée réclama un médecin.

« Madame la comtesse, j'exige l'aide d'un médecin sur-le-champ », ordonna Mary Seton à l'épouse du châtelain.

« Ma chère Mary, je ferai venir un médecin lorsque je considérerai qu'une telle présence est essentielle », répliqua sèchement la femme.

« Vous devrez répondre de vos actes devant votre maîtresse si une situation fâcheuse arrivait à la reine d'Écosse, sa cousine », fulmina la favorite.

Inquiète de devoir affronter Élisabeth Ire si la prisonnière devait y laisser la vie, la comtesse de Shrewsbury fit venir le médecin du village. Ce dernier, un vieil homme qui ne voyait que d'un œil, se présenta au chevet de la malade. Marie Stuart avait le visage pâle, était en sueur, et avait les yeux aqueux. Elle gémissait à voix basse et crachait un peu de sang.

« Apportez-moi de l'eau tiède », réclama-t-il.

Aussitôt dit, aussitôt fait. L'homme lui fit une saignée sur l'avant-bras droit. Il espérait activer la circulation sanguine afin de faire bouger les globules. Malgré cette tentative, la santé de la reine ne semblait pas se stabiliser. Le médecin prescrit des médicaments-chocs à sa patiente.

« Vous devez lui faire avaler ce sirop trois fois par jour », ordonna-t-il à Mary Seton.

La dame de compagnie principale réunit les autres servantes dans une pièce adjacente.

« Mes chères amies, nous devons protéger notre maîtresse. Cette nuit, nous ferons le guet à tour de rôle, suggéra-t-elle en les regardant l'une après l'autre.

« Allez vous coucher, je serai de garde la première...

« Par la suite, nous irons pas ordre d'ancienneté, ajouta-t-elle.

« Cela vous convient-il ? »

Les autres favorites acceptèrent cette proposition sans hésitation. Elles prirent congé et se dirigèrent vers leurs chambres respectives. Mary Seton se tint droite dans un fauteuil inconfortable, près du lit de sa maîtresse. Alors que la pièce était presque plongée dans la pénombre – seule luisait une petite chandelle –, la suivante examina Marie Stuart. Cette femme représentait ce qu'il y avait de plus fort et de plus faible en même temps. Souvent trahie par ceux en qui elle avait mis sa confiance, la reine d'Écosse y avait perdu sa stabilité. Mary était au service de la fille des Stuart depuis de nombreuses années. Elle avait suivi la jeune souveraine en France alors qu'elle était encore une enfant. Elle fut aux côtés de Marie Stuart lorsque celle-ci affronta les protestants de John Knox. Elle fut également là lorsque l'Écossaise se lia à Lord Darnley puis au comte de Bothwell par les liens du mariage. Elles avaient vécu tant d'épreuves ensemble. Certes, Charlotte Gray avait été la dame de compagnie principale des dernières années, mais Mary Seton ne fut jamais bien loin de sa maîtresse. Elle n'avait jamais pensé à sa personne. Non, elle avait consacré sa vie jusqu'ici à la reine d'Écosse. La favorite n'allait pas abandonner ses responsabilités face à la Couronne écossaise. Sur cette réflexion, elle s'adonna à son activité préférée, la lecture.

Le lendemain matin, alors qu'une brume tombait sur le domaine du château de Tutbury, la reine d'Écosse était au plus mal. Une fièvre brûlante secoua le corps de la malade. Entourée de ses quatre dames de compagnie, Marie Stuart était presque coupée du monde des humains. Si la plus jeune des favorites n'avait pas approché la paume de sa main vers le visage de la souveraine, elles auraient toutes cru que leur reine avait rendu l'âme.

« Mary Seton, vous devez agir, sinon la santé de Sa Majesté dépérira davantage », chuchota l'une d'elles.

« Maudits Anglais, je les déteste tant ! » s'exclama la dame de compagnie principale en levant les bras.

Mary Seton se dirigea vers les appartements de la comtesse de Shrewsbury. Rouge de colère, elle s'avança jusqu'à se trouver très près du visage de la châtelaine.

« Comtesse, j'exige un entretien avec votre époux. »

Faisant semblant de ne pas l'entendre, l'hôtesse poursuivit ses occupations.

« S'il arrivait malheur à la reine d'Écosse, les dames de compagnie vous tiendraient pour responsable devant la reine d'Angleterre, précisa-t-elle sur un ton provocateur.

« Croyez-vous que votre souveraine se laissera accuser par ses adversaires du décès de sa cousine ? Non ! Vous le savez très bien ! Qui selon vous périra sur l'échafaud ? »

La comtesse de Shrewsbury devint toute pâle et se retourna vers la favorite de la reine d'Écosse.

« Lorsque le comte reviendra au château, je lui dirai que vous souhaitez le rencontrer, dit-elle sur un ton de désapprobation. Cela vous convient-il maintenant ? » ajouta-t-elle.

« Bien ! » lança Mary Seton en quittant la pièce.

À l'heure du repas, le comte lui accorda une entrevue. Aimable comme à son habitude, il écouta chaque mot de son interlocutrice.

« Votre Grâce, la reine d'Écosse est souffrante. Je crains pour sa vie. Elle gît presque inerte dans son lit. »

« Avez-vous fait venir un médecin ? »

« Bien sûr ! Mais les remèdes semblent ne pas donner les effets escomptés », ajouta-t-elle.

« Qu'attendez-vous de moi ? » demanda le noble.

« Premièrement, je crois que la reine d'Angleterre doit être informée le plus tôt possible de l'état de santé de ma maîtresse. Elle est sa cousine, après tout.

« Deuxièmement, l'ambassadeur de France devrait être autorisé à venir s'assurer de l'état de santé de la reine d'Écosse. »

L'homme, soucieux de son rôle de gardien de la prisonnière, se frotta le front. Son cœur lui disait d'écouter Mary Seton, mais sa tête lui interdisait de le faire. Il était un sujet de la Tudor, et non pas de la Stuart.

« Bien ! J'informerai le secrétaire de Sa Majesté de la situation délicate de la cousine de la reine. Mais je ne peux autoriser l'ambassadeur de France à approcher Marie Stuart », trancha-t-il.

« Comme vous le voudrez ! » répondit la favorite en lui souriant du coin de la bouche.

Un messager se rendit à Londres pour transmettre les dernières nouvelles sur la prisonnière. Élisabeth Ire, aussitôt renseignée, réclama une rencontre avec ses conseillers. Elle leur présenta le dilemme qui se dressait devant elle. Intervenir pour sauver Marie Stuart ou la laisser mourir ? Celle-ci était dangereuse pour le trône de la fille des Tudor, et sa disparition représenterait la délivrance pour la reine d'Angleterre. Mais si elle venait à mourir, les partisans de la Stuart, les catholiques, le pape, le roi de France et le roi d'Espagne l'accuseraient de son meurtre. La souveraine ne pouvait pas se permettre d'être l'ennemie de l'Europe, surtout pas en cette période trouble. Pour l'instant, il était plus prudent de garder la reine d'Écosse bien vivante. Elle ordonna à son secrétaire d'envoyer les meilleurs médecins de la cour au chevet de sa cousine.

Le jour suivant, deux hommes se présentèrent au château de Tutbury. Mandatés par Élisabeth Ire de guérir la reine d'Écosse, ils passèrent la matinée à pratiquer des saignements sur la patiente. Toujours dans un état critique, Marie Stuart demeurait quasi inerte sur son lit.

« Je crois que Madame a cessé de combattre », affirma la plus jeune des favorites à Mary Seton.

« Je sais ! Je le crains également », rétorqua la dame de compagnie.

Pendant ce temps, le bruit courait dans les rues de Londres que la reine catholique était entre la vie et la mort. Informé par un ami, le duc de Norfolk réclama une audience à la reine d'Angleterre, demande qui lui fut d'emblée refusée par le secrétaire de la souveraine. Thomas Howard, l'un des seigneurs les plus riches et les plus puissants du royaume, avait des ambitions politiques. Il connaissait bien le pouvoir de Marie Stuart sur la Couronne anglaise. Le duc savait que la fille de Jacques V comptait plusieurs fidèles tant en Écosse qu'en Angleterre. Pour arriver à ses fins, l'Anglais envisageait la solution ultime : s'unir à Marie Stuart devant Dieu et les hommes. L'idée lui avait été soufflée par un groupe de lords écossais quelque temps auparavant. Selon lui, la souveraine ne pourrait refuser l'offre, surtout pas dans la situation où elle se trouvait. Mais pour l'instant, l'important était de s'assurer que l'Écossaise se remette de cette fâcheuse maladie. Le duc décida de rencontrer l'ambassadeur de France afin de lui faire part de son empathie pour Marie Stuart. Si lui, le seigneur de Norfolk, ne pouvait voir en personne la prisonnière, peut-être que l'émissaire du roi de France le pouvait, lui.

Le 5 août 1569, la reine d'Angleterre autorisa l'ambassadeur de France à se rendre au château de Tutbury. Évidemment, la rencontre devrait se dérouler non seulement sous les yeux du comte et de la comtesse de Shrewsbury, mais également sous ceux de l'archevêque de Canterbury, homme de confiance d'Élisabeth Ire. Le diplomate français se présenta à la résidence anglaise en début de soirée. Il fut accueilli par le châtelain et sa femme. Avant de voir la souveraine, il rencontra en privé la dame de compagnie principale. Tous deux assis dans l'antichambre, ils discutèrent de la situation de la reine d'Écosse.

« Excellence, vous devez comprendre que Sa Majesté est grièvement malade », expliqua Mary Seton en début de conversation.

« Que voulez-vous dire, ma chère ? »

« Sa santé se détériore rapidement… J'ai la conviction que Madame a cessé de lutter pour sa vie. »

« Précisez ! » demanda l'homme d'un regard interrogateur.

« Lorsqu'elle a appris que l'Écosse avait rejeté l'entente royale, elle a baissé les bras. »

« Je vois… Tout n'est pas terminé tant qu'il y a de l'espoir », affirma l'ambassadeur de France.

« J'en conviens, Excellence, mais dites-moi en quoi Madame peut-elle croire maintenant ? »

« J'ai justement une annonce qui pourrait lui redonner goût à la vie. »

« Vraiment ! ? » laissa échapper la favorite avec un sourire.

Leur conversation s'interrompit lorsque l'une des suivantes informa Mary Seton que la souveraine s'était réveillée. Profitant de l'un des rares moments de lucidité de la reine d'Écosse en cette période d'alitement, la dame de compagnie invita le diplomate à la suivre jusqu'aux appartements de l'Écossaise. L'homme s'approcha de Marie Stuart, se pencha vers son visage et demeura bouche bée. La femme qui se trouvait devant lui était pâle et avait les yeux rouges. Attristé de la voir dans un état si lamentable, il sentit son estomac réagir au chagrin qu'il éprouvait. Comment pouvait-on laisser une souveraine dans une situation si inhumaine ? Élisabeth Ire était une femme cruelle, nul doute selon lui.

« Votre Majesté, je suis l'ambassadeur de France, dit-il en serrant la main droite de la malade.

« Mon maître, le roi Charles IX, m'a demandé de prendre de vos nouvelles.

« Je vois que votre santé est précaire. Sa Majesté le roi vous envoie un médecin de sa cour. Il arrivera demain… Si la reine d'Angleterre l'autorise, il pourra s'occuper de vous, l'informa-t-il.

« J'ai aussi une autre annonce qui vous plaira… j'en suis convaincu.

« Le duc de Norfolk, un gentilhomme élégant, s'inquiète de votre situation. Il m'a demandé de vous dire qu'il aimerait vous demander votre main », chuchota-t-il à l'oreille de Marie Stuart.

À ces paroles, la souveraine referma les yeux. Malgré sa fatigue, elle saisissait l'impact de cette offre. Certes, la reine avait eu son lot de malheurs en ce qui concerne les mariages. Dans son cas, l'union avec un homme ne signifiait guère la joie. Avait-elle d'autres solutions ? Toutes ses tentatives de négociations avec sa cousine avaient échoué jusqu'à maintenant. Devenir l'épouse du puissant duc de Norfolk était là une sortie honorable pour Marie Stuart. Libérée, elle pourrait reconquérir son trône à Édimbourg. La fille des Stuart ouvrit les yeux et fit un signe de tête à l'homme. Ce dernier se rapprocha d'elle, tendit l'oreille et écouta ses paroles.

« Dites à votre roi que je le remercie de ses délicates pensées à mon égard.

« Dites également au duc que je réfléchirai très sérieusement à sa proposition plus qu'intéressante », ajouta-t-elle sur le bout des lèvres.

Étonnée des propos de sa maîtresse, Mary Seton ressentit un soulagement l'envahir. L'intérêt du seigneur anglais envers la reine écossaise était reçu comme un cadeau de Dieu. La favorite, voyant que la souveraine avait refermé les paupières, remercia l'ambassadeur français et l'invita au petit salon.

« Je crois que Madame est heureuse de l'offre du duc de Norfolk », lança-t-elle en refermant la porte derrière elle.

« Je le crois aussi ! » répondit l'émissaire.

« Laissons Sa Majesté se reposer, et lorsqu'elle sera rétablie, je vous tiendrai informé de ses intentions », conclut la dame de compagnie.

Trois jours plus tard, Marie Stuart était entièrement sortie de cette terrible maladie. Les soins des médecins, l'attention de ses favorites et – surtout – l'excellente nouvelle de l'ambassadeur de France avaient réanimé la reine d'Écosse. Elle avait trop bien compris que sa cousine, Élisabeth Ire d'Angleterre, ne lui viendrait pas en aide. Cette Tudor était désormais une ennemie, non seulement pour la foi catholique de la fille de Jacques V, mais également pour les intérêts dynastiques de la Couronne écossaise. La souveraine devait rester vigilante dans ses actions afin de ne pas attirer davantage les foudres des protestants et des fidèles de la reine d'Angleterre. Elle décida de mettre en branle un plan de mariage avec Thomas Howard, au cas où aucune autre solution n'aboutirait. L'union avec le seigneur anglais était un choix alléchant, mais Marie Stuart considérait ce geste seulement comme une dernière tentative de liberté. Elle avait été trop déçue par ses précédents mariages et s'était juré de ne plus accorder sa main à aucun autre homme. C'est pour cette raison qu'elle gardait cet atout dans sa manche. *Il existe sûrement d'autres moyens pour faire entendre raison à cette Tudor,* pensa-t-elle.

À la mi-août, Marie Stuart rencontra un prêtre de la paroisse catholique de l'endroit. L'entretien privé se déroula dans les majestueux jardins du château de Tutbury. Non loin de la reine et de l'homme d'Église, Mary Seton exerçait le crochet avec agilité. Venu pour entendre les confessions hebdomadaires de la prisonnière, le curé écouta ses paroles.

« Mon père, j'ai pêché car j'ai tenté de mettre fin à mon existence, lança la reine d'Écosse à son confident.

« Alors que j'étais malade, j'ai cessé de combattre la vie afin de rejoindre notre Seigneur », poursuivit-elle.

« Pour quelle raison, mon enfant ? » demanda le prêtre, intrigué.

« Non pas que je sois en colère contre ma cousine, j'ai tout de même une tristesse causée par elle qui me torture. Je suis isolée ici, loin de mon fils et de mon pays. Je me sens abandonnée par la reine d'Angleterre. »

« Vous savez, mon enfant, cette bâtarde devra payer pour son crime envers la sainte Église et ses serviteurs. Vous êtes une enfant du Tout-Puissant », répliqua-t-il.

« Mon père, je ne souhaite aucune violence envers Élisabeth Ire », affirma la souveraine en baissant la tête.

Dans son for intérieur, Marie Stuart jubilait d'entendre le vieillard prononcer ces phrases. Elle espérait réellement que la reine d'Angleterre puisse être éliminée afin qu'elle-même puisse retrouver la route d'Édimbourg. Jamais, depuis le début de son règne, elle n'avait eu autant plaisir à vouloir écraser un adversaire qu'aujourd'hui. Même le protestant John Knox, pourtant l'ennemi numéro un des Stuart, ne causait pas autant d'émois chez elle.

« Vous êtes une fille de la vraie religion et Dieu vous protégera en raison de votre bonne volonté.

« Au nom du Père, du Fils et du Saint-Esprit, je vous pardonne vos péchés », récita le prêtre en fermant les yeux et en faisant le signe de la croix sur le front de la souveraine.

« Mon père, vous ne me donnez aucune pénitence ? » questionna-t-elle.

« Sûrement pas ! s'étonna de cette demande l'homme vêtu de noir. Ce serait à cette bâtarde d'être punie, pas à vous. »

Sur cette prise de position, le prêtre salua la souveraine et retourna au presbytère du village.

En soirée, alors que Marie Stuart lisait un passage de la Bible, Mary Seton alla s'asseoir près de sa maîtresse.

« Madame, allez-vous accepter l'offre du duc de Norfolk ? » demanda la favorite.

La reine d'Écosse déposa le livre sur une petite table et regarda sa dame de compagnie.

« Ma chère fille, croyez-vous honnêtement que j'envisage une union avec Thomas Howard ? »

« Madame, pardonnez-moi, mais vous avez épousé trois hommes et à chacun des mariages vous avez été déçue », répondit sincèrement la favorite en jouant avec ses mains.

« Vous avez raison… J'ai perdu mon premier par la mort, mon deuxième m'a détruite comme femme et le troisième m'a fait perdre mon trône, dit la souveraine en versant une larme.

« Mais comprenez, ma chère, que si aucune porte de sortie ne m'est offerte, je serai obligée de marier le duc de Norfolk. »

« Madame, je comprends… », laissa tomber la dame de compagnie en déposant doucement sa main sur celle de Marie Stuart.

Alors que l'été prenait fin, la reine d'Angleterre – toujours pour la sécurité de sa cousine – fit transférer la reine d'Écosse vers un autre endroit. Avant le jour de la Noël, Marie Stuart et ses suivantes séjourneront dans deux autres résidences avant de revenir au château de Tutbury. La vie de la reine d'Écosse était infernale et inhumaine. Les autorités anglaises la changeaient d'un lieu à l'autre sans se soucier de sa santé fragile. Elle était devenue la pomme de discorde entre les catholiques et les protestants. Les premiers voyaient en l'Écossaise une martyre chrétienne, alors que les seconds la considéraient davantage comme une menace pour l'Église d'Angleterre.

Le 24 janvier 1570, près de deux ans après sa fuite du royaume d'Écosse, Marie Stuart apprit une nouvelle importante. Son ennemi, le comte de Moray, fut assassiné par l'un de ses plus fidèles supporters, James Hamilton. Jubilant de joie, la souveraine reprit espoir d'un retour possible sur le trône. Pour féliciter l'assassin de son demi-frère, elle s'assura qu'une somme d'argent fût versée au meurtrier. Lorsque l'annonce de la mort lui fut officiellement confirmée, elle réunit ses dames de compagnie dans l'un des salons du château de Tutbury.

« Mes filles, mes sources m'ont appris une grande nouvelle, annonça la reine, les yeux pétillants.

« Mon demi-frère a été assassiné le 23 janvier…

« Dieu l'a puni pour ses actes envers ma personne et ma couronne, ajouta-t-elle convaincue de ses paroles.

« Ma cousine n'aura d'autre choix que de me libérer.

« Je suis la reine d'Écosse légitime et légitimée », affirma la souveraine en serrant le poing.

« Quelle réjouissance pour Votre Majesté ! » s'écria la plus jeune des favorites.

Songeuse, Mary Seton avait de la difficulté à se réjouir. Elle savait que les dernières années n'avaient pas été de tout repos pour la fille des Stuart. Certes, le plus redoutable adversaire avait quitté ce monde, mais il restait encore plusieurs ennemis à vaincre. Peut-être le comte de Moray avait-il laissé un testament proclamant un autre régent qui lui soit fidèle, même mort. John Knox, le chef protestant, n'allait sûrement pas s'écarter pour laisser le champ libre à la catholique. Quant à Élisabeth Ire, elle trouvait que sa cousine lui était plus docile en prison que sur son trône à Édimbourg. Non, la dame de compagnie principale n'avait pas l'esprit tranquille.

En soirée, Marie Stuart rejoignit Mary Seton dans la chapelle du château. Lorsqu'elle entra dans le petit temple, la souveraine aperçut sa favorite agenouillée devant l'autel. Elle priait en silence depuis un bon moment déjà. L'Écossaise s'approcha d'un pas léger en sa direction. Elle prit place sur un banc, derrière Mary, et resta muette. Sa suivante sortit de sa bulle et se retourna.

« Madame, je vais vous laisser l'endroit pour que vous soyez tranquille », dit la dame de compagnie en se relevant.

« Non, restez ma chère ! » ordonna gentiment la reine.

« Bien, Votre Majesté », acquiesça Mary Seton.

« Venez vous asseoir, ma bonne amie », demanda la souveraine en montrant de la main une place à ses côtés.

La dame de compagnie s'exécuta.

« Vous savez, Mary, la vie m'est très cruelle actuellement. Outre l'espoir, que me reste-t-il ? s'interrogea-t-elle.

« Rien, ma chère… Rien ! se répondit-elle.

« Donc, la mort du comte de Moray signifie pour moi une consolation.

« Ne pouvant m'accrocher qu'à très peu de solutions, cette annonce est une délivrance.

« Vous croyez certainement que je me réjouis trop vite. »

« Non, Madame ! » s'exclama à voix basse la favorite.

« Vous avez absolument raison…, ajouta la fille de Jacques V en regardant sa suivante.

« Je le sais, mais je n'ai pas le choix de croire en mes chances, peu importe si elles sont réalistes ou pas », précisa-t-elle avec les larmes aux yeux.

La reine d'Écosse garda le silence pendant un bref instant avant de poursuivre sa discussion.

« J'ai vu votre visage lorsque j'ai annoncé l'assassinat de mon demi-frère. Vous ne sembliez pas enthousiasmée autant que je l'étais. »

« Non, Madame, j'étais heureuse pour vous », répliqua Mary Seton.

« J'ai besoin de vous, Mary. De votre force, de votre courage et, surtout, de votre soutien indéfectible. »

« Je vous suis dévouée corps et âme, Votre Majesté », répondit la favorite d'une voix tremblante d'émotion.

« Je le sais, ma chère amie. »

La dame de compagnie se pencha le haut du corps et déposa sa tête sur les genoux de sa maîtresse. Elles passèrent toutes deux le restant de la soirée à prier dans la chapelle du château de Tutbury.

Les mois suivants furent cruciaux relativement à la possible libération de la reine d'Écosse. Maintenant que le comte de Moray était mort, les forces protestantes n'étaient plus aussi vives au sommet de l'échiquier politique du royaume. Une guerre intestinale en vue de s'arroger la fonction de régent faisait rage aux quatre coins du pays. Les fidèles de Marie Stuart se faisaient plus nombreux et l'Église de Rome occupait davantage de terrain en Écosse. La situation politico-religieuse semblait tourner en faveur de la fille des Stuart. Plusieurs seigneurs et riches personnages, loyaux à la souveraine, sortirent de l'ombre afin de réclamer son retour. Informée par ses conseillers, la reine d'Angleterre sentit la partie lui échapper. Sa cousine devenait beaucoup plus nuisible sur le territoire anglais. Malgré plusieurs tentatives pour contrôler l'expansion du mouvement populaire en faveur de Marie Stuart, Élisabeth Ire ne parvint pas à s'imposer. Les menaces d'attentats envers sa personne augmentaient de plus en plus et les papistes se faisaient plus visibles. Comme si cela ne suffisait pas, les rois de France et d'Espagne lui rendaient la vie difficile. Ces derniers, de fervents catholiques, voulaient l'anéantir une fois pour toutes. Non, la fille d'Henri VIII devait rouvrir les négociations avec sa rivale concernant les conditions de sa libération. Elle ne pouvait plus ignorer cette option qui urgeait maintenant.

L'année 1570 se déroula sous des pourparlers ininterrompus. Les conseillers d'Élisabeth Ire rédigèrent des lettres à l'attention de Marie Stuart afin de lui présenter les offres de Londres. De son côté, la reine d'Écosse se félicitait que le soleil brille de nouveau à l'horizon. Elle avait plus que jamais retrouvé l'espoir de retourner au palais de Holyroodhouse. Elle croyait au plus profond de son âme que cette fois-ci était la bonne. La souveraine prenait couramment des informations au sujet de la situation politique tant en Écosse que sur le continent européen. La fille de Jacques V dressa des listes de priorités pour son royaume. Elle organisa et réorganisa sur papier les nominations au Conseil royal. La reine d'Écosse était fin prête pour son retour triomphal. Les souverains d'Espagne et de France se réjouissaient de voir que la catholique serait bientôt libérée.

La reine d'Angleterre mandata son secrétaire pour négocier l'entente finale avec la fille des Stuart. Maintenant logée au château de Sheffield, Marie Stuart reçut la visite de l'émissaire de sa cousine le 1er octobre. Poussée par la montée du catholicisme, par la mort du comte de Moray et par les menaces militaires des royaumes de France et d'Espagne, Élisabeth Ire devait prouver sa bonne foi.

« Madame, Sir William Cecil est ici », annonça l'une des dames de compagnie.

« Bien ! Faites-le attendre dans le petit salon. »

Le secrétaire de la fille d'Henri VIII patienta devant une fenêtre de la pièce. Ce n'était pas de gaîté de cœur qu'il se retrouvait si loin de Londres. En pleine tempête politico-religieuse, il se devait de calmer l'agitation. L'homme derrière la souveraine, celui qui la conseillait et qui exécutait ses ordres, avait comme responsabilité en cette journée automnale de sauver la face de l'Angleterre.

« Lord Cecil ! » dit Marie Stuart en entrant dans le petit salon.

« Madame ! » répondit le vieillard sans vraiment se prosterner.

« Vous êtes ici pour négocier les articles de l'entente entre ma chère cousine et moi ? »

« Absolument ! »

« Allons-y dans ce cas, j'ai très hâte que le tout soit officiel », affirma-t-elle sur un ton d'impatience.

Le contrat royal contenait douze articles rédigés de main de maître par les conseillers de la reine d'Angleterre. Évidemment, il privilégiait davantage les intérêts de la Tudor. Selon l'entente, Marie Stuart devait s'engager à former une ligue offensive et défensive avec l'Angleterre en cas d'invasion étrangère du territoire anglais. Elle ne devait en aucun cas entretenir une correspondance avec des libres penseurs anglais. Elle devait demander la permission de sa cousine avant de se marier. La souveraine écossaise promettait de refuser ses droits légitimes en ce qui avait trait à la Couronne anglaise. En remplacement de sa personne comme prisonnière, elle remettrait quatre seigneurs écossais aux autorités de Londres. Pour prouver sa bonne foi,

Marie Stuart autoriserait l'extradition du comte de Northumberland, accusé de trahison, vers les cachots de la fille d'Henri VIII. Plutôt docile, la reine d'Écosse n'était pas à l'aise avec l'article concernant l'affaire de son second époux. Élisabeth Ire exigea que les meurtriers de Lord Darnley soient durement punis et que son corps soit ramené en Angleterre. Étant donné sa situation, elle n'avait pas d'autre choix que d'accepter la totalité des points de l'entente royale.

À la fin de l'année, toutes les joies étaient permises pour la fille des Stuart. Son ennemi juré était décédé depuis près de un an déjà, la reine d'Angleterre était sur le point de signer un contrat officiel autorisant bientôt sa libération et le parti catholique s'était étendu sur le royaume d'Écosse. Pourtant, au fond de son âme, elle n'arrivait pas à croire que sa cousine pouvait être sincère dans ses promesses. Certes, la reine d'Angleterre avait rédigé chacun des articles de l'entente, mais elle l'avait trompée si souvent... *Pourquoi cette fois-ci serait-elle la bonne ?* se répétait l'Écossaise.

« Madame, vous semblez inquiète », demanda Mary Seton en pénétrant dans les appartements de sa maîtresse.

« Je le suis, ma chère amie... Je le suis, marmonna la reine d'Écosse en fixant à travers la fenêtre la neige qui était tombée sur le domaine.

« Voyez-vous, Mary, j'ai de la difficulté à croire que ma cousine me laissera partir. »

« Pourquoi pensez-vous cela, Madame ? »

Marie Stuart resta muette un court instant avant de répondre. Elle regarda un écureuil suspendu à un arbre, non loin du domaine.

« Depuis le début de notre présence sur le territoire anglais, elle essaie par tous les moyens de m'accuser du meurtre de Darnley, affirma la fille de Jacques V.

« Je suis une menace pour la stabilité de son trône...

« Elle me considère comme une ennemie à abattre, un caillou dans sa chaussure.

« Maintenant que la reine d'Angleterre peut contrôler mes déplacements, mes ordres... ma vie en fait, elle ne prendra pas le risque de me permettre de retrouver mes prérogatives royales. »

« Madame, je partage votre opinion sur le sujet, déclara la dame de compagnie en s'approchant d'elle.

« Mais il faut garder espoir en Dieu », ajouta-t-elle en déposant sa main sur le bras de sa maîtresse.

« Vous avez raison, ma bonne amie », soupira la souveraine sans vraiment croire ce qu'elle venait de dire.

Informés des discussions entre les deux reines, les adversaires de la catholique mirent au point une stratégie pour faire avorter le contrat royal. Le retour de Marie Stuart était la dernière chose que ces traîtres souhaitaient voir se concrétiser. Une multitude d'actions aux quatre coins de l'Écosse furent mises en branle. Des rumeurs d'assassinat contre Élisabeth Ire circulèrent dans le royaume et traversèrent la frontière pour se rendre jusqu'à Londres. L'objectif était d'ébranler la certitude de la reine d'Angleterre, mais surtout de faire jeter le blâme sur la fille des Stuart. Bientôt sur toute l'île britannique, les mauvaises langues l'accusèrent d'être à la tête de ce complot meurtrier. Pour amplifier les reproches, les opposants à la catholique montrèrent du doigt le duc de Norfolk et l'incriminèrent d'être le complice de l'Écossaise. Il est vrai que ce dernier, malgré son obligation envers le Parlement anglais de renoncer à la reine d'Écosse, jouait dans les coulisses pour la libération de Marie Stuart. Il était constamment en pourparlers avec les cours royales d'Espagne et de France. Malgré toutes leurs tentatives pour faire échouer l'entente entre les deux souveraines, les adversaires de Marie Stuart ne réussirent pas l'entreprise. Ce sera Élisabeth Ire elle-même qui mettra fin à cet accord au début de l'an 1571.

Les services secrets de la reine d'Angleterre l'informeront d'un complot envers sa personne. Fort bien orchestré, cet attentat avait été mis au point par le pape Pie V. Financé par le roi d'Espagne et les membres de la Maison de Lorraine, ce projet était dirigé par un fervent catholique. Roberto Ridolfi, riche banquier italien, avait pour tâche de faire éliminer la fille d'Henri VIII. Lorsque la Tudor aurait été tuée, le Vatican et ses supporters espagnols et français auraient reconnu Marie Stuart comme unique prétendante au trône anglais. La vigilance de Sir Francis Walsingham permettra à la souveraine d'être épargnée de justesse. Sous la directive d'Élisabeth Ire, une longue série d'arrestations se déroulera sur tout le territoire. Plusieurs catholiques et fidèles de l'Église de Rome périront sous l'échafaud. Évidemment, les opposants à Marie Stuart déverseront leur venin sur elle en l'accusant d'être l'investigatrice de cet attentat.

Alors que la neige blanche recouvrait tout le royaume de la Tudor, un émissaire de la reine d'Angleterre se présenta au château de Sheffield. Venu expressément de Londres, cet homme devait remettre les nouvelles directives au comte de Shrewsbury. Chargé de la surveillance de la prisonnière, George Talbot était les yeux et les oreilles d'Élisabeth Ire. Toutes les actions entreprises par Marie Stuart étaient immédiatement rapportées à la souveraine anglaise. En raison de la tentative de meurtre sur elle, la fille d'Henri VIII ordonna de réduire la liberté de sa cousine. Les adversaires avaient réussi à installer le doute quant à l'innocence de cette dernière dans le complot ourdi contre sa rivale. Envahie par une certaine paranoïa, la reine d'Angleterre décida de mettre au pas l'Écossaise. Pendant de nombreuses semaines, le châtelain et sa redoutable épouse enfermèrent la catholique dans un coin de la résidence. Confinée dans deux petites pièces, Marie Stuart ne recevra aucune correspondance de ses supporters ni n'aura aucune entrevue avec eux. Ses dames de compagnie ne pourront l'approcher sous aucun prétexte. Élisabeth Ire venait de rompre toute discussion avec la reine d'Écosse. L'entente royale, signée quelques mois auparavant, n'avait plus aucune légitimité à ses yeux. Le complot d'assassinat, mené par Ridolfi, donna à la fille des Tudor l'argument principal sur son droit de garder sa cousine prisonnière. Certes, la complicité de cette dernière n'avait pas été prouvée, mais le fait que son entourage fût largement impliqué permettait à la reine d'Angleterre d'agir de la sorte.

Pendant l'isolement de la reine d'Écosse au château de Sheffield, ses fidèles alliés tentèrent de la faire évader, mais en vain. Les menaces des rois d'Espagne et de France n'ébranlèrent nullement Élisabeth Ire. Les ordres stricts du Vatican n'atteignirent pas Londres et ne pesèrent pas dans la décision des autorités anglaises. Marie Stuart était définitivement réduite à l'état de prisonnière. Elle avait perdu toute illusion de liberté et de retour au royaume d'Écosse. Même l'offre de mariage du duc de Norfolk semblait compromise en Angleterre. Emprisonné une première fois plusieurs mois auparavant, Thomas Howard était devenu un ennemi de la couronne des Tudor après sa libération. Ses implications au sein du parti pro-catholique dans le royaume de la protestante n'aidèrent pas son image dans les hautes sphères de Londres. Le geste fatal qui le fera emprisonner encore une fois sera sa participation aux actions de l'attentat contre la fille d'Henri VIII.

Au début de l'automne 1571, plus de trois ans après sa fuite de l'Écosse, Marie Stuart était toujours la prisonnière d'Élisabeth Ire. Enfermée au château de Sheffield, elle était sans cesse épiée par ses gardiens méprisables. Elle pouvait à nouveau circuler dans le palais ainsi que dans les jardins, mais elle n'en était pas moins réduite aux limites du domaine. Maintenant âgée de près de vingt-neuf ans, la reine d'Écosse avait perdu la force de combattre. Après avoir connu autant d'échecs, elle ne voyait plus la lumière au bout du long tunnel.

Assise sous un arbre coloré, la souveraine fit le bilan de sa vie depuis ce fameux mois de mai 1568. Alors qu'un vent glacial soufflait sur le château de Sheffield, elle pleura toutes les larmes de son corps. Elle s'en voulait amèrement d'avoir cru que sa cousine l'aiderait à reconquérir son trône. La fille de Jacques V n'avait pas su reconnaître ses alliés et surtout ses ennemis. Elle se demandait même si sa confiance envers Philippe II d'Espagne et Charles IX de France était une bonne idée. Au fil des années, ils n'avaient toujours pas convaincu la reine d'Angleterre de la libérer. Les souverains européens n'avaient pas tenté de combattre la fille des Tudor par les armes. Même sa foi en Dieu avait été fortement ébranlée ses derniers mois. Elle persistait à espérer qu'une union religieuse avec un homme fort puisse la sortir de cette cage dorée. Le duc de Norfolk, un puissant catholique anglais, représentait le candidat idéal à ses yeux. Mais, après tous ces soupçons de trahison qui pesaient sur elle au sujet d'Élisabeth Ire, son prestige était fortement terni. *Peut-être serait-il encore l'homme de la situation ?* s'interrogea la souveraine écossaise.

Un autre malheur tombera sur la tête de Marie Stuart au début de l'année suivante. Thomas Howard, son dernier espoir, passait devant un tribunal mandaté par le Parlement anglais. Le duc de Norfolk était formellement accusé de trahison envers le royaume d'Angleterre et de complicité dans l'attentat de meurtre sur la personne d'Élisabeth Ire. La sentence émise par les jurés le condamna à la peine de mort. Il sera officiellement décapité le 2 juin 1572. La reine d'Écosse pleurera dans l'ombre la disparition de celui qui aurait pu la délivrer de son triste sort. Vraiment, le ciel semblait s'être obscurci davantage pour elle.

L'été de l'année de la mort de Thomas Howard, la fille des Stuart demeura plutôt silencieuse. Elle passa ses longues journées à prier dans la chapelle du palais. Elle refusa les visites de l'ambassadeur de France et se retrouva souvent seule dans les jardins du château de Sheffield. Ses dames de compagnie s'inquiétèrent de la santé mentale de leur maîtresse. La reine d'Écosse ne lisait plus ses livres favoris, ne chantait plus ses airs préférés et ne pratiquait aucun de ses loisirs de prédilection. Marie Stuart s'était graduellement refermée sur sa personne, à un point tel qu'elle s'isolait chaque jour dans un mutisme total. La force, la détermination et le caractère qui animaient jadis cette femme avaient disparu. Les échecs répétés lui avaient enlevé ces qualités pourtant si primordiales en cette période trouble.

Pendant cinq ans, Marie Stuart vécut au château de Sheffield avec ses servantes. Elle avait été coupée de presque la totalité de ses relations extérieures, et le peu de communications qu'elle entretenait était sous surveillance constante du secrétaire de la reine d'Angleterre. La fille des Stuart ne recevait que très rarement de la correspondance de sa cousine et s'était vu refuser la majorité des visiteurs qui se présentaient à la résidence du comte de Shrewsbury, son geôlier. Se raccrochant peu à peu à la vie, elle passait ses longues journées à lire des ouvrages de philosophie ou de poésie ainsi qu'à s'agenouiller devant le crucifix de la chapelle. Ne restait de son rang royal que le titre contestable de reine d'Écosse, titre peu reluisant à la cour des Tudor. Lorsque les rares nouvelles de son royaume lui parvenaient aux oreilles, elles n'étaient jamais réjouissantes pour la souveraine. Ses adversaires gagnaient continuellement du terrain au détriment de ses supporters. De jour en jour, l'Écosse ne devenait qu'un triste souvenir pour elle.

En 1577, le roi d'Espagne, Philippe II, avait eu la brillante idée – qualificatif très incertain – de faire marier son frère illégitime à la reine d'Écosse. Des projets d'union religieuse et civile entre don Juan d'Autriche et Marie Stuart se tramèrent dans les coulisses des châteaux d'Europe. Le très catholique prince espagnol recevra même la bénédiction du pape Grégoire XIII pour cette mission de sauvetage. L'Écossaise suivait de près le dénouement de ce projet ambitieux. En dépit d'une surveillance accrue, les informations lui parvenaient d'une manière ou d'une autre. Malheureusement, l'initiative sera rejetée de la main par le principal intéressé. Préoccupé par ses devoirs en tant que gouverneur des Pays-Bas, don Juan d'Autriche constatera assez tôt que le mariage royal ne pourrait aboutir. Le combat contre les protestants en Europe était difficile et toute distraction n'était pas la bienvenue. Il en avait conclu que l'Angleterre était un territoire hautement hostile au catholicisme, donc un défi périlleux qu'il n'avait nullement le goût de relever. Peu importe sa décision, le ciel ne lui était pas favorable car, l'année suivante, le frère du souverain espagnol rendit l'âme. La reine d'Écosse, encore défaite par un échec, pleurera la liberté qui venait à nouveau de lui échapper.

Son douloureux calvaire reprendra de plus bel au printemps de 1585. Cette année-là, le Parlement anglais votera une loi stipulant que Marie Stuart est officiellement tenue pour responsable de tout complot fait en son nom, avec ou sans sa connaissance et avec ou sans son consentement. Prise au piège de toutes parts, elle ne voyait plus aucune issue à son secours. Transportée d'un château à l'autre mais toujours de retour au château de Sheffield, elle vivra une sévère dépression. La maladie la rongera de l'intérieur et sa santé physique en souffrira beaucoup. Des rhumatismes et des douleurs chroniques s'attaqueront à son corps déjà très fatigué. Femme d'une beauté éclatante, elle n'était plus désormais que le reflet d'une vieillesse précoce. Détestée par sa cousine, la reine d'Angleterre, et ignorée de son fils, le jeune roi d'Écosse,

Marie Stuart sentit la fin venir. Les autorités anglaises lui enlevèrent les derniers privilèges qui lui restaient.

ꝺ

L'été précédent, la reine d'Écosse se rendit comme à son habitude aux bains de Buxton pour se laver. Sortie occasionnelle et très hautement surveillée, cette activité représentait pour la prisonnière un moment de relaxation très prisé. Traitée avec peu de délicatesse par le comte et surtout par la comtesse de Shrewsbury, Marie Stuart savourait ces moments d'hygiène avec délivrance. Propriété de l'épouse du geôlier, Buxton était considéré comme un lieu de plaisir pour la souveraine. Afin d'isoler sa cousine et de la réduire à l'état de soumise, Élisabeth Ire lui interdit cette gâterie en 1584. Lors de sa dernière escapade en cet endroit béni, la fille de Jacques V gravera un message d'adieu très touchant sur un carreau de verre à l'aide de l'un de ses diamants : « En ces lieux, je crains ne plus revenir ». Consciente que sa cousine voulait l'anéantir, Marie Stuart savait qu'elle ne reverrait plus jamais ce décor paisible.

ꝺ

Alors que le soleil laissait place à la lune, la souveraine écossaise sortit à l'extérieur de la demeure. L'air était glacial et le sol gelé. Nu pieds, elle avança lentement vers un vieux chêne. Chacun de ses pas était incertain. Vêtue d'une robe de nuit et sans bijou, elle ressentait le froid traverser le tissu et lui mortifier la peau. Les hurlements des loups se firent entendre dans le vent affolé. Marie Stuart avait décidé de mourir ce soir-là. La vie ne lui souriait plus depuis dix-sept longues années. La reine d'Écosse se jeta, à genoux, sur la terre dure et hurla de toutes ses forces un ultime cri de désespoir. Elle voulait mettre un terme à ses jours en se laissant geler par la nature.

« Seigneur, pourquoi m'as-tu abandonnée ? » lança-t-elle avant de se coucher sur l'herbe.

Inquiète de ne pas retrouver sa maîtresse dans la chapelle, Mary Seton fit le tour du château. Elle chercha dans chaque recoin de la résidence, de haut en bas et de gauche à droite. Par bonheur, la favorite de la souveraine songea à se rendre dans les jardins. Elle aperçut, sur le sol, une forme qui ne lui était guère étrangère. Elle accourut vers les lieux et retrouva la reine d'Écosse, allongée et quasi inconsciente. Affolée de l'état alarmant de la souveraine, la dame de compagnie se précipita pour demander de l'aide aux autres suivantes. Toutes entourèrent la mourante et la transportèrent à bout de bras à l'intérieur du château. Couchée sous les couvertures épaisses et près d'un foyer allumé, la fille des Stuart gisait entre la vie et la mort. Le comte de Shrewsbury, sensible à la situation de sa prisonnière, dépêcha un médecin au chevet de la catholique. Les dames de compagnie, remplies d'un profond chagrin, se mirent à pleurer et à gémir. La souveraine, d'habitude combative, ne semblait plus déterminer à vivre. La maladie de la reine d'Écosse la tint au lit pendant quatre semaines. Afin d'éloigner les fidèles de l'Écossaise, la reine d'Angleterre ordonna de tenir secret l'alitement de sa cousine royale. Heureusement pour certains et malheureusement pour d'autres, la prisonnière échappa de justesse à la mort, qu'elle avait si ardemment désirée. À la mi-janvier 1586, Marie Stuart était rétablie et hors de danger. Amèrement déçue d'être encore de ce monde, la fille de Jacques V n'était pas au bout de ses peines. Loin de là !

CHAPITRE XII
Quand le feu fait rage

Près d'Édimbourg, 1568

LES SEMAINES passèrent rapidement pour Charlotte, qui vivait dans le calme de sa nouvelle vie à la campagne. Tout était si simple maintenant... Il n'y avait plus de règles de conduite à respecter ou d'obligations à honorer. Plus de bonnes à superviser ni d'activités à planifier. Plus de reine à servir.

Et pourtant, c'est exactement ce qui lui manquait. Elle avait tant aimé être dame de compagnie.

Craignant rencontrer des gens qu'elle ne voulait pas voir, elle ne se rendait que très rarement à Édimbourg. Elle passa la majorité de l'été à s'occuper de ses jardins.

L'automne s'était montré très froid et humide dès les premières semaines. Les feuilles avaient rapidement changé de couleurs, arborant de jolies teintes de jaunes, de rouges et de bruns. Les oiseaux migrateurs n'avaient pas tardé à s'enfuir dans les climats plus chauds, au sud de la mer Méditerranée, pour passer l'hiver. Et grâce au bois fourni par le propriétaire du domaine, la jeune femme entretenait le feu qui brûlait dans les deux grandes cheminées en pierre.

Presque six mois s'étaient écoulés depuis l'évasion de Marie Stuart en Angleterre, et Charlotte n'avait toujours aucune idée des malheurs de la reine. Elle souhaita à plusieurs reprises être à ses côtés. Mais, chaque fois, elle se rappelait qu'elle n'était pas la bienvenue dans le royaume de son enfance.

L'étrange meurtre de son jeune époux hantait ses rêves depuis plusieurs années. Mais c'était toujours beaucoup plus dramatique dans ses songes.

Invariablement, la scène se déroulait la nuit. Elle se réveillait étendue sur le plancher de la cuisine, entourée par des centaines de chandelles blanches. Un couteau ensanglanté servant à dépecer la viande gisait à ses côtés. Elle finissait toujours par trouver son mari dans le séjour, assis dans son fauteuil, sa gorge tranchée. Elle s'approchait de lui nerveusement. Il ouvrait les paupières sans jamais les refermer et répétait sans arrêt : « Tu n'y es pour rien ! »

Et elle s'éveillait en larmes et trempée de sueur.

ꝺ

L'autorité du comte de Moray sur les affaires d'État était précaire et il le savait fort bien. À peine âgé de deux ans, le jeune Jacques VI pouvait facilement être détrôné ou enlevé à n'importe quel moment, et le régent perdrait son pouvoir tant convoité sur la Couronne écossaise. Il n'allait pas laisser une telle chose lui arriver.

Après la bataille à Langside, la majorité de l'entourage de sa demi-sœur fut soit exilée en Angleterre, soit brutalement exécutée par ses troupes. Et il lança peu de temps après une vraie chasse à la sorcière dans toute l'Écosse qui visait les partisans de Marie Stuart.

Il souhaitait mettre fin à la période d'influence de l'ancienne souveraine, mais voulait avant tout éliminer toute tentative de soulèvement parmi le peuple écossais – et surtout chez les catholiques.

Malgré sa stratégie, plusieurs sujets demeurèrent fidèles à Marie jusqu'à sa mort.

Un soir de novembre 1568, alors que Charlotte s'apprêtait à se mettre au lit, un vacarme incroyable provenant de la cuisine se fit entendre dans toute la maison. Comme si quelqu'un avait fait tomber toutes ses casseroles en même temps.

Inquiète, elle descendit l'escalier pour vérifier la provenance de tout ce bruit.

Il n'y avait rien hors de l'ordinaire dans le séjour. Mais l'horreur la frappa de plein fouet en entrant dans la cuisine. Charlotte n'en croyait pas ses yeux.

La porte donnant sur la cour arrière avait été défoncée et la pièce avait été mise sens dessus dessous. Visiblement, quelqu'un s'était introduit à son insu. Mais était-il encore à l'intérieur de la résidence ? Elle n'y resterait pas pour le savoir.

Au moment où elle allait se diriger vers la sortie, elle entendit un craquement sourd venant du garde-manger. Et une odeur bizarre s'en dégageait... comme si quelque chose brûlait.

Avant même qu'elle puisse comprendre ce qui se passait, la porte du garde-manger éclata et des flammes envahirent la cuisine en peu de temps. Comme la structure du cottage était en bois, le feu prit rapidement de l'ampleur et Charlotte se trouva encerclée.

Elle était prisonnière au milieu de la pièce.

L'épaisse fumée noire lui donnait beaucoup de difficulté à respirer normalement. Et les flammes consommaient tout sur leur passage.

Elle devait sans tarder penser à un moyen de sortir si elle ne voulait pas périr dans ce brasier. *Charlotte ! Ce n'est pas le moment de perdre ton sang-froid ! Tu dois faire quelque chose... Maintenant !* pensa-t-elle à haute voix.

En larmes, elle fit le tour de la cuisine des yeux et aperçut le tablier qu'elle avait laissé sur une chaise plus tôt en après-midi. Par terre, près de la table, il y avait un bassin rempli d'eau qu'elle avait utilisé pour laver des légumes.

Il n'y avait pas suffisamment de liquide pour arrêter le feu, mais assez pour y tremper le tablier et s'en servir comme protection pour traverser les flammes sans se faire brûler.

Elle prit donc son courage à deux mains, imbiba le tablier d'eau et l'enroula autour de sa tête et de ses épaules. Charlotte courut aussi vite qu'elle put vers la sortie, jusqu'à ce qu'elle considère être à bonne distance de la maison.

Hors de danger, elle resta plantée là, impuissante, à regarder son cottage disparaître sous les flammes. Elle était désemparée, complètement trempée d'eau sale et, par-dessus tout, terriblement transie.

Malheureusement, elle n'avait pas eu le temps de prendre ses effets personnels. Et ce qui restait de sa fortune se trouvait dans le coffret de bois qu'elle gardait caché dans une grande armoire de sa chambre.

En moins d'une heure, il ne restait de la résidence qu'un immense débris fumant. Seules les deux grandes cheminées de pierre se tenaient encore debout de part et d'autre des décombres.

Charlotte avait tout perdu… ses vêtements, sa maison et ses pièces d'or. Mais, au moins, elle avait la vie sauve. Elle aurait pu mourir dans ce feu. Et c'était probablement l'intention de l'intrus.

Que s'était-il vraiment passé ? Qui était entré chez elle ? Pourquoi avait-on allumé ce feu ? Était-ce lié à sa loyauté envers Marie Stuart ? Y avait-il un lien avec son incursion chez les protestants ?

L'Anglaise était bien trop fatiguée et gelée pour commencer à élaborer des théories sur l'incident. Elle passerait la nuit dans la grange, où elle gardait ses pardessus pour le jardinage et quelques couvertures qu'elle avait utilisées durant l'été pour faire des pique-niques. Les ballots de foin feraient un lit temporaire parfait. Elle se rendrait en ville au matin.

Édimbourg avait déjà été son salut. Et parmi toutes les villes du royaume, la capitale était encore très certainement la plus sécuritaire, puisqu'on y retrouvait la majorité des partisans de Marie Stuart.

« Je vais trouver un moyen de me sortir de cette situation… comme je l'ai toujours fait », conclut-elle hésitante.

Après une demi-journée de marche dans le froid avec ses vêtements humides sur le dos, Charlotte atteignit vers midi les fortifications en pierre d'Édimbourg.

Elle n'avait pas fermé l'œil de la nuit et était épuisée par le long voyage qu'elle venait de faire. Ses pieds étaient endoloris.

Elle s'arrêta un instant pour se reposer sur le bord d'un puits public, situé à l'entrée nord de la ville. Assoiffée, elle aurait bien accepté quelques gorgées d'eau, mais il n'y avait aucun seau au bout de la corde.

Les gens allaient et venaient autour d'elle. Habillée comme elle l'était, et avec la suie qui lui couvrait le visage et les mains, personne ne lui portait vraiment attention. On aurait même pu facilement la prendre pour une mendiante.

Remarquant la détresse de l'Anglaise, une vieille femme transportant une chaudière arrêta au puits et attacha solidement la corde à son seau.

« L'hiver est à nos portes, dit l'inconnue tout bonnement. Bientôt, les puits seront complètement gelés. »

Charlotte ne répondit pas. Elle se contenta de sourire.

Elle ne savait pas si elle pouvait faire confiance à cette femme. Elle semblait bien inoffensive, par contre. Mais peut-être reconnaissait-elle l'ancienne dame de compagnie et tuait le temps en attendant les renforts pour la capturer ? *Tu deviens paranoïaque, Charlotte Gray*, se dit-elle intérieurement.

La vieille femme remonta la lourde chaudière remplie d'eau et la déposa sur le rebord en pierre.

« Je suis certaine qu'un peu de ceci vous ferait le plus grand bien… » offrit-elle gentiment en poussant le seau vers la jeune femme.

Charlotte hésita pendant un moment. Mais, en regardant la bonne samaritaine, elle approcha ses lèvres et but à grandes gorgées.

« Je vous remercie, ma bonne dame ! Votre geste est très apprécié. »

« Le plaisir est tout le mien, ma chère enfant », répondit la gentille femme.

Elle comprit du premier regard que la jeune femme était dans le pétrin et qu'elle pourrait avoir besoin d'assistance.

« Ce n'est pas le meilleur des temps pour une jolie jeune fille comme vous de se promener ainsi vêtue… Vous joindriez-vous à mon époux et à moi pour un repas chaud ? »

« Oh ! Vous êtes bien trop aimable. Je ne voudrais pas m'imposer à vous ou à votre mari », répliqua Charlotte, malaisée.

« Ne vous en faites pas avec cela ! Croyez-moi, je n'aurais pas demandé autrement. »

L'Anglaise était affamée. La longue marche lui avait demandé beaucoup d'énergie. Et son dernier repas avait été pris presque dix-sept heures plus tôt.

N'ayant aucun moyen financier de se procurer de la nourriture, elle pourrait, s'il le fallait, voler quelque chose dans un marché. Mais ça ne remplacerait pas un bon repas chaud.

Bien qu'elle fût encore suspicieuse, elle accepta l'invitation.

Le logis n'était pas tellement loin du puits sur une rue commerçante. Il était situé au-dessus d'une boucherie. Rien de très luxueux de l'extérieur, mais tout de même charmant à l'intérieur. Visiblement, le couple n'était pas riche. Les quelques rares meubles avaient connu de bien meilleurs jours.

« Ned ! Nous avons de la compagnie ! » cria la femme en fermant la porte de l'appartement derrière Charlotte et en déposant le seau d'eau près d'un sofa défraîchi.

Un vieil homme portant une longue chemise en lin décolorée et un pantalon usé fit irruption dans le séjour.

« C'est mon époux, Edward Wickham. Mais tout le monde l'appelle simplement Ned. »

« C'est un plaisir de vous rencontrer, Monsieur ! »

« Ned, je te présente… oh ! Mais où sont mes manières ? Je ne vous ai même pas demandé votre nom… », dit la vieille dame.

« Je m'appelle… », débuta l'Anglaise.

Il était clair maintenant que le couple ne savait pas qui elle était. Mais ne voulant pas prendre de risque, elle mentit sur son identité.

« Margaret… Margaret Browne. »

Margaret était en fait le prénom de la plus jeune de ses sœurs, et Browne était le nom de jeune fille de sa mère avant son mariage avec son père. C'était, croyait-elle, le pseudonyme idéal.

« Vous n'êtes pas d'ici, n'est-ce pas ? » demanda le vieil homme.

« Non ! Vous avez bien raison... je viens d'Angleterre. »

Sur ce détail, elle n'y voyait rien de dramatique, puisqu'elle n'était pas la seule Anglaise en terre écossaise. Et il était trop tard de toute manière, car la réponse était sortie machinalement, sans qu'elle n'ait eu le temps de réfléchir à autre chose.

« Et moi, je suis Anne, mais tu peux m'appeler Nan... mon mari le fait bien ! ricana l'hôtesse. Vous êtes la bienvenue dans notre humble demeure, Margaret Browne ! »

Charlotte avait remarqué que, bien que le couple ne fût pas très riche, ils avaient tous les deux de très grands cœurs. Et elle les remercia très sincèrement de leur générosité, car ils étaient prêts à partager le peu de nourriture qu'ils avaient avec une pure étrangère.

Elle constata par le fait même qu'ils n'allaient en aucun cas lui causer du tort. Elle pourrait donc se détendre le temps de son court passage chez les Wickham.

Maintenant que les présentations avaient été faites formellement, la vieille femme proposa à Charlotte d'enfiler quelque chose de plus chaud. La fille unique du couple avait laissé des vêtements dans sa chambre qui lui iraient comme un gant et qui seraient beaucoup plus appropriés pour la saison.

« Non ! Cela est bien trop généreux de votre part ! répliqua l'Anglaise, troublée. Et que dirait votre fille ? Je ne peux pas accepter… »

« Oh, mais nous insistons ! Vous êtes notre invitée et nous ne l'aurons pas autrement… vous devez bien être transie dans cette tenue trempée ! » argumenta madame Wickham.

Il est vrai qu'elle enfilerait volontiers quelque chose de sec. L'humidité avait pénétré ses os et, de temps à autre, elle avait des tremblotements difficiles à contrôler. Charlotte accepta donc leur proposition, mais promit de les rembourser un jour pour toute leur gentillesse.

Alors Nan prit la jeune femme par le bras et la conduisit dans la chambre de sa fille. Elle sortit une robe d'un grand placard. Le vêtement était simple, mais très élégant. Charlotte trouva plutôt étrange que la jeune Wickham puisse se payer une telle toilette. *Elle doit travailler pour un noble*, pensa-t-elle.

Madame Wickham revint au salon avec le pardessus de la jeune femme et le plaça devant l'âtre pour le faire sécher. Son époux la regardait d'un œil accusateur.

« Pourquoi as-tu amené cette étrangère ici, Nan ? Nous ne savons pas qui elle est et même d'où elle vient ! » chuchota le vieil homme, contrarié.

« Elle avait besoin de notre aide, Ned ! Je ne pouvais quand même pas la laisser dans la rue ! »

« Tu as probablement raison... mais si jamais c'est une de ces protestantes ? »

« Nous sommes tous égaux aux yeux du Seigneur... et tu le sais bien, Ned ! » rétorqua Anne, exaspérée, en disparaissant dans la cuisine.

Charlotte sortit de la chambre peu de temps après. La robe lui allait à merveille. Mais ce qu'elle appréciait davantage, c'était le fait que le vêtement ne soit pas humide. Elle en avait également profité pour se nettoyer le visage et les mains, se débarrassant ainsi de la suie qui lui collait à la peau.

« Ah ! Vous êtes bien charmante habillée ainsi... Venez vous asseoir près de moi. Nan vient tout juste de mettre les couverts et servira le repas dans un instant. »

La jeune femme prit place à la table. Une assiette en étain avait été spécialement placée entre les places habituelles du couple.

« Vous et votre femme êtes bien gentils. Je ne pourrai jamais vous remercier suffisamment de votre hospitalité », dit l'Anglaise, gênée.

« Ma Nan a une âme charitable... »

Et sur ces paroles, madame Wickham réapparut avec un grand bol en porcelaine. La nourriture sentait divinement bon. En tant qu'invitée, Charlotte fut servie en premier.

Le ragoût de bœuf avec oignons, carottes et navet était tout simplement délicieux. Du pain de seigle et de blé servait d'accompagnement – Charlotte détestait cette mixture que sa mère faisait si souvent dans son enfance. Le vin rouge que monsieur Wickham avait versé dans un petit gobelet était plutôt fort, et Charlotte pouvait déjà en sentir les effets enivrants.

« Veuillez accepter ma plus grande gratitude pour ce délicieux repas », déclara l'Anglaise en prenant une deuxième bouchée de viande.

« Ma chère amie, nous sommes bien heureux de partager cette nourriture avec une si jolie jeune demoiselle », répondit timidement le vieil homme en regardant sa femme.

« Mon époux a bien raison… d'autant plus que tout ceci aurait été perdu de toute manière. »

« Que voulez-vous dire par là ? » questionna Charlotte, intriguée.

« C'est que, voyez-vous… commença à expliquer madame Wickham. Nous partons à l'aube pour Stirling et les restants de ce repas auraient été jetés à la rue. »

« Vous avez de la famille là-bas ? »

« Oui, en effet ! Notre Alice y travaille depuis une année déjà », expliqua la vieille femme.

« Je n'y suis jamais allée moi-même, mentit Charlotte, mais j'ai entendu dire que cet endroit est absolument charmant, situé aux abords de la rivière Forth… avec de magnifiques jardins et de nombreux somptueux châteaux. »

« C'est étrange que vous parliez de ça, car notre fille travaille pour un capitaine de bateau… pour un seigneur, en fait ! » observa Ned.

En ayant été au service de la reine d'Écosse pendant plusieurs années, Charlotte connaissait presque tous les nobles du royaume. Peu d'entre eux étaient capitaines. Et elle était bien curieuse de connaître le nom de cet homme.

« Loin de moi l'idée d'être indiscrète… mais puis-je vous demander qui est ce lord pour qui travaille votre fille ? »

« Il n'y a pas de trouble, ma chère enfant ! Notre Alice est au service du bon William MacPherson… répondit la femme. Lord Stirling… Vous le connaissez ? »

Le visage de Charlotte devint très pâle subitement. *William !* Le nom fit apparaître de douloureux souvenirs à sa mémoire… Le bal annuel au château de Stirling plusieurs années auparavant, la nuit enflammée de danse, la promenade romantique dans les jardins à la tombée de la nuit, les adieux déchirants et l'affreuse vérité qui lui brisa le cœur.

La jeune femme n'avait jamais posé les yeux sur cet homme depuis le mariage entre Marie Stuart et Lord Darnley en 1565.

« Oui... Non... Je veux dire que j'ai déjà entendu parler de lui ! essaya-t-elle de se reprendre, confuse. Ce Lord Stirling est bien gentil de vous recevoir à sa résidence. »

« Oui, il l'est, en effet ! Mais notre fille nous a informés qu'il n'y serait pas durant notre séjour. Il doit quitter la capitale demain pour un long voyage d'affaires au Danemark », tenta de clarifier Anne Wickham.

« Voulez-vous dire qu'il est à Édimbourg en ce moment ? »

L'Anglaise était en état de choc. Son charmant William pouvait très bien se trouver à quelques pas d'elle. Son cœur battait la chamade.

« Je crois bien que oui ! Alice a dit qu'il devait arriver hier pour mettre de l'ordre dans des documents avant le départ de son bateau. »

Charlotte se leva de sa chaise spontanément. Monsieur et Madame Wickham la regardèrent, étonnés. Le geste était tout à fait impoli, mais elle *devait* voir William à cet instant précis... avant qu'il ne soit trop tard.

« Vous avez été des plus généreux avec moi et je vous remercie encore une fois pour le repas et les vêtements… mais je dois vous quitter sur-le-champ ! »

Le couple ne comprit pas très bien ce qui se passait, mais rassura la jeune femme qu'aucune rigueur ne lui serait tenue. Anne alla chercher le pardessus qui avait séché devant les flammes de l'âtre et lui souhaita la meilleure des chances. Et Charlotte quitta de ce pas le minuscule logis.

Elle se dirigea vers le port dans l'espoir d'y trouver Lord Stirling. Par chance, la résidence des Wickham n'était pas très loin. Charlotte avait eu le temps de se refaire des forces, mais ses pieds étaient toujours endoloris.

Le port était grouillant de toutes parts. Deux gigantesques galions – un en provenance d'Espagne et l'autre du Portugal – avaient accosté en matinée, apportant de grandes quantités de marchandises. Et une horde de marins s'afféraient à aider les nombreux commerçants à remplir leurs charrettes.

Charlotte ne savait pas par où commencer. Elle ne savait même pas si William se trouvait au port en ce moment précis. Il y avait bien une centaine d'hommes dans le port et quelque vingt bâtiments le long de l'eau à visiter, si elle voulait parler au plus grand nombre de gens possible. Mais vu sa situation, elle n'avait plus rien à perdre. Elle commença donc à interroger les hommes sur son passage, au hasard.

Lord Stirling était bien connu à Édimbourg. Il était un des capitaines les plus actifs de la capitale. Tous les marins voulaient travailler pour lui, car il était juste et offrait de bonnes primes. Et son bateau était le plus gros et le plus rapide aux alentours.

Malheureusement, dans tout le bourdonnement du port, personne ne portait vraiment attention à la petite enquête de Charlotte. Elle n'allait nulle part de la sorte et devenait de plus en plus frustrée.

Après une trentaine de minutes à tourner en rond, elle fut interpellée par un très jeune capitaine. S'il n'avait pas porté l'uniforme caractéristique de sa fonction, Charlotte l'aurait facilement pris pour un simple enfant.

« Je suis désolé d'être porteur de mauvaises nouvelles, Mademoiselle, mais Lord Stirling a quitté le port déjà. »

« Quand est-il parti ? » s'enquit-elle, dévastée.

« Très tôt ce matin… nous avions besoin de plus d'espace pour les deux bateaux de marchandises étrangers. »

Notant la détresse de la jeune femme, le garçon l'aida gentiment à s'asseoir sur un banc en bois qui servait aux passagers en attente de leur embarcation. Remerciant le capitaine de son amabilité, l'Anglaise le rassura que tout irait bien.

C'était loin d'être la vérité. Une fois de plus, le destin avait joué avec ses émotions.

CHAPITRE XIII
Le procès de la catholique

Château de Fotheringhay, 1586

L'AN 1586 sera l'année la plus difficile de toute l'existence chaotique de Marie Stuart. Décidée à écarter de sa route sa rivale gênante, la reine d'Angleterre mandatera son dévoué Sir Francis Walsingham pour piéger la prisonnière. Toutes les stratégies, même les plus tordues, seront envisagées par l'homme de confiance de la fille d'Henri VIII. *Il faut en finir avec cette catholique,* se convainquit la souveraine anglaise. Coupée de toute communication, la reine d'Écosse ne se doutait nullement de la dernière décision royale. Malheureusement, elle l'apprendra un peu trop tard.

Le plan de Walsingham fut mis en branle dès les fêtes de Noël terminées. La manière la plus efficace d'inculper l'Écossaise était de l'amener à se trahir elle-même. Pour réussir ce coup de maître, le conseiller de la Tudor devait s'assurer d'avoir des preuves écrites de la main de la fugitive. Pour ce faire, il devait gagner sa confiance. *Étant catholique, la fille des Stuart serait sûrement portée à accorder son appui à un homme d'Église,* pensa Walsingham. Après de courtes recherches, il dénichera l'espion parfait. L'Anglais rencontrera un prêtre, Gilbert Gifford, qui se ralliera à sa cause contre la prisonnière. Acheté par Londres, l'homme jouera à l'agent double pour les intérêts de la reine d'Angleterre.

Le prêtre demanda une audience à Marie Stuart afin de recevoir la confession de ses péchés. Avec l'intervention de Londres, il n'eut aucun mal à se voir accorder ce privilège par le comte de Shrewsbury. La première rencontre entre la souveraine d'Écosse et Gifford se déroula à la mi-janvier.

« Madame, votre confesseur vous attend au salon », annonça l'une des dames de compagnie.

« Bien ! Dirigez-le vers la chapelle », ordonna la reine d'Écosse.

Quelques instants plus tard, la catholique se présenta à l'intérieur du temple religieux. L'endroit était sombre comme d'habitude. Seules quelques rares chandelles éclairaient les lieux. Un froid hivernal, suspendu dans les airs, semblait geler le temps. Vêtue chaudement, Marie Stuart s'assit aux côtés de l'homme qui l'attendait patiemment. Elle ne le connaissait pas, mais elle n'en fut pas surprise, car rares étaient les confesseurs qui revenaient plus d'une fois. Pour contrôler les idées d'évasion de la cousine d'Élisabeth Ire, les autorités ne voyaient pas d'un bon œil les relations amicales entre la prisonnière et les religieux du Vatican. Afin d'éviter les complots, un nouveau prêtre se présentait au château de Sheffield lorsque la souveraine réclamait une confession.

« Mon père, j'ai péché car... », débuta Marie Stuart en faisant le signe de la croix.

« Votre Majesté, avant d'entendre votre confession, je dois vous informer que je suis ici pour votre cause », l'interrompit Gifford.

« Que me dites-vous là ? »

« Vous avez des amis à l'extérieur de ces murs qui soutiennent votre libération. »

La reine d'Écosse resta muette un bref moment avant de reprendre la discussion.

« Je n'ai eu vent d'aucun appui depuis plusieurs mois », dit-elle.

« Madame, je vous assure que plusieurs catholiques souhaitent vous voir de nouveau sur votre trône.

« Pour ce faire, il faut écarter de votre route la bâtarde », chuchota l'homme d'Église.

« Vous parlez de ma cousine, mon père », répliqua la fille de Jacques V comme pour s'assurer de la loyauté de son confesseur.

« Oui, Madame, veuillez m'en excuser. Vous êtes l'unique prétendante au trône anglais que reconnaissent les catholiques. »

« Comment voulez-vous que j'intervienne, mon père... je suis épiée du matin au soir. »

« Votre Majesté, j'ai une idée pour vous aider à communiquer avec l'extérieur, lui annonça-t-il.

« Nous utiliserons des tonneaux de boissons alcoolisées pour y dissimuler les messages. »

Les yeux de la prisonnière s'ouvrirent et elle porta toute son attention aux paroles du religieux.

Gilbert Gifford expliqua en détail la manœuvre en question. Grâce à la complicité d'un brasseur local, les fidèles pourront faire parvenir leurs correspondances à l'Écossaise. Afin de déjouer la surveillance du comte et de la comtesse de Shrewsbury, le prêtre mettra ces lettres dans des poches de cuir insérées dans les barils remplis, qui seront par la suite transportés au château de Sheffield. Lorsque les contenants seront sur les lieux, les favorites de la reine n'auront qu'à y puiser les missives et à les remettre à leur maîtresse. Après avoir pris connaissance des messages, Marie Stuart pourra répondre aux courriers et ceux-ci seront acheminés au brasseur local par le même procédé. Ce stratagème était des plus simples, mais surtout des plus efficaces.

Dès la mise sur pied de ce moyen d'échange, la reine d'Écosse reçut une tonne de lettres – souvent datées de plusieurs mois – de ses supporters d'Écosse et d'Angleterre. Même des manuscrits de France ou d'Espagne lui furent réacheminés des ambassades française et espagnole. Pendant des semaines, la prisonnière correspondit avec les catholiques et les partisans de sa cause. Ce qu'elle ignorait, c'est que chaque message était lu par Sir Francis Walsingham et retenu contre elle. Sans le savoir, elle donnait des pièces à conviction à ses ennemis.

Le 25 juin 1586, la reine d'Écosse reçut une lettre fort différente des autres. Certes, plusieurs fidèles avaient déclaré vouloir l'aider, mais aucun n'avait été aussi explicite dans son message. L'expéditeur, un certain Anthony Babington, écrivit clairement son intention de servir la fille des Stuart. Jeune seigneur anglais de confession catholique, l'homme de vingt-quatre ans ressentait de la haine face à l'autorité protestante, qui avait maltraité sa famille, sa foi et sa personne. Il était naïf, mais déterminé à venger la mort de son arrière-grand-père, Lord Darcy, tué par les soldats du père d'Élisabeth Ire. Dans sa première correspondance, il déclara à la souveraine sa loyauté envers l'institution de Rome et lui jurait de la reconnaître comme seule prétendante à la couronne d'Angleterre. Marie Stuart lut attentivement chaque mot de cette missive. Chacune des phrases lui redonnait de l'espoir.

Après la lecture du message, qu'elle relut deux fois plutôt qu'une, la reine d'Écosse fit venir à ses appartements Mary Seton. Elle voulait s'entretenir avec sa favorite dans le but de connaître son opinion sur cette correspondance. Ce n'était pas dans ses habitudes de partager le teneur de ses communications avec ses correspondants mais, cette fois-ci, une petite voix intérieure la poussa à agir de la sorte.

« Votre Majesté, vous m'avez demandée », s'exclama sa dame de compagnie en lui faisant la révérence.

« Venez près de moi, ma chère amie, dit Marie Stuart en tendant sa main droite.

« J'ai toute confiance en votre jugement, Mary.

« C'est pour cette raison que je vous demande votre opinion sur une des lettres que je viens de recevoir. »

« Si je peux aider Madame, j'en serais plus qu'honorée », répondit doucement la suivante.

« Je savais que je pouvais avoir confiance en vous, l'assura la fille des Stuart.

« Voyez-vous, ma chère, un jeune noble du nom d'Anthony Babington souhaite me prêter secours.

« Il se prétend un serviteur de l'Église de Rome.

« Babington semble honnête et déterminé à me rendre justice.

« Que pensez-vous de cette offre ? » lui demanda-t-elle.

« Madame, je vous vois souffrir depuis tellement d'années… Je ne voudrais pas que vous soyez encore déçue », expliqua la favorite.

« Mary, vous auriez eu raison avant, mais ayant droit maintenant à recevoir de la correspondance, je peux compter sur plusieurs partisans.

« Je ne suis plus seule aujourd'hui », ajouta l'Écossaise en prenant dans ses mains celles de sa servante.

Mary Seton regarda les mains de sa maîtresse et releva la tête vers Marie Stuart. Ses yeux fixèrent ceux de la prisonnière qui semblait vouloir lui arracher un assentiment. La dame de compagnie ressentait l'espoir renaître chez sa reine. Elle ne pouvait pas lui enlever ce feu qui prenait naissance en elle.

« Madame, foncez ! Dieu vous protégera », dit-elle avec un sourire machinal.

Heureuse d'entendre ces paroles, la fille de Jacques V s'empressa de répondre à Anthony Babington. Elle lui demanda s'il serait seul dans cette aide qu'il lui proposait. La lettre fut aussitôt envoyée par le procédé habituel. Satisfaite du nouveau dénouement, Marie Stuart espérait recevoir des nouvelles de son jeune chevalier le plus rapidement possible.

Le seigneur anglais fera parvenir des détails sur le projet d'assassinat de la reine d'Angleterre à la mi-juillet. Le message, plutôt court mais explicite, dévoilait l'ampleur de l'entourage de Babington. Le contenu était codé par des symboles et des chiffres que seule Marie Stuart pouvait lire. *Le contenu de la lettre est fort impressionnant*, se dira la prisonnière.

Votre Majesté,

Moi-même assisté de dix gentilshommes et d'une centaine de nos compagnons, nous entreprendrons de délivrer votre Personne royale des mains de ses ennemis. Pour l'élimination de l'usurpatrice, envers qui nous nous considérons relevés du devoir d'obéissance par son excommunication, il y a six nobles jeunes gens, tous mes amis intimes, qui, avec le zèle qu'ils portent à la cause catholique, et pour le service de Votre Majesté, se chargeront de la terrible exécution.

Votre dévoué,

Anthony Babington

Les yeux remplis de larmes, la reine d'Écosse était surprise de lire pareil message. C'était la première fois qu'un groupe organisé déclarait officiellement vouloir intervenir pour sa cause. Trop de fois fut-elle déçue du manque de soutien de ses alliés du continent. Elle n'allait pas laisser passer cette dernière chance. La souveraine répondit au jeune noble anglais trois jours plus tard. Dans son envoi, elle donnait franchement son appui à l'attentat qui se tramait contre sa cousine. La fille des Stuart se souciait surtout de sa personne au moment de cet acte fatidique. Marie Stuart demanda d'être libérée au moment du meurtre d'Élisabeth Ire car son geôlier, le comte de Shrewsbury, pourrait se venger d'elle. Jamais la reine d'Écosse n'avait été si sûre d'elle et, par le fait même, si imprudente.

Cette mascarade était suivie de près par Walsingham, qui interceptait toute correspondance échangée entre l'Écossaise et le seigneur anglais. Malgré toutes les précautions prises, les lettres étaient décodées par un spécialiste des langues. Thomas Phelippes était l'un des meilleurs cryptanalystes d'Europe. Rien n'échappait à l'homme et il déchiffra avec assez de facilité le contenu des courriers échangés. Lorsque Walsingham lui demanda d'insérer un post-scriptum à la fin du message de Marie Stuart, Phelippes n'eut aucune difficulté à le faire. Il mentionna, dans cette apostille, que la souveraine exigea que Babington cite les noms de ses complices afin qu'elle puisse être en mesure de donner ses directives ultérieurement. Ce message fut fatal tant pour le jeune seigneur anglais que pour la reine d'Écosse. Sir Francis Walsingham avait maintenant en sa possession la preuve ultime d'un complot de meurtre sur Élisabeth Ire. Il pouvait dès lors prouver hors de tout doute la participation de Marie Stuart dans cet homicide sur la couronne de la Tudor. La fille d'Henri VIII voulait éliminer sa rivale écossaise, mais ne possédait pas les faits qui pouvaient l'inculper. Avec ces lettres incriminantes, la reine d'Écosse venait de fournir – sans le savoir – les pièces manquantes qui menaient à sa perte.

À la fin du mois de juillet, lors d'une nuit, la prisonnière fit de nouveau un horrible cauchemar. Elle se voyait grimper les marches d'une petite estrade surélevée autour de laquelle des dizaines d'hommes vêtus de noir la regardaient. Un froid hivernal semblait planer sur les lieux, ce qui rendait le décor encore plus sombre qu'il ne l'était déjà. Un individu, affublé d'un masque noir, se tenait droit avec une hache à la main. Marie Stuart se réveilla en sursaut, toute en sueur. Elle avait vu ces images quelques fois auparavant, mais jamais de façon aussi détaillées. Elle versa de grosses larmes sur ses deux joues. *Pourquoi ai-je cette funeste vision ?* se demanda-t-elle. *Dieu veut-il me prévenir ou suis-je trop craintive ?* La fille de Jacques V se leva, enfila un vêtement sur sa chemise de nuit et se dirigea vers les fenêtres. Elle regarda à l'extérieur. La lune était ronde et resplendissante. Des coassements de grenouilles se faisaient entendre des jardins. Étant totalement réveillée, la catholique décida de réciter une prière. Elle implora le Seigneur de lui venir en aide et de sauver son âme. Après cette supplication, la souveraine s'endormit à nouveau.

Le lendemain matin, Mary Seton pénétra dans les appartements de sa maîtresse comme à l'accoutumée. Elle remarqua que la reine d'Écosse n'était pas allongée dans son lit, mais sur une chaise, près du foyer. *Madame doit avoir fait un autre mauvais rêve,* se dit la favorite. Elle s'approcha doucement de sa reine et, d'un geste délicat de la main, la sortit des bras de Morphée.

« Votre Majesté, il fait jour », annonça la dame de compagnie.

« Mary, j'ai fait un affreux cauchemar… Un homme armé d'une hache se tenait près de moi », lança d'un souffle la fille des Stuart.

« Madame, ce n'était qu'un mauvais rêve. Rien de cela n'est réel », la rassura la suivante.

« Peut-être, ma chère amie, mais ma vie est un long processus de déceptions réelles », répliqua la prisonnière.

❦

Erreur fatale ! Le 14 août 1586, Anthony Babington est arrêté par les soldats de la reine d'Angleterre. Après avoir échappé de justesse à un guet-apens quelques jours auparavant, le jeune seigneur anglais vécut en fugitif pendant plus d'une semaine. Déguisé, il fut tout de même reconnu et emprisonné à la Tour de Londres. Ses complices furent également enfermés dans la forteresse médiévale. Walsingham avait réussi là où plusieurs des conseillers d'Élisabeth Ire avaient raté. Son stratagème avait fonctionné à merveille et bientôt la catholique en subirait les conséquences. Pendant quatre jours, les hommes armés de l'Anglais firent subir les pires sévisses à Babington. Du lever jusqu'au coucher du soleil, ils essayèrent de soutirer des informations pouvant rendre coupable Marie Stuart. La cinquième journée, épuisé de douleur, le jeune homme divulgua tous les renseignements que Sir Francis Walsingham voulait entendre. Satisfait des preuves qu'il attendait avec impatience, il ordonna l'exécution du prisonnier et de ses six alliés. Afin de les donner en exemple aux traîtres catholiques, leur mort fut des plus atroces. Les gardes de Londres accrochèrent les condamnés à des cordes et ils furent pendus. Toujours vivants, ils furent détachés et s'ensuivirent une série de tortures. Utilisant des couteaux mal aiguisés, les soldats les émasculèrent, puis les étripèrent. Comme châtiment final, ils furent attachés à des chevaux qui partirent dans toutes les directions en écartelant les prisonniers.

Au moment où se déroulait l'arrestation d'Anthony Babington, la reine d'Écosse ne fut pas informée de ce qui se passait à Londres. Croyant encore à la liberté que s'apprêtait à lui offrir le jeune seigneur anglais, elle accepta avec innocence une balade à cheval proposée par son geôlier. Heureuse de se dégourdir, la souveraine savourait le grand air. Quelques galops plus loin, elle fut interceptée par une cavalerie. Elle pensa immédiatement que ces hommes étaient venus la sortir de cette prison, mais elle se rendit vite à l'évidence qu'il n'en était rien. Trop tard ! Les soldats encerclèrent l'Écossaise qui venait de comprendre qu'elle était prise au piège.

« Que me voulez-vous ? » s'écria la fille des Stuart.

« Au nom de Sa Majesté la reine d'Angleterre, Marie Stuart, vous êtes en état d'arrestation pour votre participation à un complot d'assassinat contre Élisabeth Ire », répondit froidement l'un des hommes.

« Savez-vous qui je suis ? Je suis la reine d'Écosse et nul en ce monde peut me condamner », fulmina-t-elle.

« Selon la Loi d'Association du Parlement anglais, vous êtes impliquée dans ce délit plus que condamnable. »

Constatant sa faiblesse face à la cavalerie, la souveraine se soumit aux directives de sa cousine royale. Elle fut escortée, ainsi que ses dames de compagnie, jusqu'au village de Tixall. La reine d'Écosse comprenait qu'elle se trouvait dans une situation très délicate. Elle avait échangé de la correspondance avec ses fidèles, mais n'avait pas eu vent de l'arrestation de Babington. Elle craignait vraiment pour sa sécurité physique. Marie Stuart fut enfermée seule dans une petite chambre, à l'intérieur d'une maison. Pour leur part, ses favorites se virent interdire tout contact avec elle.

Pendant neuf jours, alors que la reine d'Écosse était isolée à Tixall, les hommes d'Élisabeth Ire fouillèrent dans les affaires personnelles de la fille des Stuart. Chaque papier écrit de sa main fut scruté à la loupe. Les meilleurs spécialistes de l'écriture décodèrent les messages secrets. L'objectif de cette enquête était de dénicher le maximum de preuves pouvant mener à la condamnation de la catholique. On questionna les personnes dont les noms étaient mentionnés dans les lettres. Celles qui refusèrent de coopérer furent envoyées dans des prisons. Londres voulait en finir avec cette reine étrangère. Chacun des détails était rapporté à la reine d'Angleterre.

Le 20 août, Marie Stuart et ses suivantes revinrent au château de Sheffield. La vie de la prisonnière, jusqu'alors plutôt tourmentée, devint insupportable. Toute permission lui était strictement défendue, toute correspondance interdite et toute audience refusée. La santé de la souveraine était des plus inquiétantes : elle souffrait de graves rhumatismes. Les longues marches lui faisaient terriblement mal aux articulations. Son dos commençait à se courber. Elle avait presque quarante-quatre ans, et les dix-huit dernières années l'avaient détruite. Revenue au palais depuis seulement quelques jours, Marie Stuart reçut à nouveau la visite des enquêteurs de sa cousine. Ils cherchaient encore des preuves pouvant l'incriminer. Elle fut une fois de plus interrogée, mais ne répondit guère aux questions des Anglais.

L'automne venait de commencer et la température devenait plus froide. La reine d'Écosse passait ses longues journées à prier Dieu pour qu'il vienne la secourir. Voulant déloger sa cousine de la résidence où elle demeurait depuis plusieurs années, Élisabeth Ire choisit le château de Fotheringhay. L'endroit était à une journée et demie de la capitale anglaise. Aux yeux de la fille d'Henri VIII, les lieux étaient sécuritaires et plus adéquats pour surveiller sa prisonnière. Qualifié de forteresse, le château se dressait sur un petit mont, au milieu d'un double fossé. Le premier, ceignant le bâtiment, était en fait une rivière. Le second, se trouvant à l'intérieur, était plutôt creux. Pour pénétrer dans le palace, les visiteurs devaient passer sur un pont-levis. Au milieu du bâtiment, une cour étroite servait de terrain.

Tard le soir du 25 septembre, la reine d'Écosse et ses dames de compagnie furent transférées dans leur nouvelle prison. Les appartements qui logeaient l'Écossaise se situaient aux étages supérieurs. Le lendemain matin, à l'aube, Marie Stuart s'agenouilla devant un crucifix en bois, accroché maladroitement sur l'un des murs de la chambre. Seule, la femme implora le Tout-Puissant d'entendre sa requête.

« Dieu, protégez-moi de ces protestants, demanda-t-elle en larmes.

« Je vous ai toujours servi avec loyauté…

« Pourquoi me faites-vous subir tant d'épreuves ? » lança la catholique.

La souveraine se coucha recroquevillée dans un coin de la pièce froide. Le temps semblait s'être arrêté autour d'elle. Au bout d'un court moment, elle se rendormit profondément.

La première journée d'octobre, Marie Stuart reçut la visite d'un émissaire de la reine d'Angleterre. Elle l'accueillit dans son étroite chambre du château de Fotheringhay. La souveraine avait exigé la présence de sa dame de compagnie principale comme témoin de la rencontre.

« Madame, au nom de Sa Majesté la reine d'Angleterre, je suis ici pour vous informer que vous serez dans l'obligation de vous présenter devant un tribunal constitué par les autorités anglaises », annonça promptement l'homme.

« Sur quel motif ? » répliqua la fille de Jacques V.

« Vous êtes accusée d'avoir participé à un complot de meurtre sur Élisabeth Ire. »

« Foutaise ! cria-t-elle.

« Comprenez-moi bien, mon brave.

« Je n'ai jamais rien entrepris ni voulu rien entreprendre soit contre la reine d'Angleterre, soit contre son royaume, déclara Marie Stuart d'une voix calme.

« Je n'ai nullement voulu faire mourir une reine bénite de l'oint du Seigneur telle que je le suis moi-même. Je me suis comportée envers votre souveraine comme je le devais. Au contraire, je l'ai plusieurs fois prévenue de toutes les conspirations qui se tramaient contre sa personne. Nombre de fois je l'ai suppliée de m'accorder une audience, afin que nous puissions, d'un commun accord, régler nos différends. Les autorités anglaises ont rejeté toutes mes offres avec mépris », prononça-t-elle.

« Prenez garde à vos paroles, Madame, car vous pourriez en payer le prix », avertit l'homme.

« Ce n'est point en reine captive que j'ai été traitée, mais en prisonnière sur qui l'on aurait droit de vie ou de mort. On m'a ôté tous les privilèges de la vie, sans qu'il m'ait été possible de communiquer avec mes proches. On m'a fait surveiller par un homme sans compassion », ajouta-t-elle.

« Vous étiez en territoire étranger, vous deviez vous soumettre à nos lois », insista l'émissaire.

« Pendant mes longues journées emprisonnées, Élisabeth Ire, votre souveraine, n'a cessé de soutenir contre ma personne mes sujets et mon fils. J'ai été abandonnée, sans aucun confort ni espoir et, surtout, j'ai été privée de tout bien.

« Si les membres de ma famille, mes amis, mes supporters, épris de compassion, et prenant en pitié mes malheurs, se sont mis en tête de me soulager et de m'aider, pouvais-je ignorer ces gestes et me mettre à leur merci ? » précisa-t-elle.

« Ce n'est point à moi de vous juger mais aux représentants de Sa Majesté la reine », répondit-il.

« Toutefois, je ne connais pas leurs intentions... Je ne m'en mêle point et ne m'en suis nullement mêlée. S'ils ont fait ou entrepris toute action contre ma cousine, que la reine d'Angleterre s'en prenne à leur personne. Ils sont là pour en répondre, mais qu'elle ne s'en prenne pas à moi. Votre souveraine sait bien que je l'ai souvent avertie de prendre garde à sa personne. Les souverains chrétiens pourraient entreprendre quelque chose en ma faveur. Sur quoi Élisabeth Ire me répondit qu'elle était aussi assurée du bon vouloir des étrangers que celui de ses sujets, et que l'on n'avait que faire de la reine d'Écosse », conclut la fille des Stuart.

Sur ces paroles, l'émissaire de Londres repartit vers la capitale afin de retransmettre à la Tudor les propos de sa cousine. De toute évidence, Marie Stuart n'avait absolument pas l'intention de reconnaître ses torts dans ce complot. Elle envisageait de prouver son innocence envers sa cousine tout d'abord, mais aussi envers les sujets catholiques anglais. La reine d'Écosse espérait quitter ce monde en étant une martyre chrétienne. Ne sachant trop quel piège Élisabeth Ire voulait lui tendre, la prisonnière craignait le pire. La souveraine écossaise s'était juré de combattre jusqu'à son dernier souffle les accusations dont ses ennemis protestants anglais la rendaient coupable. Certains disaient que sa force de caractère lui venait de ses parents, le roi Jacques V et la reine Marie de Guise, qui sacrifièrent leur vie en exerçant leur devoir royal.

Le calvaire de Marie Stuart ne faisait que commencer. Enfermée au château de Fotheringhay sous une surveillance des plus accrues, la reine d'Écosse était coupée du reste du monde. Les autorités anglaises lui avaient uniquement permis l'assistance de ses quatre dames de compagnie. Elle ne bénéficiait plus d'aide supplémentaire. Jour et nuit, elle était confinée dans ses appartements on ne peut plus restreints. Malgré ses rhumatismes qui lui faisaient terriblement mal, elle se voyait interdir la présence d'un médecin par Walsingham. La fille des Stuart était pétrifiée de peur. Toutes ses correspondances ne parvenaient jamais aux destinataires. Elle était seule au milieu de ses ennemis protestants.

Pendant deux longues semaines, la souveraine refusa de comparaître devant un tribunal anglais. Même les nombreux commissaires qui défilaient devant elle ne lui arrachèrent que très peu de paroles. À qui voulait l'entendre, la catholique déclarait qu'en tant que reine elle n'avait à rendre de comptes à personne. Seulement Dieu et la sainte Église pouvaient la juger de ses actes. Indéniablement, la reine d'Écosse détenait une force que ses ennemis ne soupçonnaient pas.

Alors que le soleil se couchait, Marie Stuart exigea la présence de Mary Seton. Elle savait que son entêtement face aux Anglais lui nuisait beaucoup. Que pouvait-elle faire ? Sa vie même dépendait du bon vouloir de sa cousine royale. Plus que jamais, la souveraine avait besoin des conseils d'une personne en qui elle avait pleinement confiance.

« Entrez ! » s'écria la prisonnière lorsqu'on frappa à la porte.

« Madame, vous m'avez demandée ? » dit la favorite.

« Venez, ma chère amie… Je dois vous parler.

« Mary, nous avons traversé tant d'obstacles depuis que nous sommes arrivées ici.

« Aujourd'hui, je fais face à mon destin. Je suis dans une situation des plus menaçantes pour ma couronne, dit la fille de Jacques V.

« On me presse de passer devant un tribunal fabriqué de toutes pièces par la reine d'Angleterre.

« Chaque jour, je reçois la visite de commissaires de Londres me conseillant vivement de collaborer à cette mascarade.

« Que dois-je faire ? Comment réagir ? » supplia-t-elle en regardant sa suivante.

« Madame, que le poids de votre couronne doit être lourd sur votre tête, répondit Mary Seton.

« Madame a été désignée par le Tout-Puissant et le sang de grands rois coule dans vos veines.

« Je ne suis point souveraine ni même noble, mais je crois que vous devriez vous asseoir devant ces hommes.

« Si aucun homme n'entend vos paroles, comment pourrez-vous remonter sur votre trône ?

« Je crois qu'il serait sage d'affronter le regard des juges d'Élisabeth Ire », conclut-elle.

Marie Stuart fixa un instant les yeux de Mary Seton. Elle détourna son regard vers la fenêtre entrouverte. La fille des Stuart savait que sa dame de compagnie avait raison. Ses mots étaient justes et remplis de sagesse. Elle devait se présenter devant le tribunal anglais et défendre à tout prix sa dignité.

« Bien, Mary ! Dès demain, j'annoncerai mon accord à collaborer avec les autorités anglaises », annonça la catholique.

Le lendemain matin, alors que la journée semblait vouloir être sombre, la reine d'Écosse accepta de comparaître en personne devant les commissaires du tribunal anglais. Aussitôt averti de la décision de l'Écossaise, Walsingham mandata Lord Burghley à la tête du tribunal.

La même journée, l'audience se déroula dans l'une des grandes salles du château de Fotheringhay. Les commissaires analysèrent les documents rapportés par le service de sécurité d'Élisabeth Ire. Des témoignages écrits furent également déposés comme preuves. Jusqu'à la tombée de la nuit, les juristes firent la lecture de chaque bout de papier. Tard en soirée, un individu frappa à la porte de Marie Stuart. L'Anglais l'informa que le tribunal l'attendait le lendemain, vers neuf heures. Bouleversée par le dénouement, elle ne ferma pas l'œil de la nuit. Elle pria le Seigneur de la guider dans ses paroles afin de ne pas se nuire.

Dès huit heures, les dames de compagnie entourèrent leur maîtresse. Chacune s'occupa d'une partie du corps de leur souveraine. La plus jeune la coiffa sobrement d'un voile noir sans déposer aucune pierre précieuse. La plus âgée l'aida à enfiler ses vêtements. Elles optèrent pour une robe, sans apparat, de couleur noire. Les autres lui attachèrent les boutons aux poignets et lui massèrent le visage afin de la détendre. Comme bijou, seul un chapelet de perles blanches pendait à son cou frêle.

« Mes filles, Dieu a mis sur mon chemin cette épreuve pour que je lui prouve ma loyauté », dit la reine d'Écosse pour réconforter ses favorites.

« Votre Majesté, n'oubliez pas qui vous êtes... », chuchota à l'oreille de sa maîtresse Mary Seton.

Sur le coup de neuf heures, deux gardes anglais se postèrent devant la porte des appartements de la prisonnière. Un homme vêtu de noir les suivit de près. Il pénétra dans la pièce et ordonna à Marie Stuart de le suivre immédiatement. La souveraine tendit ses mains le long de son corps, leva la tête et précéda l'homme de quelques pas. Lorsqu'ils sortirent de la chambre, les deux Anglais armés fermèrent le cortège. Le trajet entre ses appartements et la salle du tribunal sembla durer une éternité dans l'esprit de la fille des Stuart. Elle et les trois hommes qui l'accompagnaient arrivèrent enfin devant les hautes portes de la salle principale. Deux soldats les ouvrirent. L'Anglais pénétra le premier et Marie Stuart le suivit lentement. La pièce était sombre, peu de lumière éclairait les lieux. Des dizaines de personnes se tenaient debout dans la salle. Un trône en bois se trouvait dans un coin du tribunal. Certaine que ce siège lui était réservé, la souveraine s'y dirigea d'emblée.

« Que faites-vous, Madame ? » s'écria une voix rude.

« Je prends place afin de commencer l'audience », répondit-elle innocemment.

« Je crains que vous vous dirigiez vers le mauvais fauteuil », répliqua l'individu sur un ton sarcastique.

Ne saisissant pas bien le sens de la phrase de son interlocuteur, la fille de Jacques V s'arrêta à mi-parcours.

« Voyez-vous la chaise, là, au milieu de la pièce ?... Voilà votre fauteuil, Votre Majesté », précisa l'Anglais en se moquant de la catholique.

Humiliée dans son orgueil de souveraine, elle s'assit sur la chaise étroite et inconfortable.

« Monseigneur, pourquoi me traitez-vous ainsi ? s'insurgea-t-elle.

« Je suis de sang royal et ma place est sur ce fauteuil, et non sur celui-ci », ajouta-t-elle d'un trait.

« Ici, vous êtes ni plus ni moins qu'une prisonnière sur qui pèse de lourdes charges », fulmina Lord Burghley.

« Mensonges ! » lança l'Écossaise.

Elle sentit des paires d'yeux l'intimider dans le plus profond de son âme. L'accusée comprenait qu'aucun de ces gentilshommes ne lui porterait secours. Des nobles, des membres du Parlement et, bien sûr, des hauts ecclésiastiques de l'Église anglicane l'entouraient. Aucune autre femme qu'elle ne se tenait en ces lieux au moment où elle se faisait traîner dans la boue. Il était plus qu'évident que ce monde d'hommes s'était lié contre elle.

« Déclinez votre identité », ordonna le président du tribunal, Lord Burghley.

« Marie Stuart, par la grâce de Dieu, reine d'Écosse », précisa l'accusée.

Les personnes présentes chuchotèrent des insultes lorsqu'elle prit la parole. Elle fit la sourde oreille et resta de marbre face à ses ennemis jurés. L'Écossaise était persuadée qu'aucun des membres de l'assistance ne lui serait favorable.

« Madame, au nom de Sa Majesté la reine, et sous le grand sceau du royaume d'Angleterre, nous sommes ici aujourd'hui pour faire la lumière sur la façon dont vous avez offensé la souveraine. Nous avons pleins pouvoirs pour entendre et examiner les faits, même en votre absence, l'informa le vieillard.

« Toutefois, nous avons voulu que vous soyez présente afin de démontrer notre respect envers votre dignité royale », poursuivit-il.

« Dois-je m'en réjouir ? » lança la catholique.

« Madame, nous n'avons nullement eu la pensée de vous reprocher autre chose que ce que vous avez comploté ou entrepris contre la vie de Sa Majesté », répliqua l'homme en haussant le ton.

L'un des commissaires se leva et se dirigea vers Marie Stuart en tenant à la main quelques papiers.

« Reconnaissez-vous ces lettres ? » demanda l'Anglais en les secouant dans le visage de l'accusée.

« Oui ! » s'écria-t-elle.

« Donc, vous reconnaissez être l'auteure de ces lignes ? » ajouta le juriste.

« On pourra prouver les circonstances, mais jamais les faits dont vous m'accusez », dit l'Écossaise.

« Avouez que vous aviez comploté l'assassinat de la reine Élisabeth Ire », fulmina Lord Burghley.

« Jamais ! »

Pendant une partie de l'avant-midi, les commissaires lurent les dizaines de messages de la fille des Stuart à haute voix : les correspondances avec le pape et les fidèles des partis catholiques d'Écosse et d'Angleterre ; les échanges avec les rois de France et d'Espagne ; les notes avec le duc de Norfolk et Anthony Babington ; ainsi que le courrier avec sa famille, les membres de la Maison de Lorraine. Chacune des lettres rendait l'accusée davantage coupable du méfait sur la fille d'Henri VIII.

« À la lecture de ces messages, on ne peut que remarquer votre entêtement à vouloir gravir le trône d'Angleterre », affirma le noble.

« Étant légitime à la couronne anglaise, j'avais le loisir de défendre mes droits.

« Je n'ai jamais nié être la fille de mon père et être une catholique. Si les souverains chrétiens de l'Europe veulent me prêter leur secours, que puis-je faire ? J'ai proposé à de nombreuses occasions de rencontrer ma cousine pour en discuter », ajouta la souveraine.

« Nous trouvons bien étranges vos relations avec les rois d'Europe », déclara l'un des juristes en poussant un rire.

« Ce n'est pas de votre ressort de vous occuper des relations entre les souverains », s'écria-t-elle avec une voix remplie d'autorité.

« Si les armées étrangères foulèrent le sol anglais, la reine aurait-elle été en danger ? » questionna Lord Burghley.

« Je ne sais point, répondit la catholique.

« Je ne peux répondre à cette question car tout ce qui m'importe – et c'est mon privilège – est de remonter sur mon trône en Écosse. »

On ajourna la séance alors que les juristes ruminaient encore leur colère. Une escorte reconduisit la reine d'Écosse vers ses appartements. Aucune de ses dames de compagnie ne fut autorisée à se rendre auprès d'elle. Seule et isolée, la fille de Jacques V ne pouvait compter sur la compassion de personne. La nuit promettait d'être longue pour l'accusée.

Dans son sommeil, Marie Stuart fit l'horrible cauchemar qu'elle avait fait à quelques occasions. Elle se voyait monter l'escalier menant sur une plateforme en bois. Un homme, masqué d'un voile en cuir noir, tenait une hache à la main. Cette fois-ci, la sinistre scène se précisa davantage. Vêtue de rouge, l'Écossaise s'accroupit devant un billot de bois et y déposa lentement la tête. Elle ferma les yeux, une larme en coula le long de sa joue et son âme quitta son corps. L'arme, finement aiguisée, lui coupa la tête. À la vue de cette monstrueuse image, elle se réveilla brusquement.

« Non ! s'écria la fille des Stuart.

« Impossible ! Je suis reine, je ne peux finir ma vie ainsi », se dit-elle tout bas pour se rassurer.

Terrorisée par ce cauchemar, elle ne ferma pas l'œil du reste de la nuit.

Alors que le soleil daigna se montrer enfin, la reine d'Écosse était depuis longtemps éveillée. Elle avait même terminé sa prière quotidienne. Elle attendait impatiemment ses favorites pour revêtir ses vêtements.

La journée se déroula en tout point comme la précédente. Regards perturbateurs, rires insolents et accusations de toutes parts. Les commissaires essayèrent de l'intimider, mais en vain. Elle réfuta toutes les manigances de ses ennemis. Au moment où les juristes s'apprêtèrent à rendre leur verdict de culpabilité, un messager de Londres remit une lettre signée par Élisabeth Ire ordonnant de ne pas prononcer la sentence immédiatement. Soumis aux directives de la souveraine anglaise, les hommes de loi exécutèrent la volonté de la reine. Lord Burghley renvoya sous haute surveillance la prisonnière dans sa chambre, sans lui donner aucune explication.

Marie Stuart vivra dans l'attente d'un verdict du tribunal anglais sans vraiment croire en ses chances. Pendant tout un mois, elle passera ses longues journées à prier. Étant en mauvaise santé physique, la reine d'Écosse souffrira de voir son corps en si mauvaise condition. Elle continuera d'écrire des lettres à ses proches sans pouvoir les leur envoyer. Malgré tout, elle gardera espoir en un jour meilleur.

Les commissaires se réunirent à quelques reprises afin de proposer une sentence à Élisabeth Ire. Quasi à l'unanimité, les juristes décidèrent que la peine de mort était l'ultime punition. Cette femme était une catholique, donc une traître aux yeux des protestants anglais. Elle avait participé à un complot de meurtre sur la personne sacrée de la reine d'Angleterre. Il fallait en finir avec la fille des Stuart. Avec Walsingham en tête, les juristes essayèrent de convaincre la Tudor de se débarrasser de sa cousine royale. La souveraine demeurait imperturbable face aux recommandations de ses conseillers. Non pas qu'elle avait une quelconque pitié pour sa cousine, mais elle s'interrogeait sur les conséquences d'un tel acte. Si elle, la reine d'Angleterre, autorisait l'arrêt de mort d'une autre tête couronnée, cela prouverait qu'on pouvait mettre fin à la vie d'une dignité de sang royal. Qu'adviendrait-il si, lors d'un soulèvement ou d'une évasion étrangère, l'ennemi atteignait le sol anglais ? Il pourrait en toute légitimité assassiner la reine d'Angleterre en prétextant que cette dernière avait autorisé tel châtiment sur la fille de Jacques V. Non, la protestante ne souhaitait pas en arriver là. Elle envoya de nombreux conseillers à la rencontre de la catholique afin de lui soutirer une confession. Si la prisonnière avait fait pareil aveu, la fille d'Henri VIII aurait pu justifier la sentence du tribunal. Malheureusement pour Élisabeth Ire, sa rivale ne lui fera pas ce cadeau.

Le 19 novembre 1586, après des années de manigances de toutes sortes, les adversaires de Marie Stuart virent leurs efforts porter leurs fruits. Influencée constamment par son entourage, la reine d'Angleterre n'avait pas eu d'autre choix que d'accepter le document. La décision fut difficile à prendre, sûrement la plus sérieuse de tout son règne. Officialisée par elle, la punition ne pouvait qu'être exécutée. Jalouse de sa cousine et effrayée à l'idée de perdre son trône au profit de la catholique, Élisabeth Ire devait éliminer l'Écossaise. Un membre du conseil royal anglais fut envoyé auprès de la reine d'Écosse pour lui transmettre cette décision.

Tard en soirée, un lord arriva au château de Fotheringhay. Il se rendit aux appartements de la prisonnière.

« Madame, au nom de Sa Majesté, je vous informe de la recommandation des commissaires », annonça l'homme.

« Faites, Monseigneur ! » répondit Marie Stuart.

« Les Très Honorables membres du tribunal proposent l'exécution de votre personne », déclara-t-il sans broncher.

« Je ne suis point surprise de cette sentence, répliqua-t-elle.

« Aucun allié n'a été présent lors des audiences en ce château.

« Toutes les stratégies de mes ennemis ont poussé ma chère cousine à franchir le pas », ajouta-t-elle.

Lorsque l'Anglais quitta la pièce, Marie Stuart éclata en sanglots. Les dames de compagnie n'avaient jamais vu leur maîtresse aussi détruite. Maintenant, il était plus qu'évident que la reine d'Écosse ne remonterait plus jamais sur son trône.

« Votre Majesté, ne perdez pas espoir », rassura Mary Seton.

« Que me dites-vous là ? fulmina la souveraine.

« Cessez de me dire cette phrase.

« Ne voyez-vous pas que tout est terminé pour moi ? » s'écria-t-elle.

« Madame, la reine d'Angleterre n'a toujours pas signé l'acte de peine de mort », précisa la favorite.

« Elle le fera, j'en suis persuadée », répondit l'Écossaise.

« Peut-être pas ! la contredit la dame de compagnie.

« Si elle vous fait tuer, les rois d'Espagne et de France se vengeront. Elle ne le sait que trop bien !

« Prendra-t-elle le risque d'entrer en guerre contre vos puissants amis ? » lança-t-elle.

Incertaine du réalisme des paroles de Mary Seton, Marie Stuart se leva et regarda par la fenêtre. Une pluie battante tomba du ciel nuageux et grisâtre. L'espoir était mince, même nul, mais la fille de Jacques V espéra que sa dame de compagnie principale dise vrai.

Les semaines qui suivirent furent interminables. Elle passa ses journées à écrire à Élisabeth Ire pour la convaincre de changer d'idée. Elle la supplia de croire en sa bonne volonté. Mais aucune de ses lettres ne parvint à la reine d'Angleterre. Elles étaient toutes interceptées par Sir Francis Walsingham.

Au début de décembre, le Parlement anglais obtint la proclamation publique de la peine de mort de la fille des Stuart. Il ne manquait plus que la signature d'Élisabeth Ire pour que la décision soit entérinée. Informée des derniers dénouements, Marie Stuart écrivit à sa parente protestante. Fatiguée, elle lui demanda de mettre fin à ses jours le plus tôt possible. Le message ne se rendra jamais à la destinataire. Très consciente que sa vie pouvait basculer d'un moment à l'autre, la catholique attendait son heure venir. La reine d'Écosse, captive de sa cousine depuis 1568, avait perdu tout espoir en ses chances. Rivale gênante, elle était devenue l'ennemie numéro un du royaume d'Angleterre. Tant que Marie resterait en vie, la couronne de la Tudor était instable sur la tête de la protestante. Toutes ces années de combat ne lui servirent qu'à creuser sa tombe plus rapidement. Elle était venue chercher de l'aide auprès d'Élisabeth Ire, mais c'est finalement cette dernière qui lui portera le coup fatal. Sa naïveté envers sa cousine l'avait terriblement aveuglée sur les intentions réelles de la reine d'Angleterre.

CHAPITRE XIV

Des ombres dans le noir

Édimbourg, 1568-1569

LES NUITS d'Édimbourg n'étaient pas sécuritaires pour les gens qui osaient s'aventurer seuls dans les rues sombres de la ville. Des brigands et des prostituées envahissaient chaque coin et recoin de la capitale, et tout particulièrement à proximité du port.

Charlotte était restée figée sur son banc pendant des heures à regarder la mer à l'horizon. Ses nouveaux vêtements n'étaient toujours pas suffisants pour la garder au chaud dans l'humidité qui flottait dans l'air. Les soirées de novembre devenaient froides dès le coucher du soleil.

L'Anglaise finit par se lever et tenta de penser à un endroit où elle pourrait loger pour la nuit. Les possibilités qui se présentaient à elle étaient restreintes. Elle ne voulait pas importuner davantage monsieur et madame Wickham, d'autant plus qu'ils quittaient la capitale tôt le lendemain matin.

Elle devait sans tarder trouver une solution si elle ne voulait pas dormir sur un des bancs du port. Elle décida donc de faire le tour des rues du quartier pour voir ce qui s'offrait à elle.

Les lumières d'une église presbytérienne attirèrent en premier lieu son attention. Elle se dirigea vers les portes pour demander l'hospitalité. Mais elles étaient verrouillées. Elle cogna donc de toutes ses forces. Personne ne vint répondre. Elle frappa à nouveau, mais toujours rien.

Découragée, elle s'assit sur les marches de granite du parvis principal et posa sa tête sur ses genoux. *Comment vais-je pouvoir me sortir de cette situation toute seule* ? pensa-t-elle. *Je suis venue en Écosse, sans le sou, pour tenter d'échapper à une mort certaine et me voilà dans la même situation aujourd'hui, huit ans plus tard !*

Charlotte sentit une goutte d'eau glacée glisser sur sa nuque. Elle leva la tête pour voir ce que c'était et d'où cela provenait. *De la neige !* Les premiers flocons de l'hiver tombaient sur Édimbourg.

Elle ne pouvait certainement pas dormir à l'extérieur durant la nuit. Et rester assise ici ne ferait pas avancer les choses. *À la résidence des Wickham dans ce cas !* Charlotte ne voulait pas abuser de leur générosité, mais elle était certaine qu'ils l'hébergeraient sans protester.

Plutôt que d'emprunter les artères principales, elle coupa court par les ruelles. Ce n'était certes pas le chemin le plus sécuritaire pour une jeune femme.

L'allée était très sombre. Peu de lumière provenait des boutiques fermées. La plupart des gens étaient déjà au chaud, dans leur lit.

Soudainement, elle s'arrêta. Elle croyait avoir entendu des pas derrière elle.

Rien.

Elle se retourna. Elle ne voyait rien dans cette noirceur lugubre… sauf la neige qui tombait du ciel.

Elle se remit à marcher. Et le pas claudicant se fit entendre de nouveau. C'était donc des pas qu'elle avait entendus.

Charlotte se mit à courir. Son cœur cognait dans sa poitrine. Et l'air froid lui giflait le visage. Elle sentait le pavé de pierres sous la mince semelle de cuir de ses bottes.

Elle courut et courut encore.

Ses pieds lui faisaient affreusement mal. Elle était exténuée et avait de la difficulté à respirer. Elle était frigorifiée. Et complètement terrifiée.

Cours, Charlotte ! Cours ! était la seule chose à laquelle elle arrivait à penser. *Oublie le froid ! Oublie le mal ! Tu dois sortir de ce rêve… te réveiller de ce cauchemar !*

Le bruit s'intensifiait. Se rapprochait.

Et, tout à coup, une main calleuse l'agrippa sauvagement par l'épaule et la fit tomber face première sur le pavement raboteux.

« Que me voulez-vous ? cria Charlotte, hystérique. Je n'ai pas de pièces sur moi ni de bijoux… »

Un rire gras remplit la ruelle. La jeune femme comprit qu'il s'agissait d'un homme ivre.

« Je ne cherche ni pièces ni bijoux… malgré que ça aurait rendu la situation plus intéressante. Mais j'imagine que tu as bien d'autres choses à offrir ! » insinua le soûlard.

Charlotte ne voulait pas voir la réalité en face. Cet homme allait lui voler le peu de dignité qui lui restait. *Ça ne m'arrivera pas !*

« Vous allez me lâcher tout de suite ! » hurla-t-elle en essayant de se dégager de l'emprise de l'homme.

Assis sur elle, l'ivrogne ne bougeait pas d'un iota.

« Écoute-moi bien, salope… si tu essaies de t'enfuir ou si tu cries une autre fois, je t'assure que je vais t'ouvrir le ventre comme un cochon ! »

Il était bien plus fort qu'elle. Et il lui tenait fermement les bras derrière le dos, le visage écrasé contre les pavés.

« Tu es comme toutes les autres qui traînent dans les rues la nuit et qui sont à la recherche d'un homme, lui dit-il à l'oreille. Tu en as trouvé un vrai ! »

Il lui lécha la joue avant de la faire pivoter. Sa langue était rude et son haleine empestait l'alcool.

Il s'assit sur la poitrine de l'ancienne servante, afin de pouvoir garder son ascendant sur elle et de voir la terreur dans ses yeux. Ce qui l'excitait beaucoup. D'ailleurs, son membre était déjà en érection.

Les vêtements de Charlotte étaient souillés et trempés par la neige fondante. Cela n'allait toutefois pas arrêter le soûlard.

Il déchira le corset en un seul mouvement de la main, dévoilant ainsi les sous-vêtements de coton blanc. Il pouvait voir le bout des seins durcis sous le mince tissu et cela l'excitait encore davantage.

Il passa ses gros doigts sous les jupons de Charlotte, le long des cuisses. La peau douce de la jeune femme était gelée.

Elle le supplia d'arrêter.

Cependant, chacun de ses appels enrageait davantage l'ivrogne et il devint très violent avec elle. Il la frappa à de nombreuses reprises au visage et dans le ventre.

Et pendant qu'il lui mordait le bout des seins, il réussit à descendre son pantalon jusqu'aux genoux.

Il la viola alors sauvagement.

Charlotte n'allait pas se laisser faire sans tenter une riposte et elle parvint à le griffer à la figure. L'homme en fut très surpris.

Il se retira.

« Elle est vigoureuse, la petite ! dit-il en riant comme s'il était possédé par les forces du Mal. Oh ! je te jure que tu vas payer pour ça ! »

Et il la frappa au visage avec une telle puissance que Charlotte en perdit connaissance. Ses dernières pensées allèrent au grand amour de sa vie... le charmant William MacPherson.

Puis, plus rien.

Au moment où l'homme s'apprêtait à terminer ce qu'il avait commencé, il entendit des pas venir dans sa direction. Il remonta tant bien que mal son pantalon et prit la fuite, laissant sa victime à moitié morte derrière lui.

Une ombre s'approcha de Charlotte.

Le lendemain, Charlotte Gray se réveilla très tard en après-midi. Elle ouvrit lentement les yeux. Son corps tout entier était endolori. À sa surprise, elle était étendue dans un lit douillet. *Où suis-je ? Et comment suis-je arrivée ici ?*

La chambre était étroite, mais décorée avec goût. De somptueuses toiles couvraient les murs. Outre le grand lit, une jolie table de chevet sculptée en bois et un fauteuil rembourré meublaient la pièce.

Bien que l'endroit fût manifestement réservé à une riche personne, il y avait quelque chose d'étrange. Mais la jeune femme ne pouvait pas mettre le doigt dessus.

Alors qu'elle s'apprêtait à essuyer son visage avec la paume de ses mains, elle remarqua qu'elles étaient couvertes d'ecchymoses... tout comme le restant de son corps. La violence physique qu'elle avait subie la veille avait été d'une extrême brutalité. Mais elle ne se souvenait de presque rien.

On avait nettoyé le sang dont son corps était recouvert et on lui avait enfilé cette jolie chemise de nuit en coton. *Mais qui m'a emmenée ici ?*

Elle entendit une clé tourner dans la serrure de la porte, qui s'ouvrit tranquillement. Une fillette aux cheveux roux bouclés entra en transportant un plateau. Elle le déposa sur la table de nuit, près du lit.

« Votre repas est servi ! » déclara la jeune rouquine.

« Dis-moi, jeune fille, où suis-je ? » demanda Charlotte.

Elle n'eut pas de réponse. Au moment où la fillette quittait la pièce, une femme voluptueuse – plutôt grande et très peu vêtue – apparut dans le cadre de la porte.

« Ma maîtresse vous a emmenée ici, la nuit dernière », répondit-elle.

« Et qui est cette charmante personne ? » s'enquit poliment Charlotte.

« Madame vous le dira elle-même quand le moment sera venu… Mais vous devriez manger maintenant, car vous aurez besoin de vos forces bientôt… »

« Que voulez-vous dire ? »

La femme quitta la chambre sans rien dire d'autre.

Charlotte resta toute seule, sans la moindre idée de ce qui s'était passé après qu'elle eut perdu conscience. *Comment ai-je pu survivre à mon agression ? Je ne me souviens de rien après avoir reçu cette gifle au visage ! C'est probablement mieux ainsi…*

Et elle entreprit de goûter la nourriture qu'on lui avait servie. Ce n'était pas aussi bon que ce qu'elle avait mangé chez les Wickham. La soupe était froide et le poulet, sec. Mais elle était affamée.

Au coucher du soleil, elle reçut de nouveau la visite de la jeune rouquine. Et cette fois-ci, elle lui annonça que la maîtresse des lieux passerait très bientôt pour se présenter à elle. L'Anglaise essaya une fois de plus de connaître l'identité de cette femme, mais la fillette refusa toujours de répondre.

Quelques minutes plus tard, Charlotte entendit une fois de plus la poignée tourner. Une femme obèse ouvrit la porte. Toutefois, Charlotte ne put distinguer le visage de l'hôtesse en raison du faible éclairage des bougies, qui étaient sur le point de mourir.

La dame s'approcha en titubant.

Comme celle-ci se trouvait sous la lumière des chandelles, Charlotte, incrédule, reconnut la vieille dame O'Connor.

« Ma chère amie… Charlotte Gray ! Nous voilà enfin réunies après tant d'années. »

« Vous ! » s'écria l'Anglaise.

« Je vois que tu n'as pas suivi ta reine catholique en Angleterre. On pourrait bien se demander pourquoi ! Mais nous connaissons toutes les deux la raison… » dit la vieille femme, sarcastique.

« Je ne vois pas où vous voulez en venir, honnêtement », mentit Charlotte.

« Je ne t'ai jamais oubliée, tu sais ! Et maintenant que tu es ici, tu vas payer pour le meurtre de ma nièce. »

« Je ne suis pas à blâmer pour la mort d'Elizabeth », rétorqua-t-elle en larmes.

« Balivernes ! »

« Je vous dis que je n'ai rien à voir dans cette histoire ! »

« Assez ! Je t'ai trouvée à moitié morte dans une ruelle la nuit dernière et je t'ai emmenée ici. Je t'ai sauvé la vie une fois de plus, Charlotte Gray, et je ne vais pas te laisser t'enfuir cette fois-ci ! Tu devras dormir maintenant, car je te veux alerte demain. »

« Qu'attendez-vous de moi, au juste ? »

« Tu le découvriras assez vite, ma chère ! » s'esclaffa de rire madame O'Connor en sortant de la chambre.

Prisonnière de cette vieille folle, Charlotte manquait de force pour tenter une évasion. Elle aurait encore une fois à être brave pour affronter ce que l'Écossaise avait en tête pour elle.

Après une longue nuit d'insomnie, l'Anglaise fut dérangée très tôt le lendemain matin par la jeune rouquine, qui vint lui apporter des vêtements.

« Bien le bonjour, jeune fille ! Je m'appelle Charlotte… quel est ton nom ? »

« Les filles m'appellent Molly… » répondit-elle finalement.

Charlotte s'apprêtait à jeter un coup d'œil à la robe de satin bleu qui avait été déposée sur le fauteuil près de la table de nuit quand la voluptueuse femme de la veille entra dans la pièce.

« Bon matin à toi ! Je suis Magdelyn et je serai ton guide parmi nous. »

« Qu'est-ce que vous voulez dire, exactement ? Et quel est cet endroit ? J'ai entendu des bruits de pas à l'étage toute la nuit… »

« Tu le verras très bientôt ! Je peux seulement te dire ceci pour le moment… Ici, nous essayons d'apporter un peu de bonheur dans tout ce chaos. Habille-toi maintenant ! »

N'ayant pas le choix, Charlotte obéit. Elle enfila rapidement la magnifique toilette de satin ainsi que la fine paire de bottes en cuir. Le bustier de la robe était très plongeant et laissait voir en quasi-totalité sa généreuse poitrine. Elle était très mal à l'aise d'être habillée de la sorte.

« Très bien ! Allons-y, maintenant », dit la femme aux formes généreuses.

« Mais je ne peux pas quitter ma chambre habillée comme ça ! »

« Cesse toutes ces jérémiades et suis-moi… tu es parfaite ! »

Magdelyn prit Charlotte par la main et la tira dans le long couloir. Elles se dirigeaient vers ce qui semblait être les portes d'entrée. *Où m'emmène-t-elle ? J'espère que nous n'allons pas sortir dans ces tenues !*

En route, elles passèrent une série de portes fermées de part et d'autre du corridor. *Plutôt étrange pour une résidence d'avoir autant de pièces*, pensa Charlotte. Et bien que le jour se fût levé depuis un bon moment, peu de lumière naturelle éclairait l'intérieur du bâtiment – qui était toujours illuminé par des tonnes de chandelles éparpillées un peu partout.

Au bout du couloir, les deux femmes s'arrêtèrent devant la seule porte ouverte. Elles pénétrèrent dans un grand boudoir rempli d'immenses fauteuils rembourrés et de sofas moelleux.

Magdelyn demanda à Charlotte de bien vouloir prendre place sur le canapé de velours rouge, près de l'âtre. Madame O'Connor viendrait la rejoindre sous peu. *Au moins, je n'irai pas à l'extérieur avec cette robe sur le dos !* observa-t-elle.

« Te voilà, ma chère ! Tu as bien dormi ? s'enquit la vieille Écossaise en mettant le pied dans la pièce. J'espère que mes filles n'ont pas fait trop de bruit ! »

« Je n'ai pas fermé l'œil de la nuit... Qu'est-ce qui se passait à l'étage ? » demanda Charlotte, intriguée.

« Ne t'en fais pas avec cela. C'est toujours ainsi, ici ! »

« Allez-vous finir par me dire ce que vous me voulez ? »

« Un peu plus de patience, très chère ! Juste un peu plus. Tu vas aller te joindre à mes filles pour le petit-déjeuner et Magdelyn te montrera ce que tu auras à faire ensuite. »

Mais de quelles filles parle-t-elle ? s'interrogea Charlotte. Elle savait que monsieur et madame O'Connor n'avait jamais eu d'enfant. *Elle ne peut quand même pas parler de Magdelyn et de la jeune rouquine... non ?*

« C'est quand même drôle de voir comment les choses ont changé depuis notre dernière rencontre. Il semblerait que le vent ait tourné en ma faveur, se moqua la vieille femme. J'ai été capable d'acheter cette maison avec les pièces d'or et les bijoux que tu nous as donnés, à ma nièce et à moi. Et j'ai pu lancer mon propre petit commerce… plutôt lucratif. »

« Quel genre d'affaires faites-vous ? »

« Et regarde-toi maintenant… toute seule et traînant dans les rues, remarqua l'Écossaise sans prêter attention à la question de Charlotte. Je suis au courant du terrible feu qui a détruit ta résidence récemment… »

« Comment *pouvez-vous* être au courant ? »

« Je peux juste te dire que je connais suffisamment de gens qui sont prêts à m'aider à te détruire, Charlotte Gray ! »

« Mais qui serait prêt à vous aider ? »

« Ça, c'est mon petit secret ! »

Madame O'Connor prit Charlotte par le bras et lui montra la salle à manger. Il y avait dix jolies demoiselles autour de la grande table qui mangeaient et discutaient entre elles. Certaines étaient toujours en tenues de nuit et d'autres ne portaient que très peu de vêtements – comme ce que portait Charlotte en ce moment. *C'est peut-être un genre de refuge*, pensa naïvement l'Anglaise.

« Mesdemoiselles ! Dites bonjour à notre nouvelle recrue... Charlotte Gray. »

Après avoir mangé en silence toute seule au bout de la table, Charlotte fut entraînée par Magdelyn. Elles empruntèrent le long couloir dans le sens contraire et arrivèrent devant la chambre à coucher de l'Anglaise.

« Nous y voilà ! » annonça-t-elle en ouvrant la porte.

« Mais ceci est la chambre dans laquelle on m'a mise ! Qu'est-ce qu'on attend de moi, ici ? »

« C'est relativement simple en fait... Tu prends place dans ton lit et tu attends qu'on t'emmène un client ! »

« Un client ? Vous voulez dire que ceci est un... bordel ? Et que je vais devoir être une... ? » cria Charlotte enragée, avant d'être interrompue par la voluptueuse femme.

« C'est bien, tu as fini par comprendre ! Sois reconnaissante... ici, tu es nourrie et logée sans frais... et tu reçois une commission pour tes services. »

On venait à peine de la battre et de la violer, et on lui demandait maintenant de se donner ouvertement à n'importe qui. *Pourquoi s'acharne-t-on sur moi ?*

Malheureusement, elle ne pourrait pas se sortir facilement de cette fâcheuse situation. Cette maison était sous haute surveillance, jour et nuit.

Charlotte avait remarqué que l'entrée principale donnait directement sur le bureau de madame O'Connor. La porte de sa chambre à coucher était verrouillée en permanence ou bien surveillée par Magdelyn. Et le vitrail dans sa chambre était beaucoup trop étroit pour qu'elle puisse s'y glisser.

Une demi-heure plus tard, la porte de sa chambre s'ouvrit. Un vieil homme chancelant portant une large cape et un chapeau entra dans la pièce.

« Mademoiselle Charlotte ! Est-ce vraiment vous ? » dit l'homme agréablement surpris et d'une voix malade.

« Sir Isaac MacDonald ! Mais que faites-vous ici ? » lui demanda-t-elle bêtement.

« J'ai perdu ce titre en même temps que ma position à la Cour royale il y a de cela bien longtemps… Vous devez bien vous en rappeler, ma chère ! »

« Tout ça remonte à si longtemps, en effet… Je ne me souviens pas très bien de tous les détails », mentit l'Anglaise, mal à l'aise.

« Moi, si ! Mais c'est de l'histoire ancienne. Venez ici… »

Et le vieil homme posa la main sur la poitrine de Charlotte. Elle était comme dans ses souvenirs… ferme et bien ronde.

« J'ai souvent rêvé de caresser à nouveau votre peau si douce, ma chère Charlotte. »

Elle était furieuse et dégoûtée mais, de toute évidence, elle devrait endurer la situation. Il n'allait pas l'aider à s'évader d'ici.

Alors que le vieux MacDonald s'apprêtait à conclure sa besogne, il porta la main droite à son cœur et s'écroula sur la jeune femme. Elle réussit à le pousser sur le côté, mais il ne fit aucun bruit.

Charlotte hurla.

Alarmées par le cri provenant de la chambre, madame O'Connor et quelques filles s'amenèrent rapidement et virent le corps nu d'Isaac MacDonald étalé sur le sol. L'Anglaise s'était recroquevillée dans le coin opposé de la pièce, très pâle et tremblante.

« Qu'as-tu fais là, pauvre folle ? » gronda la maîtresse des lieux.

« Absolument rien, Madame ! Mais je crois qu'il est mort… »

Madame O'Connor se pencha vers son client et confirma qu'il était bel et bien mort. Ce n'était certes pas la première fois qu'un homme de cet âge était pris d'un malaise en pleine action dans son établissement. Elle donna donc l'ordre à quatre de ses filles les plus costaudes d'envelopper l'homme dans les draps de lit et d'aller le déposer dans une ruelle, près du port, à quelques rues de là – comme elles le faisaient à l'occasion.

Une fois les choses revenues à l'ordre, Charlotte se retrouva seule dans sa chambre. Cependant, elle était toujours en état de choc et plutôt troublée par la nonchalance des autres filles en pareille situation. Et elle resta immobile sur son lit, pleurant.

Environ une heure plus tard, madame O'Connor vint voir comment elle allait. Charlotte était toujours assise sur son lit et regardait les rayons de soleil qui traversaient le vitrail coloré. La vieille Écossaise s'assit à ses côtés.

« Écoute-moi, petite écervelée ! Je peux m'arranger pour te faciliter la vie ou faire en sorte qu'elle soit un enfer perpétuel… c'est toi qui choisis ! »

« Et qu'est-ce que je dois faire pour que les choses soient moins douloureuses qu'elles le sont actuellement ? » demanda-t-elle sans s'attendre vraiment à une réponse.

« Puisque tu ne sembles pas prête tout de suite pour ce genre de travail, tu pourras, pour le moment, t'assurer que toutes mes filles ne manquent jamais de rien. Et nous réévaluerons la situation dans un mois ou deux… »

Cela pourrait rendre les événements plus tolérables. C'est un peu comme lorsque j'ai commencé à travailler à Holyroodhouse… d'une manière plus vulgaire, observa-t-elle au fond d'elle-même. Toutefois, elle n'allait pas montrer son soulagement.

Charlotte travailla pour madame O'Connor tout l'hiver. À son grand bonheur, elle resta une simple bonne, et on ne lui offrit jamais plus de clients. Son aide était fort apprécié des autres filles.

Comme elle l'avait souvent fait par le passé, l'ancienne dame de compagnie travailla fort à gagner la confiance de sa maîtresse. Et elle réussit à obtenir la permission d'aller au marché – pour autant qu'elle fût accompagnée au début. Elle recevait une maigre compensation monétaire pour ses services, qui était bien loin de ce qu'elle avait eu l'habitude de recevoir à la Cour royale.

Lorsque l'été arriva finalement, Charlotte eut à sortir de plus en plus souvent, car les filles de madame O'Connor travaillaient davantage durant cette période. Et elle s'était même vu donner l'autorisation de se rendre au marché toute seule à l'occasion.

Un jour, au début du mois de juin 1569, après avoir passé une partie de l'après-midi à traîner dans les boutiques du quartier, elle s'arrêta un instant dans un jardin public pour se rappeler ses jours plus glorieux.

Stupéfaite par le temps qui avait passé rapidement – et craignant le courroux de sa maîtresse –, elle s'empressa de rentrer à ce qui était devenu son domicile. Mais une surprise l'y attendait à son arrivée.

En approchant de la résidence, elle entendit des gens désemparés qui criaient et en vit d'autres qui couraient. Une immense foule s'était massée devant ce qui restait du bâtiment qui venait de partir en fumée. Elle surprit des gens dire que personne n'avait eu le temps de s'échapper du brasier infernal.

Ses yeux se remplirent de larmes quand elle remercia le Seigneur d'avoir épargné sa vie. *Je suis enfin libérée de cette situation insupportable.*

Charlotte passa devant ce qui avait été le bureau de la vieille O'Connor. Elle perçut un sourd grondement provenant des débris. Personne d'autre ne semblait l'avoir entendu, car elle fut la seule à s'approcher des décombres.

Déconcertée, elle aperçut le corps de l'Écossaise sous une immense poutre de bois. *Elle ne peut pas être encore en vie ! Quelqu'un va finir par la voir et lui venir en aide…*

Tout à leurs potins, les passants se demandaient ce qui se passait dans cette maison pour que personne ne l'ait remarquée. Quant à elle, Charlotte quitta vite les lieux pendant que madame O'Connor rendit son dernier souffle.

L'Anglaise ne se retourna pas une seule fois. Elle marcha un long moment afin de s'éloigner le plus possible de cet endroit.

John Knox et ses fidèles protestants – qui avaient maintenant la mainmise sur l'Écosse – pourchassaient sans pitié leurs opposants. Évidemment, les catholiques comptaient parmi les ennemis de l'Église presbytérienne, mais le caractère immoral des filles de joie était aussi sur leur liste noire.

Informé de la présence de ces nombreuses maisons closes dans le royaume, le prédicateur extrémiste avait ordonné à ses hommes de les brûler et de s'assurer que tous les occupants y périssent dans les flammes.

En cette journée de juin 1569, une trentaine d'hommes furent dispersés dans la capitale écossaise et incendièrent un grand nombre de ces maisons de prostitution. La majorité des filles y perdirent la vie.

Les gens étaient encore entassés au marché près du port lorsque Charlotte arriva. L'après-midi tirait à sa fin, mais les chauds rayons du soleil étaient toujours aussi intenses.

Dans ses mains, la jeune Anglaise serrait le panier qui contenait les articles achetés plus tôt pour les filles de madame O'Connor : une robe pour Magdelyn, quelques verges de tissu et un jouet pour Molly. Il lui restait quelques pennies en poche.

Comme elle n'avait pas besoin de tout cela, elle garda les pièces et tenta de monnayer le contenu du panier. Alors qu'elle s'apprêtait à conclure sa vente, la voix d'une vieille femme l'interpella.

« Mademoiselle Margaret ! »

Charlotte n'y porta pas vraiment attention et continua à discuter avec le marchand sans se rendre compte qu'on s'adressait bien à elle.

« Margaret Browne ! » insista la femme qui approchait.

L'ancienne dame de compagnie finit par reconnaître le pseudonyme qu'elle avait utilisé l'automne précédent en revenant à Édimbourg. Et la voix féminine ne pouvait appartenir qu'à une seule personne.

« Madame Wickham ! » s'exclama-t-elle en se retournant.

Au moins six mois s'étaient écoulés depuis que Charlotte avait fait la rencontre d'Anne Wickham et de son époux. Après un long séjour chez l'employeur de leur fille à Stirling, le couple était revenu à Édimbourg peu de temps après les festivités du Nouvel An.

William MacPherson – Lord Stirling –, quant à lui, était de retour de son long voyage au Danemark depuis quelques semaines seulement. Les affaires avaient été très lucratives d'après ce qu'on pouvait entendre dans les rues, et il venait tout juste de s'acheter une nouvelle propriété à Stirling.

La jeune Wickham avait mentionné à ses parents que son maître résiderait quelque temps dans son nouveau manoir pour régler des projets personnels. Il avait cependant l'intention de retourner en mer avant la fin de juillet, soit dans à peine quelques semaines.

ꕥ

Informée par Anne de la présence de Lord Stirling en Écosse, Charlotte décida d'expliquer en détail sa véritable identité à la vieille femme et aussi de lui dévoiler ses sentiments envers le seigneur.

Bien qu'un tant soit peu confuse et offusquée, Anne ne put que sympathiser avec les mésaventures de la jeune femme. Et elle lui fit la promesse de faire tout en son pouvoir pour tenter de la réunir à l'homme désespérément aimé.

« Venez avec moi… Charlotte Gray ! »

« Qu'avez-vous l'intention de faire ? »

« Nous en parlerons une fois à la maison. Monsieur Wickham sera bien content de vous revoir, ça c'est certain ! »

Et les deux femmes prirent la route en direction du logis du couple.

Anne écrivit un court message à sa fille, qui permettrait à Charlotte de rencontrer William MacPherson. Vu les fréquentes manifestations religieuses qui devenaient de plus en plus violentes, le riche seigneur était très bien gardé et on ne pouvait s'approcher de sa propriété sans invitation officielle.

Le document scellé en main, la jeune Anglaise devait maintenant trouver un moyen rapide et sécuritaire de se rendre à Stirling. Edward Wickham connaissait un homme qui y faisait des affaires et qui pourrait peut-être conclure un arrangement pour elle. La chance voulut que le fils aîné du marchand parte justement pour Stirling au matin.

Remplie de joie, Charlotte sauta au cou du vieil homme et lui donna un gros baiser sur la joue. Ned devint rouge aussitôt. Et Nan se mit à rire à gorge déployée.

« Tout est arrangé alors ! » conclut madame Wickham.

Lorsque les voyageurs atteignirent les limites de la ville, le soleil brillait de tous ses feux au-dessus de leurs têtes. Prenant place aux côtés du fils de l'ami de Ned, Charlotte reconnut immédiatement le château de Stirling, trônant sur son rocher. De beaux souvenirs lui vinrent de sa première rencontre avec William MacPherson.

La carriole s'arrêta enfin devant une immense grille métallique. Le manoir de quatre étages en pierre était imposant. Le jeune homme confirma qu'il s'agissait bien de la résidence de Lord Stirling et aida Charlotte à descendre.

Elle remercia son compagnon de voyage et approcha du portillon en tendant la missive adressée à Alice Wickham. Un garde armé prit le document scellé et disparut à l'intérieur du bâtiment principal.

Au bout de quelques minutes, la sentinelle sortit, suivie d'une charmante jeune demoiselle. *Ça ne peut qu'être Alice… elle a les mêmes traits que sa mère.*

« Tout est en ordre, Thomas, dit la jeune femme au garde. Vous pouvez laisser entrer la dame. »

L'homme armé obéit sur-le-champ et ouvrit les lourdes grilles métalliques.

« Très heureuse de vous rencontrer, mademoiselle Gray. Je m'appelle Alice Wickham. Veuillez me suivre à l'intérieur. »

Les deux femmes entrèrent et se dirigèrent vers le grand salon. La pièce était accueillante et remplie de somptueux meubles importés et de riches tapisseries. Les hauts murs étaient couverts de larges miroirs dorés et de toiles de bateaux. Le propriétaire était indéniablement riche… bien plus que ce que Charlotte avait anticipé.

« Vous devez être bien fatiguée après votre long voyage ! Je vous en prie, asseyez-vous confortablement. Aimeriez-vous quelque chose à boire ? Ou à manger peut-être ? »

« Je vous remercie, mademoiselle Alice, mais je ne pourrais rien avaler pour l'instant », répondit poliment l'ancienne dame de compagnie en s'asseyant dans un fauteuil rembourré.

« Je vais informer Lord Stirling de votre présence… »

Le cœur de Charlotte tressaillit. Elle allait enfin revoir cet homme qu'elle avait aimé en secret pendant toutes ces années. *Mais acceptera-t-il de me voir après tout ce temps ? Surtout après la manière dont les choses se sont abruptement terminées… ? A-t-il gardé un souvenir amer de notre rencontre ?*

Ne sachant trop comment réagir devant ces questionnements, la jeune femme jugea qu'il valait mieux ne pas se préoccuper de tout cela maintenant. Elle avait survécu à tant de mésaventures ! Elle était prête à faire face à un rejet.

Une chaude main masculine frôla son épaule par-derrière, ce qui la fit frissonner de la tête aux pieds. Elle reconnaissait ce toucher. Ça ne pouvait être que William.

Elle se leva aussitôt et pivota sur elle-même. Son regard croisa celui de Lord Stirling. Des larmes de joie incontrôlables coulèrent sur ses joues roses.

« Vous excuserez mes mauvaises manières », dit-elle, incapable de cacher ses émotions.

« Ce n'est rien, ma chère, je vous assure ! » rassura l'homme en essuyant du bout des doigts les larmes de Charlotte.

Elle était encore plus belle que le souvenir qu'il en avait gardé. Les années lui avaient profité. Elle n'était plus une enfant. Une femme mature et sensuelle se tenait maintenant devant lui.

« Charlotte Gray… je suis si heureux de vous revoir ! J'ai tenté d'entrer en contact avec vous à plusieurs reprises après notre première rencontre, mais je n'ai jamais eu de réponse. »

« Je ne pourrai jamais assez m'excuser de ne pas vous avoir donné d'explications à mon refus de vous revoir. Me pardonnerez-vous un jour ? »

« À la seconde où j'ai posé le regard sur vous au bal annuel, votre beauté et votre innocence m'ont envoûté. J'ai su dès lors que je voulais passer le restant de ma vie avec vous… mais vous n'aviez peut-être pas le même désir ? » expliqua-t-il en prenant les douces mains de la belle dans les siennes.

« Croyez-moi, William, je le souhaitais aussi de tout mon cœur ! chuchota Charlotte, les yeux rivés au sol. Mais compte tenu de mes obligations envers la reine à l'époque et de votre rang, il était impossible pour moi d'espérer quoi que ce soit. »

L'homme effleura délicatement le menton de la jeune femme et la fit le regarder.

« Et avez-vous les mêmes convictions aujourd'hui ? »

« Non ! » répondit simplement l'Anglaise.

Il approcha sa bouche de celle de la jeune femme et l'embrassa avec passion. Ses lèvres étaient douces. Son corps tremblait. Et à ce moment précis, elle oublia tous ses problèmes.

Charlotte passa les quelques heures suivantes dans les bras de William MacPherson. Son étreinte était si réconfortante.

Elle brisa la première le silence. Elle raconta en détail les dernières années qu'elle avait passées au service de la reine d'Écosse, la chute de cette dernière et sa fuite en Angleterre, le terrible feu qui avait détruit son petit cottage… puis l'horrible viol à Édimbourg et son séjour parmi les filles de madame O'Connor.

Elle lui parla même de son premier mariage avec John Wight – de l'amitié qu'elle avait pour cet homme, de leur inévitable union et du meurtre. Elle éclata en sanglots lorsqu'elle arriva à l'arrêt de mort qui pesait sur elle.

« Prenez ceci pour essuyer vos larmes… » dit-il en sortant un mouchoir de sa poche.

C'était le bout de tissu brodé qu'elle lui avait offert avant leur séparation. Il avoua l'avoir gardé sur lui depuis ce jour.

Il fut très attristé par le récit de Charlotte ; tant d'épreuves et tant de souffrances. Toutefois, certains détails de l'assassinat de John avaient attiré son attention.

❧

En revenant du Danemark, le bateau de William MacPherson fit un arrêt d'environ une semaine à Londres.

Durant son court séjour dans la capitale anglaise, il avait appris qu'un criminel notoire – qui avait été payé à de nombreuses occasions par l'Église anglicane pour exécuter, au fil des années, des fidèles catholiques – venait d'être arrêté. La signature de ses meurtres était simple, mais des plus efficaces.

Il pénétrait chez les fermiers catholiques qui vivaient dans les campagnes anglaises et tuait tous les membres de la famille, n'épargnant qu'une seule personne. La pauvre victime, inconsciente, se réveillait couverte de sang avec, bien souvent, l'arme du crime entre les mains. Dans presque tous les cas, le survivant était déclaré coupable du massacre.

Sur le coup, William n'avait pas porté beaucoup d'intérêt à cette nouvelle. Et bien qu'il fût protestant, il fut tout de même bien soulagé d'apprendre que ce meurtrier avait été arrêté et qu'il allait être pendu.

❧

« Je ne pourrais dire s'il y a un lien à faire avec ce qui vous est arrivé, mais je suis certain que *vous* n'avez pas tué votre époux. »

« J'aimerais tellement vous croire ! »

La nouvelle était néanmoins bienvenue et Charlotte se sentit soulagée d'un énorme poids. Et avec l'homme qu'elle aimait plus que tout à ses côtés, elle savait qu'elle allait enfin pouvoir régler ce dernier chapitre tumultueux de sa vie.

Heureusement pour le couple, le temps leur donnera raison.

Après avoir été officiellement convertie à la foi protestante, confession religieuse tant redoutée par Marie Stuart, Charlotte épousa William lors d'une cérémonie grandiose en juillet 1569. Cet événement tant attendu par l'Anglaise réunit autour de la mariée ses proches d'Angleterre et ses nouveaux amis d'Écosse, dont ses sauveurs, les membres de la famille Wickham. Et elle devint par le fait même Lady de Stirling. De simple paysanne anglaise jusqu'à son titre de noblesse, Charlotte Gray avait gravit plusieurs échelons pour accéder à cette position si convoitée. Elle fit son entrée dans la célèbre lignée des MacPherson. En 1570, elle accoucha d'une jolie fillette, au grand bonheur de William.

Grâce à l'influence de son nouveau mari et à ses bonnes relations en Angleterre, elle réussit à obtenir un pardon formel de la reine Élisabeth Ire dans les semaines qui suivirent leur union religieuse. Sa nouvelle foi protestante, le pouvoir de Lord Stirling et la preuve de sa non-culpabilité permirent à Charlotte cette délivrance. Elle avait enfin été innocentée du meurtre de John Wight, son premier époux.

Charlotte Gray comprit finalement qu'après la pluie venait le beau temps.

CHAPITRE XV

« En ma fin gît mon commencement »

Château de Fotheringhay, 1587

L'ANNONCE de la peine de mort qui pesait sur Marie Stuart fit le tour de toutes les cours royales d'Europe. Chaque souverain chrétien apprit la terrible nouvelle avec dégoût. Une reine protestante, bâtarde par sa mère, se donnait le droit d'exécuter une autre reine, catholique et légitime par son sang, sur le seul argument d'une probable collaboration à un complot de meurtre sur sa personne. Le manque de neutralité des commissaires qui avaient composé le tribunal laissait dire aux têtes couronnées que la fille de Jacques V n'était nullement coupable de ce que les Anglais l'accusaient. Aux yeux des chrétiens, la condamnée n'était ni plus ni moins une martyre que les protestants sacrifiaient pour leur cause.

Philippe II d'Espagne et Henri III de France envoyèrent des ambassadeurs spéciaux auprès de la reine d'Angleterre. Ils essayèrent de convaincre Élisabeth Ire de ne pas apposer sa signature sur le décret de mort. Voyant leur dernière demande être ignorée par la Tudor, les souverains firent circuler des rumeurs de représailles militaires contre Londres. Il n'était pas question de laisser cette femme jouer au bourreau sans réagir avec violence. Le puissant roi d'Espagne, défenseur de la foi catholique, organisait ses forces navales. Si Marie Stuart devait être tuée, il attaquerait sans réserve le royaume de la fille d'Henri VIII. Quant au souverain français, il se tenait également prêt à riposter si la cruelle manœuvre de l'Anglaise se réalisait. Même le pape se mêla de l'affaire en menaçant la protestante de châtiment en enfer s'il arrivait malheur à la reine d'Écosse.

Élisabeth Ire demeura plusieurs semaines dans un isolement quasi total. Elle refusait d'entendre les conseils de ses proches, et même ceux de Sir Francis Walsingham. Jusqu'ici, aucune de ses décisions n'avait été plus difficile à prendre. Attaquer un autre royaume ou affronter les catholiques était chose courante pour la souveraine. Exiger la tête d'une reine légitime n'était pas une mince affaire. Elle comprenait trop bien les répercussions de son geste. La puissante femme créerait un précédent dans l'histoire des monarchies d'Europe. Faire couler le sang d'une dignité royale prouverait, hors de tout doute, que les rois n'étaient pas infaillibles. Vu l'agitation religieuse qui sévissait dans son royaume, la fille des Tudor pourrait y perdre la vie elle aussi.

Resté sans émotion jusque-là, le fils de Marie Stuart, Jacques VI, décida – sans enthousiasme – d'exiger d'Élisabeth Ire de ne pas exécuter sa mère. Malheureusement, cette dernière fera la sourde oreille. Âgé de 20 ans, l'Écossais fera preuve de peu de caractère face à la reine d'Angleterre. Il n'avait pas connu celle qui lui avait donné la vie. Son oncle et les rivaux de sa mère avaient dépeint Marie Stuart comme étant cruelle et sans remords. Selon eux, elle était responsable de la mort de son père – Henry Stuart –, Lord Darnley. Le roi d'Écosse n'avait pas du tout envie de voir sa mère revenir à Édimbourg. Il la détestait au plus profond de son âme. La disparition de la fille de Jacques V était une bonne chose à ses yeux. Mais, pour soulager le peuple écossais, il se devait de jouer au fils offensé.

Rien ni personne ne semblait perturber Élisabeth Ire. La souveraine était résolument décidée à éliminer sa rivale. Le 1er février, la reine d'Angleterre convoqua l'un de ses serviteurs à ses appartements. Elle lui remit une lettre et le pressa de la remettre à Walsingham. La fille des Tudor venait de signer l'ordre d'exécuter la reine d'Écosse, Marie Stuart. Le sort en était jeté et plus rien ne pouvait empêcher la peine de mort de l'Écossaise. Après environ dix-neuf ans de captivité en Angleterre, la catholique périrait sous l'arme anglaise. Élisabeth Ire n'en pouvait plus de craindre pour sa vie et voulait en finir avec sa cousine.

Entre-temps, la prisonnière ressentait la mort s'approcher d'elle. Souvent, elle disait à ses dames de compagnie que sa fin arrivait à grands pas. Étonnées, les suivantes voyaient en leur maîtresse une femme sereine et forte. Toutes savaient que la mort l'attendait, et pourtant jamais la fille des Stuart ne se rebiffait contre Dieu. Elle semblait accepter le destin qui se dressait sur son chemin.

Un soir enneigé, Marie Stuart regardait par les fenêtres le sol couvert d'un duvet blanc. Des souvenirs joyeux du passé lui revinrent à l'esprit. François, son François, avait été si gentil avec elle. Les sœurs du dauphin lui avaient apporté tellement de bonheur. La souveraine se rappela les jardins du château de Blois. Le doux parfum des fleurs de la reine de France, Catherine de Médicis. Les journées de promenades à cheval dans les vallées de la Loire. Les espiègleries que son François et elle avaient manigancées pour surprendre les domestiques. Les enseignements de Pierre de Ronsard lui revinrent en mémoire. Les soirées de bals où les enfants royaux se cachaient derrière les imposants rideaux rouge écarlate pour regarder les grands danser. Le souvenir qu'elle chérissait le plus, outre la naissance de son fils unique, était son mariage avec le dauphin de France. Marie Stuart avait aimé François de Valois plus que tout autre homme. Elle était joyeuse dans un sens de retrouver celui qui l'avait rendue si heureuse. Ses années à la Cour royale française avaient été les plus beaux moments de sa vie. Parmi les images qui envahissaient sa tête, il y avait le visage de sa mère. Pour elle, Marie de Guise représentait la beauté féminine.

« Mère, je viens vous rejoindre dans le royaume du Tout-Puissant », dit-elle à voix basse.

La condamnée avait délibérément décidé d'ignorer les mauvais souvenirs qu'elle avait vécus : sa piètre relation avec la reine douairière de France, Catherine de Médicis ; les nombreuses intrigues de son demi-frère, Jacques Stuart, comte de Moray ; les tentatives de soulèvement du prédicateur protestant, John Knox ; le mal causé par ses deux autres époux, Lord Darnley et le comte de Bothwell. Elle n'avait non plus aucune rancœur contre Élisabeth Ire, qui était pourtant son bourreau.

En versant une larme, Marie Stuart remercia le ciel de lui avoir permis de vivre sa vie. Elle supplia Dieu de protéger son fils et de veiller sur ceux qu'elle affectionnait particulièrement. La souveraine s'inquiétait qu'un sort atroce puisse menacer ses fidèles et ses amis. Morte, elle ne pourrait plus user de son rang pour les aider.

Plus que jamais prisonnière, Marie Stuart n'avait plus aucune liberté. Chacun de ses mouvements était épié par ses gardes. Aucune correspondance ne circulait ni dans un sens ni dans l'autre. Isolée entre quatre murs, la reine d'Écosse sentait la folie s'emparer d'elle. Passer de longues journées sans voir personne ni discuter avec quiconque devenait plus qu'insupportable. Elle trouvait refuge dans la prière afin de tuer le temps. Le geôlier autorisait ses dames de compagnie à lui faire sa toilette uniquement le matin et le soir. Il ne lui restait que le titre royal, car tout le reste lui avait été arraché.

Alors que le soleil était à son zénith, la fille de Jacques V reçut la visite d'un émissaire de la reine d'Angleterre. Ce dernier venait lui annoncer le dernier message de sa cousine royale.

« Marie Stuart, je vous informe que Sa Majesté la reine a décidé que vous seriez exécutée demain, le 8 février, à neuf heures », déclara-t-il machinalement.

« Qu'il en soit ainsi, mon brave ! répondit la catholique sans émotion.

À l'annonce de cette date, les favorites, qui se tenaient près de la porte des appartements de leur maîtresse, hurlèrent des cris de douleur. Elles éclatèrent en sanglots devant la souveraine et l'émissaire anglais. Mary Seton et ses consœurs saisissaient la gravité de la situation. Plus aucun espoir ne leur était permis. La reine d'Écosse périrait sous l'épée de sa cousine royale.

Lorsque l'émissaire de la Tudor retourna à Londres, Marie Stuart exigea de demeurer seule pendant un long moment. À contrecœur, ses dames de compagnie se retirèrent dans leurs appartements. Il lui restait moins de vingt-quatre heures pour faire ses adieux. La souveraine avait tellement de choses à préparer pour son départ vers l'éternité. Elle rédigea des lettres à ses fidèles jusqu'à tard dans la soirée.

Le premier message fut destiné au pape Sixte Quint. La catholique, soumise de son plein gré aux enseignements de l'Église de Rome, demanda au Saint-Père de protéger son fils. Elle le supplia de ramener son enfant vers la seule religion de Dieu afin de gagner son salut. Pour terminer, la fille de Jacques V proposa au souverain pontife d'unir le roi d'Écosse à la fille de Philippe II d'Espagne. En bonne chrétienne, Marie Stuart remettait son âme entre les mains du Seigneur. Elle écrivit : « Je suis contente de répandre mon sang, à la demande des ennemis de l'Église. »

Sa deuxième lettre, adressée à Élisabeth Ire, était plus longue et davantage directive. L'Écossaise voulait profiter de cette dernière correspondance qu'elle adressait à sa pire rivale pour se vider le cœur.

Madame ma cousine,

Je rends grâce au Seigneur de tout mon cœur de ce qu'il lui plaira de mettre fin par votre main au pèlerinage ennuyeux de mon existence. Je ne demande nullement qu'elle me soit prolongée, n'ayant eu que trop de temps pour expérimenter son goût amer. Je supplie seulement Votre Majesté que, puisque je ne dois attendre aucune faveur de quelques ministres à votre service, je puisse tenir de vous mes dernières volontés.

Premièrement, je vous demande, comme il m'est impossible d'espérer une sépulture catholique en votre royaume et que dans mon royaume mes adversaires ne veulent pas de ma personne, que mon corps soit porté par mes serviteurs en terre sainte pour y être enterré. La France, où le corps de ma bien-aimée mère repose, est une terre sur laquelle je pourrais trouver le repos.

Deuxièmement, je prie ma cousine que je ne sois pas cachée en un endroit secret, mais à la vue de mes fidèles et d'autres personnes afin qu'ils puissent rendre témoignage de ma foi en la sainte Église catholique. Dans la mort, je souhaite défendre les restes de ma vie et mes derniers soupirs contre les faux bruits que mes ennemis sèmeront.

Troisièmement, je souhaite que mes dames de compagnie, qui m'ont servie avec tant de fidélité, puissent se retirer librement et jouir des commodités que ma pauvre personne leur a léguées dans mon testament.

Je vous conjure, Madame, par le sang de Jésus-Christ, par notre parenté, par la descendance d'Henri VII, parent commun, et par le titre de reine d'Écosse que je porterai jusqu'à ma mort, de bien vouloir respecter mes dernières demandes. Avec votre approbation, je mourrai comme j'ai vécu.

Votre cousine affectionnée,

Marie R

Lorsque Marie Stuart termina l'écriture de ce message, les larmes lui coulèrent le long du visage. Elle se pencha la tête et comprit que la fin était proche. Avant de passer une partie de la nuit à prier, la souveraine modifia quelques éléments dans son dernier testament. Elle y ajouta deux legs à des amis et fidèles supporters. La fille des Stuart décida de donner un diamant à l'ambassadeur d'Espagne. Ce dernier lui avait rendu de nombreux services et il était normal, selon la prisonnière, de le remercier pour ses gestes. Elle remit également une bague de rubis au duc de Guise, membre de sa famille, pour le dédommager à titre d'exécuteur testamentaire.

Dès qu'elle eut rédigé les derniers correctifs, la condamnée s'agenouilla devant le crucifix en bois arborant un christ en métal. La chambre était glaciale et sombre. Malgré le froid qui régnait dans la pièce, Marie Stuart passa des heures à prier le Tout-Puissant. Jamais elle ne s'était sentie aussi près de Dieu. Elle pouvait presque le voir à ses côtés. Elle était satisfaite que la mort frappe enfin à sa porte. Tant de douleur et de tristesse l'avaient accablée depuis son retour en Écosse et sa fuite en Angleterre. Son exécution signifiait à ses yeux sa délivrance. Dans moins de dix heures, la fille de Jacques V regarderait le soleil pour la dernière fois.

Fatiguée, la prisonnière se coucha dans son lit au milieu de la nuit. Un sentiment de liberté envahit son corps. Heureuse, elle s'endormit doucement. Pendant son sommeil, la souveraine vit des images. Non pas un horrible cauchemar, mais un rêve joyeux. Le sourire de sa mère, Marie de Guise, et les rires de son premier époux, François de Valois, se firent présents. Elle voyait ces deux êtres qui l'avaient rendue si heureuse. *Mère, j'arrive !* s'écria-t-elle dans son sommeil.

Sept heures arriva trop tôt. La reine d'Écosse se réveilla en sursaut lorsqu'elle entendit frapper à sa porte. Ses dames de compagnie pénétrèrent dans la chambre l'une à la suite de l'autre. Leur visage n'était guère joyeux et leurs yeux n'arboraient aucune étincelle. La nuit fut également de courte durée pour ces quatre Mary. Elles n'avaient pas fermé l'œil tant elles étaient bouleversées.

« Mes filles, ne soyez pas si tristes, s'exclama Marie Stuart.

« Dieu m'attend en son royaume. »

« Madame, c'est injuste… tellement injuste ! » s'écria Mary Seton.

« Cette bâtarde n'a aucun droit sur votre personne royale », ajouta la plus jeune des favorites.

Les quatre femmes habillèrent leur maîtresse pour la dernière fois. Pour l'occasion, Marie Stuart avait choisi de porter une robe rouge écarlate. Normalement, une condamnée à mort n'affichait jamais une telle couleur. La souveraine, elle, souhaitait montrer au monde qu'elle quittait cette vie en tant que martyre. L'Écossaise périrait sous la hache de la protestante pour sa foi en la sainte Église de Rome. La fille de Jacques V ne portait aucun bijou, sauf un chapelet noir qu'elle tenait à la main. Pour couvrir sa robe, Marie Stuart demanda d'être vêtue d'un vêtement noir sombre. Pendant que les suivantes faisaient la garde-robe de leur maîtresse, elles pleurèrent le sort de la reine d'Écosse. Une ambiance pesante flottait dans les appartements de la prisonnière.

Vers huit heures, deux seigneurs anglais firent leur apparition auprès de Marie Stuart.

« Madame, souhaitez-vous la présence d'un prêtre anglican ? » proposa l'un d'eux.

« Absolument pas ! répliqua-t-elle sèchement. Je suis une fidèle du Saint-Père », fulmina-t-elle.

« Pour votre escorte, vous serez accompagnée de quatre soldats de la Garde royale », l'informa l'homme.

« Mes filles ? » demanda la reine d'Écosse.

« Il n'est pas dans les habitudes de voir la présence de femmes lors d'exécutions », répondit-il.

« J'exige que mes dames de compagnie soient présentes sur les lieux », ordonna la catholique.

« Je ne peux l'autoriser ! »

« Croyez-moi, elles ne feront aucun geste qui pourrait vous déplaire », précisa-t-elle sur un ton plus conciliateur.

Les Anglais se regardèrent un bref instant et l'aîné reprit la parole.

« Qu'il en soit ainsi, Madame. »

Lorsque la condamnée fut vêtue, elle se tourna vers chacune de ses favorites. La fille des Stuart les serra l'une après l'autre contre elle. Comme des enfants, les Écossaises laissèrent couler des larmes. Elles embrassèrent les mains et les vêtements de leur maîtresse comme si cette dernière était devenue une sainte martyre.

« Mes chères amies, j'ai écrit à ma cousine pour lui exprimer mes derniers souhaits, dit Marie Stuart en les regardant.

« Je me suis assurée que la reine d'Angleterre vous rende votre liberté et que vous puissiez retourner en Écosse », ajouta-t-elle.

La reine d'Écosse se tourna vers l'un des nobles de la Cour royale anglaise. Elle lui remit les documents qu'elle avait rédigés avec habileté. Elle lui demanda de les remettre à Élisabeth Ire.

Après avoir jeté un dernier coup d'œil sur ses appartements, Marie Stuart se résolut enfin à prendre le chemin du dernier supplice.

« Monseigneur, je suis prête à poursuivre mon destin », dit-elle sans broncher.

Les membres du cortège sortirent d'un pas grave de la pièce. Il était formé par deux soldats, suivis des deux émissaires d'Élisabeth Ire, de la reine d'Écosse, de ses quatre dames de compagnie, et se termina par deux autres hommes armés. Tenant à la main droite son chapelet, Marie Stuart marcha lentement vers sa mort. Le temps semblait s'être arrêté autour de la prisonnière. Elle n'entendit aucun son. Tout le long du trajet, elle ne pensa qu'à sa mère et à son François. La souveraine semblait déjà être dans un autre monde.

Juste avant d'entrer dans la grande salle, lieu de la peine de mort, une femme richement vêtue barra la route au cortège.

« Halte ! Qui êtes-vous ? » demanda l'un des soldats.

« Une amie de la reine d'Écosse », répondit la voix féminine.

« Que voulez-vous ? » s'enquit l'aîné des comtes anglais.

« Sir Francis Walsingham m'a autorisée à saluer mon ancienne maîtresse. »

En entendant ces paroles, Marie Stuart reconnut la personne qui réclamait un bref entretien avec elle.

« Charlotte Gray ! s'écria la souveraine.

« Ma petite Charlotte. »

Charlotte s'approcha de la prisonnière et lui fit la révérence. L'ancienne dame de compagnie principale regarda tendrement la reine d'Écosse. Son époux, Lord Stirling, avait réussi à obtenir du bras droit de la Tudor la permission que Charlotte Gray puisse voir brièvement la condamnée à mort.

« Votre Majesté ! » lança Lady de Stirling, toute bouleversée.

Les deux femmes pleurèrent à chaudes larmes. Elles se serrèrent doucement l'une contre l'autre. Près de vingt ans s'étaient écoulés depuis leur séparation. Malgré le temps, une complicité sincère existait toujours entre elles.

« Madame, dès que j'ai appris la nouvelle, j'ai accouru à Londres. »

« Ma chère amie, vous risquez votre vie aujourd'hui », s'inquiéta-t-elle.

« Non, Madame, j'ai épousé William MacPherson… je suis la nouvelle Lady de Stirling, l'informa Charlotte.

« Mon mari a prouvé aux autorités anglaises que j'étais innocente des accusations qui pesaient sur ma personne. »

« Quelle excellente nouvelle, ma fille », répondit avec étonnement la souveraine.

« J'ai prié pour vous, Madame, mais je crains que Dieu n'ait pas entendu mes pensées », se désola-t-elle.

« Vous vous trompez, ma chère, répliqua Marie Stuart. Le Tout-Puissant me délivre de mon corps qui me fait souffrir ainsi que du mal de mes ennemis jurés. »

« Poursuivons notre chemin », interrompit le plus vieux des seigneurs.

La condamnée et la noble se séparèrent le cœur rempli de douleur.

Le lugubre cortège pénétra dans la grande salle du château de Fotheringhay. Pour l'événement, le mobilier traditionnel avait été enlevé avec minutie. Seule une estrade en bois avait été montée au milieu de la pièce. Quatre marches permettaient de gravir la plateforme. En haut, un homme vêtu d'un masque en tissu noir, tenant à la main gauche une hache bien aiguisée, attendait patiemment. Près de lui se trouvait à ses pieds un billot de bois. Lorsque Marie Stuart fit son apparition dans le Grand Hall, un silence oppressant saisit l'assistance. Personne n'émit un moindre son. Chacun essayait de voir, même une fraction de seconde, la condamnée. Sous le règne du roi Henri VIII, il n'était pas rare de voir périr l'une de ses épouses. Mais sous le règne de sa fille, Élisabeth Ire, aucune dignité de sang royal n'avait connu pareil malheur. Parmi les gens présents, une dizaine de seigneurs anglais – de confession protestante – étaient au premier rang. Les autres étaient des prélats de l'Église anglicane, des conseillers royaux et des puissants Anglais plutôt curieux.

La reine d'Écosse, en toute grâce, avança jusqu'au pied de l'escalier en bois. Les dames de compagnie lui enlevèrent son vêtement noir. Entièrement habillée de rouge, la catholique attira tous les regards. Seule à être vêtue de couleur au milieu de la foule, la souveraine fit réagir ses adversaires.

« Quelle honte ! » crièrent certains.

« Sacrilège ! » ajoutèrent d'autres.

Insensible aux paroles de l'assistance, l'Écossaise monta lentement sur l'estrade. Elle se dirigea vers le billot de bois. La prisonnière fixa les personnes présentes, jeta un sourire mesquin à Sir Francis Walsingham et se tourna vers le bourreau.

« Mon brave, je vous pardonne pour l'acte que vous allez commettre », déclara solennellement la fille des Stuart.

Lord Burghley monta à son tour sur la plateforme et prit la parole.

« Marie Stuart, reine des Écossais, au nom de Sa Majesté la reine d'Angleterre, et sous le grand sceau du royaume d'Angleterre, vous êtes accusée de participation dans le complot de meurtre sur Élisabeth Ire Tudor.

« Pour ce délit des plus graves, vous serez jugée aujourd'hui par cette exécution publique », conclut-il.

Il se tourna vers la condamnée et lui demanda si elle désirait prononcer ses derniers vœux.

« Je pardonne ma chère cousine de mettre fin à mes jours, car il s'agit du plus beau présent qu'elle puisse me faire.

« Mes ennemis, vous qui m'avez traînée jusqu'ici, vous serez jugés par le Tout-Puissant pour vos fautes », dit-elle en leur faisant face.

Lorsqu'elle termina sa phrase, la souveraine s'agenouilla devant le billot de bois. Elle y déposa la tête. Le bourreau leva la hache très haut. Marie Stuart regarda droit devant. Elle vit, du coin de l'œil, Charlotte Gray. Pour ce terrible événement, celle-ci portait la broche dorée que la reine d'Écosse lui avait offerte dix-neuf ans auparavant. Ce précieux objet lui était revenu en cadeau de mariage : son nouvel époux l'avait acheté dans une boutique d'Édimbourg sans connaître l'historique du bijou. L'ancienne favorite tremblait de tout son être. Ses yeux, remplis de larmes, semblaient chercher le pardon de la reine d'Écosse. Elle se sentait coupable de l'avoir abandonnée dans les griffes de la protestante. Coupable également de lui avoir caché une partie de son passé. Mais surtout, Lady de Stirling se sentait mal d'être dans sa situation et de voir la fille de Jacques V dans la sienne. Marie Stuart avait lu dans le regard de Charlotte et lui fit comprendre par un sourire sincère qu'elle avait tort de se torturer ainsi. Dès cet instant, l'épouse de William MacPherson retrouva sa sérénité.

Un premier coup de hache heurta la nuque de la condamnée. Les dames de compagnie fondirent en larmes. Toujours consciente, la souveraine encouragea de la main son bourreau à poursuivre sa besogne. Un deuxième coup de hache brisa les os de la nuque de la reine d'Écosse. Le geste lui fut fatal. Un troisième coup de hache sépara la tête de Marie Stuart de son corps. L'homme déposa son arme, prit la tête de la morte par les cheveux et la souleva. Surpris, il vit la forme ronde rouler sur l'estrade, tomber au milieu de la foule et se fracasser contre les chaussures de Charlotte Gray. La perruque de l'Écossaise lui était restée entre les mains. Effrayée, Lady de Stirling poussa un cri de stupeur. Un silence glacial envahit les lieux.

Le lendemain, lorsque les domestiques anglais transportèrent le corps de Marie Stuart, l'un d'eux remarqua sur le rebord de la robe un message brodé. La reine d'Écosse avait fait inscrire *En ma fin gît mon commencement.* Les deux hommes rapportèrent le vêtement à Sir Francis Walsingham, qui le fit brûler aussitôt. La reine d'Angleterre décida d'enterrer le tombeau de la fille de Jacques V dans la cathédrale protestante de Peterborough, en Angleterre. En 1612, les restes furent exhumés par le roi Jacques VI d'Écosse et placés à l'abbaye anglicane de Westminster, à Londres. La phrase de Marie Stuart prit tout son sens lorsqu'Élisabeth Ire mourut sans descendant. La couronne de la Tudor fut portée par l'unique progéniture de la reine d'Écosse. La mort de la catholique aura permis d'installer son fils sur les trônes conjoints d'Écosse et d'Angleterre. L'histoire aura donné raison à Marie Stuart, reine d'Écosse.

Lorsque l'annonce officielle de la décapitation de Marie Stuart fut connue, le roi de France envoya des menaces à Élisabeth Ire. Il voulait déclarer la guerre à la protestante. Mais la réaction la plus violente parvint du roi Philippe II d'Espagne. Il engagea une terrible armada contre les flottes anglaises. Pendant plusieurs jours, les bateaux espagnols longèrent la côte sud de l'Angleterre. Une évasion du royaume d'Angleterre était sur le point de se produire. Mais la suite des événements se déroula tout autrement. Malgré la puissance de l'Espagne, les Anglais remportèrent de justesse la bataille navale. La Tudor venait de démontrer la force de son pays.

Toute sa vie, la reine d'Angleterre sera détestée par les cours royales et impériales d'Europe. Les souverains chrétiens lui reprocheront l'assassinat d'une dignité royale. Autant fut-elle détestée sur le continent, autant sera-t-elle aux prises avec des guerres intestines dans son royaume. Le spectre de Marie Stuart hantera chacune de ses actions religieuses jusqu'à sa propre mort, en 1603.

La décapitation de Marie Stuart marqua la fin d'une ère dans l'histoire de l'Écosse, conclut le dernier chapitre obscur de la vie de Charlotte Gray, et sonna le commencement d'un destin joyeux pour celle qui fut la dame de compagnie principale de la souveraine catholique.

REPÈRES CHRONOLOGIQUES

8 décembre 1542
Marie Stuart naît au palais de Linlithgow, dans le West Lothian, en Écosse.

14 décembre 1542
Le père de Marie, le roi Jacques V, meurt et celle-ci devient reine des Écossais.

9 septembre 1543
La jeune Marie est couronnée à titre de souveraine au château de Stirling. Sa mère, Marie de Guise, assure la régence.

7 août 1548
Pour sa propre sécurité, Marie Stuart est envoyée, par sa mère, à la Cour royale de France.

24 avril 1558
Marie Stuart et le dauphin de France, François, se marient à la cathédrale Notre-Dame de Paris. Le contrat de mariage stipule que l'Écosse serait remise à la France en cas de décès de Marie.

11 juin 1560
Marie de Guise meurt de la goutte.

5 décembre 1560
Le roi François II meurt et Marie perd la couronne

française. Sa belle-mère, Catherine de Médicis, devient régente jusqu'à ce que son autre fils, Charles IX, atteigne la majorité.

14 août 1561
Ne pouvant retarder son départ plus longtemps en attendant la permission d'Élisabeth, Marie retourne en Écosse.

29 juillet 1565
Lord Darnley épouse sa cousine Marie Stuart.

19 juin 1566
Après un long et douloureux accouchement, débuté quelques jours plus tôt, naît Jacques VI. Élisabeth Ire d'Angleterre en est la marraine.

9 février 1567
Les corps nus de Lord Darnley et d'une servante sont retrouvés étranglés dans un verger.

14 mai 1567
Marie Stuart épouse le comte de Bothwell.

24 juillet 1567
Sous la pression, Marie abdique sa couronne en faveur de son fils. Jacques VI est couronné au château de Stirling et le comte de Moray devient régent.

13 mai 1568
Les troupes de Marie rencontrent celles de Moray à Langside, mais elles sont rapidement défaites.

16 mai 1568
Marie fuit en Angleterre et se retrouve prisonnière d'Élisabeth.

Octobre 1568
La Conférence de York se penche sur les documents de Moray qui prouveraient la responsabilité de Marie concernant le meurtre de Lord Darnley. Marie n'est pas autorisée à voir les pièces à conviction ni même à assister au procès.

11 janvier 1569
La Conférence de Westminster conclut que, bien que les documents fournis par Moray soient insuffisants, Marie n'a pas été capable de prouver que les lords écossais avaient conspiré contre elle injustement. Elle est gardée en détention.

23 janvier 1570
Moray est tué par un membre de la famille Hamilton. Marie récompense l'assassin de son traître, qui était son demi-frère, au moyen d'une rente.

19 novembre 1586
Lord Brockhurst informe Marie des dernières nouvelles sur son éventuelle exécution, mais n'obtient ni repentance ni autre confession de sa part.

4 décembre 1586
Le Parlement anglais obtient une proclamation publique d'Élisabeth sur la sentence de mort de Marie.

11 décembre 1586
Marie écrit à Élisabeth d'accélérer son exécution, mais une proche refuse d'envoyer cette lettre.

1er février 1587
Élisabeth Ire, reine d'Angleterre, signe finalement l'arrêt de mort.

8 février 1587
Marie Stuart, reine des Écossais, est décapitée dans le Grand Hall du château de Fotheringhay.

REMERCIEMENTS

Un auteur a indéniablement besoin du soutien inconditionnel des gens qui l'entourent et qui croient à son projet littéraire. Coucher sur papier une histoire est une chose, mais la sortir de son imagination est plus complexe encore. Souvent perdu dans ma bulle de création, j'ai eu la chance de compter sur de proches fidèles pendant mes moments d'égarement.

Durant cette excitante aventure, j'ai reçu les précieux encouragements de mon conjoint, Frédéric Daviault. Sa confiance envers mon talent d'écriture et son amour pour moi m'ont donné la force de persévérer durant toute la rédaction de ce récit. Sans lui, ma patience aurait atteint ses limites à plusieurs reprises. Il est mon phare dans la nuit et mon modèle dans la vie.

Les bons mots des membres de ma belle-famille et de mes amis m'ont donné chaque jour de la motivation. Chacune de leurs paroles a été une source de joie et de réconfort pour moi.

Les conseils professionnels de l'auteure Marie-Paule Villeneuve, présidente de l'Association des auteurs et auteures de la Montérégie et de l'Agence littéraire Alinéa, m'ont permis de rédiger sans me soucier des détails juridiques.

L'ouverture d'esprit de mon éditeur, Daniel Bertrand, et de l'équipe des Éditeurs réunis (LÉR) a donné vie à ce roman historique. En m'offrant d'écrire la nouvelle collection « Les reines tragiques », cette maison d'édition m'a fait le plus beau cadeau que j'aie reçu du monde du livre.

Je veux également souligner l'influence que plusieurs illustres écrivains ont eue sur moi et qui ont su, au moyen de leurs propres écrits, développer mon enthousiasme pour la lecture et, par la suite, pour l'écriture. Mentionnons entre autres Lucy Maud Montgomery (*Anne of Green Gables*), que j'ai lue durant mon enfance ; Agatha Christie (les séries de Hercule Poirot et de Miss Marple) et Sir Arthur Conan Doyle (la série de Sherlock Holmes) durant mon adolescence ; ainsi que Mary Higgins Clark (*A Stranger is Watching*) et Anne Rice (*The Queen of the Damned*) une fois devenu adulte.

Je désire enfin remercier tout spécialement ceux et celles qui m'ont aidé à poursuivre mon rêve d'être auteur. Leur motivation a nourri chacun des chapitres de *Marie Stuart, la reine captive* et a fait naître l'incomparable reine d'Écosse et sa dame de compagnie principale.

IMPRIMÉ AU CANADA